걸프 사태

각국 경제 제재 및 단교, 다국적 군대 파견

걸프 사태

각국 경제 제재 및 단교, 다국적 군대 파견

한국학술정보

| 머리말

걸프 전쟁은 미국의 주도하에 34개국 연합군 병력이 수행한 전쟁으로, 1990년 8월 이라크의 쿠웨이트 침공 및 합병에 반대하며 발발했다. 미국은 초기부터 파병 외교에 나섰고, 1990년 9월 서울 등에 고위 관리를 파견하며 한국의 동참을 요청했다. 88올림픽 이후 동구권 국교 수립과 유엔 가입 추진 등 적극적인 외교 활동을 펼치는 당시 한국에 있어 이는 미국과 국제사회의 지지를 얻기 위해서라도 피할 수 없는 일이었다. 결국 정부는 91년 1월부터 약 3개월에 걸쳐 국군의료지원단과 공군수송단을 사우디아라비아 및 아랍 에미리트 연합 등에 파병하였고, 군 · 민간 의료 활동, 병력 수송 임무를 수행했다. 동시에 당시 걸프 지역 8개국에 살던 5천여 명의 교민에게 방독면 등 물자를 제공하고, 특별기 파견 등으로 비상시 대피할 수 있도록 지원했다. 비록 전쟁 부담금과 유가 상승 등 어려움도 있었지만, 걸프전 파병과 군사 외교를 통해 한국은 유엔 가입에 박차를 가할 수 있었고 미국 등 선진 우방국, 아랍권 국가 등과 밀접한 외교 관계를 유지하며 여러 국익을 창출할 수 있었다.

본 총서는 외교부에서 작성하여 30여 년간 유지한 걸프 사태 관련 자료를 담고 있다. 미국을 비롯한 여러 국가와의 군사 외교 과정, 일일 보고 자료와 기타 정부의 대응 및 조치, 재외동포 철수와 보호, 의료지원단과 수송단 파견 및 지원 과정, 유엔을 포함해 세계 각국에서 수집한 관련 동향 자료, 주변국 지원과 전후복구사업 참여 등 총 48권으로 구성되었다. 전체 분량은 약 2만 4천여 쪽에 이른다.

2024년 3월

한국학술정보(주)

| 일러두기

· 본 총서에 실린 자료는 2022년 4월과 2023년 4월에 각각 공개한 외교문서 4,827권, 76만 여 쪽 가운데 일부를 발췌한 것이다.

· 각 권의 제목과 순서는 공개된 원본을 최대한 반영하였으나, 주제에 따라 일부는 적절히 변경하였다.

· 원본 자료는 A4 판형에 맞게 축소하거나 원본 비율을 유지한 채 A4 페이지 안에 삽입하였다. 또한 현재 시점에선 공개되지 않아 '공란'이란 표기만 있는 페이지 역시 그대로 실었다.

· 외교부가 공개한 문서 각 권의 첫 페이지에는 '정리 보존 문서 목록'이란 이름으로 기록물 종류, 일자, 명칭, 간단한 내용 등의 정보가 수록되어 있으며, 이를 기준으로 0001번부터 번호가 매겨져 있다. 이는 삭제하지 않고 총서에 그대로 수록하였다.

· 보고서 내용에 관한 더 자세한 정보가 필요하다면, 외교부가 온라인상에 제공하는 『대한민국 외교사료요약집』 1991년과 1992년 자료를 참조할 수 있다.

| 차례

정 리 보 존 문 서 목 록					
기록물종류	일반공문서철	등록번호	2020120214	등록일자	2020-12-28
분류번호	772	국가코드	XF	보존기간	영구
명 칭	걸프사태, 1990-91. 전12권				
생 산 과	북미1과/중동1과	생산년도	1990~1991	담당그룹	
권 차 명	V.4 각국의 경제제재 II, 1990.8.11-9월				
내용목차					

0001

원 본

외 무 부

종 별 :

번 호 : DJW-1157　　　　　　일 시 : 90 0811 1130

수 신 : 장관(통일,기정)

발 신 : 주인니대사

제 목 : 이락.쿠웨이트 사태

1.주재국 GINANDJAR 광업에너지성 장관은 8.10.ANTARA 통신과의 회견에서 중동사태가안정될때까지 인니경제에 불이익을 감수하면서도 유엔결의에 따라 이락과 모든 무역을 중단한다고 말함.인니는 이락으로부터 3만베럴의 원유를 수입하고,이락에 공산품을 수출하고있으나,이락으로부터 수입하는 원유를 사우디,이란등 제3국으로의 전환가능성을 타진하고 있으며,이락산 원유를 정유하는 CILACAP 비축량이 35일분 남아있어 큰 문제가 없을것이라고 함

2.중국수상 LI PENG 을 수행,BALI 출장중인 ALI ALATAS 외상은 8.10 BALI 에서 기자들에게 유엔결의는 모든 회원국이 준수해야하며,경제부처가 인니.이락간 무역실적 목록을 작성한후 경제조정상이 최종 발표할 것이라 함

3. ARIFIN SIREGAR 무역성장관은 이락으로부터의 원유수입은 일단 중지하고 중동사태가 인니 무역에끼칠 영향에 대해 대책을 강구중이라 함.끝

(대사 김재춘-국장)

통상국	1차보	2차보	아주국	정문국	안기부	중아국	청와대	총리실

차관. 장관.

PAGE 1

90.08.11 23:42 DP

외신 1과 통제관

0002

원 본

외 무 부

종 별 :

번 호 : OMW-0227 일 시 : 90 0811 1640

수 신 : 장관(중근동,국연,정일)

발 신 : 주오만대사

제 목 : 이라크의 쿠웨이트 침공사태 아국입장발표 언론 보도(자응제 35호)

대: AM-0143,144

8.11 자 주재국 OMAN NEWSPAPER 지(아랍어지)는 대호 아국의 대이라크 제재조치발표 관련, 아국정부는 UN 안보리 결의안에 따라 이라크.쿠웨이트로부터 원유수입 금지및 이라크와 모든 통상관계를 단결키로 하였다고 보도함.끝

(대사 강종원-국장)

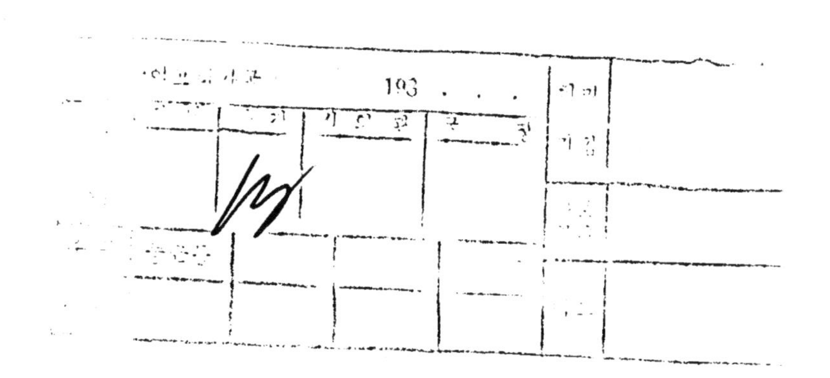

중아국 정문국

PAGE 1

90.08.12 00:10 DP

외신 1과 통제관

0003

관리 번호	90-440

원 본

외 무 부

종 별 : 지 급

번 호 : GEW-1365 일 시 : 90 0812 0100

수 신 : 장 관(통일)

발 신 : 주 독 대사

제 목 : 대이락 제재

1992.12.31 에 예고문에 의거 일반문서로 재분류됨

대:WECM-0020

1. 대호건과 관련, 당관 이상완 참사관이 주재국 외무부 관계관과 접촉, 동관계관은 주재국은 대이락 제재조치로 이락및 쿠웨이트로 부터의 원유수입을 금지하는 조치를 기히 취하였고 (주재국의 대쿠웨이트, 이락원유 수입 비중은 전체 수입의 약 2 프로) 또한 대이락 상품 수출을 전면 금지하는 조치를 취하였으며 경제부등 관계부처에서 이를 시행하고 있다함

2. 동건 관련 8.13(월)및 14(화) 외무부및 경제부 담당관과 면담 예정한바 추가 관련 조치등 상세사항 파악 추후보 하겠음

(대사 신동원-국장)

예고:90.12.31. 일반

통상국 차관 1차보 2차보 구주국 중아국 청와대 안기부

PAGE 1

90.08.12 15:48

외신 2과 통제관 DL

0004

외 무 부

종 별 :

번 호 : GEW-1364 일 시 : 90 0811 2200

수 신 : 장 관 (중근동,구일,정홍)

발 신 : 주 독 대사

제 목 : 대이락 제재조치

1. 독일정부 대변인 HANS KLEIN 공보장관은 대이락 제재조치와 관련, 독일정부가 동부지중해에 200여명이 탑승한 함대단 (기뢰탐지정 4정및 보급선 1정)을 파견키로 결정했다고 금 8.11.발표했음

2. 이에 앞서 8.8. KOHL 수상은 BUSH 대통령과 전화통화에서 독일정부의 가능한한 지원을 약속했었다고 주재국 언론은 보도했음

3. 한편 상기 독일함대단 파견에 대해 야당인 사민당은 기본법에 어긋나며 정치적으로 그릇된 결정이라고 비난했음.끝

(대사 신동원-국장)

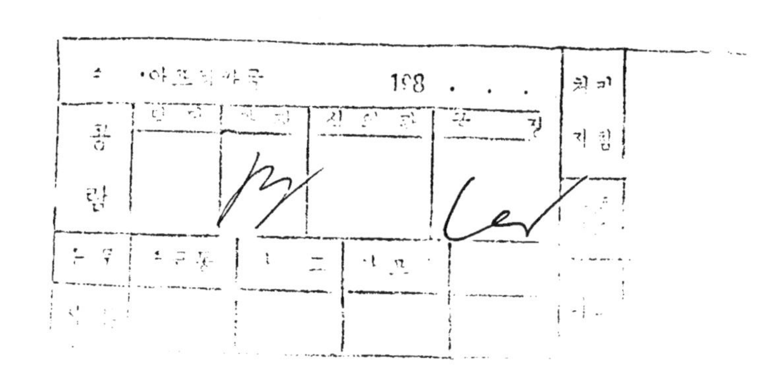

중아국 1차보 구주국 정문국 안기부

PAGE 1

90.08.12 16:03 FC

외신 1과 통제관

0005

관리번호	90/899

원 본

외 무 부

종 별 :

번 호 : MTW-0175 일 시 : 90 0811 1530

수 신 : 장관(중근동)

발 신 : 주 모리타니 대사대리

제 목 : 대이라크 제재조치

대:AM-0145

1. 이라크의 쿠웨이트 침공및 합병선언에 대해 주재국정부는 일체의 공식논평 및 보도를 자제하는등 간접적으로 이라크를 지지하는 자세를 견지하고있음.

2. 작 8.10 카이로 아랍정상회담에서 대 이라크제재조치의 일환으로 이집트등이 사우디에 파병키로한것과 관련, 당지에서는 금 8.11 4 백명규모의 데모대가 미국, 이집트, 모로코등 주요국 대사관앞에서 시위를 감행함.

3. 한편 당지에서는 주재국내 바쓰주의자들의 주동으로 현재 약 1,500 명의 이라크지지 지원병들이 등록을 필하고 출국을 대기중이라는 소문이 돌고있는바, 확인되는 대로 추보예정임.

4. 주재국 치안당국은 8.10 부터 미국, 프랑스를 비롯 이집트, 모로코등 주요국 공관주변에 무장경관을 배치하여 보호조치를 강화하고 있는바, 당관도 유사시에 대비 공관원및 교민가족들에 대해 신변안전에 유의토록 조치하였음. 끝.

(대사대리 김원철 - 국장)

예고:90.12.31. 일반

1990 12 31

중아국 장관 차관 1차보 2차보 정문국 청와대 안기부 대책반

PAGE 1 90.08.12 18:01

외신 2과 통제관 DO 0006

관리번호	90-446

원 본

외 무 부

김

종 별 :

번 호 : LYW-0490 일 시 : 90 0812 1100

수 신 : 장관(통일,마그,중근동)

발 신 : 주 리비아 대사

제 목 : 대이라크 제재조치

1990.12.31 에 예고문에 의거 일반문서로 재분류됨

대: AM-0144

연: LYW-0474

1. 최근 걸프사태와 관련, 주재국은 연호 성명이후 공식입장을 표명치 않고있으나 8.10 카이로 정상회의에서 아랍평화군 파견에 반대하였고, 주재국언론들도 아랍 각국의 외세간섭 반대 데모, 이라크 지지 의용병 지원사례등만 집중보도함으로써 외세간섭 배제를 강조하면서 이라크를 두둔하는 태도를 견지하고 있음.(트리폴리에서도 8.9 부터 관제인듯한 규탄데모가 계속되고 있음)

2. 카이로 정상회의 이후 아랍제국들이 이집트, 모로코등 친서방 온건세력과 이락, 리비아, PLO 등 강경세력으로 대립되는 양상을 보이는 가운데 주재국은 이라크 지지 입장을 취하고 있으나, 범세계적인 이라크 규탄 및 제재추세에 비추어 주재국이 군사적 지원 또는 이라크제재에 대한 역제재 조치등 실질적인 이라크 지원 조치를 취하는 경우, 많은 경제적 불이익을 감수하여야 할 것이므로 내심 석유가 앙등을 환영하면서 사태를 관망하고 있는 것으로 보임.

3. 그럼에도 불구하고 카다피 지도자는 과거행적에 비추어 예측을 불허하는 면이 다분히 있으므로 리비아가 향후 상황에 따라서는 대이라크 제재 참여국들에 대한 제재 조치를 취하게 될 가능성도 배제할수 없음을 참고 바람.

(대사 최필립-차관)

예고:90.12.31 일반

통상국	차관	1차보	2차보	중아국	중아국	청와대	안기부	대책반

PAGE 1 90.08.12 19:43

외신 2과 통제관 DO 0007

통/김

외 무 부

종 별 : 지 급

번 호 : NDW-1083 일 시 : 90 0812 1500

수 신 : 장 관(중근동,아서,통일)

발 신 : 주 인도 대사

제 목 : 이락의 쿠웨이트 침공과 관련한 인도의 반응(5)

1. 작 8.11 인도 외무부대변인은 이락의 쿠웨이트침공 이후 이락 및 쿠웨이트에잔류중이던 인도여행자문제 및 주이락 대사관 인원보강에 대해 다음과 같이 밝힘.

가. 약 700명의 인도인이 HAJ 순례후 이락의 KARBALA 순례지를 방문중 이락의 쿠웨이트 침공으로 이락을 떠나지 못하고 있었는 바, 인도정부는 이들을 요르단까지 육로로 이동시킨 후 특별기편으로 인도로 수송할 계획이며 이를 위한 이락정부의 허가를 주이락 대사를 통해 득하였음.

나. 또한 주쿠웨이트 대사는 이락당국의 허가를 받아, 이락군의 쿠웨이트공항 점거로 묶여 있던 BRITISH AIRWAYS(인도 마드라스 향발 예정)편에 탑승중인 120명의인도 승객을 면회하였는 바,동 승객은 전원 무사하며 건강상태도 양호하다고함.

다. 인도정부는 이락 및 쿠웨이트에 거주하는 인도인에 대한 영사보호업무의 효율적 수행을 위해 주이락 대사관의 인력을 보강 조치중임.

2. 한편, H.K.SINGH 인도 외무담당 국무장관은 페루,베네주엘라 및 콜롬비아를 방문후 귀로에 뉴욕에서 케야르 유엔 사무총장과 면담,.대이락 경제제재조치 관련문제를 협의한 것으로 당지 언론(8.12자 HINDUSTAN TIMES) 은 다음 요지 보도함.

가. SINGH 국무장관이 케야르 사무총장에게 전달한 인도입장은 다음과 같음.

1) 유엔 안보리 결의에 따른 대이락 경제제재조치로 영향을 받게 될 인도 및 여타 개발도상국에 대해 유엔이 산하기관 등을 통해 원조를 제공해야 할 것임.

2) 유엔의 제재조치로 인해 경제적 어려움을 받게되는 경우에 대한 원조제공은 유엔헌장에도 규정되어 있음.

3) 금번 제재조치로 이락내의 많은 프로젝트, 특히 건설프로젝트가 지연되거나 중

중아국 1차보 아주국 경제국 정문국 안기부 통상국 당직실 그차보 장관 차관

PAGE 1

90.08.12 21:55 ND

외신 1과 통제관

0008

지될 것이며, 이락에 대한 수출도 중단될 것인 바, 인도와 여타국가들이 심각한 영향을 받게 될 것이 확실하므로 유엔은 이러한 국가들을 지원할 의무가 있음.

나. 동 국무장관은 자신의 상기 입장 표명에 대해 유엔 사무총장이 매우 동정적인 반응을 보였다고 밝힘.

다. 또한, 동 국무장관은 인도의 대이락 대응이 너무 미온적이지 않느냐는 기자의 질문에 대해서는 다음과 같이 답변함.

1) 쿠웨이트와 이락은 모두 인도에 우호적인 국가이며 우리는 그들 자신이 그들간의 문제를 해결하기를 희망함.

2) 직설적인 규탄으로 문제가 해결되는 것은아니며, 인도가 이야기한 것이 약하게 들릴지 모르나,인도의 의도는 매우 강한 것임. 우리는 이락의 행동에 동의하지 아니하며 가능한 조속한 시일내에 이러한 이락의 행동이 철회되기를 희망함.

3. 당지에서는 인도 원유수입의 40 프로 이상을 점유하는 이락 및 쿠웨이트(특히 이락)로부터의 수입이 막힐 경우에 대한 우려가 점차 높아지고 있으며, 당지 언론관측통은 인도 정부가 원유부족분을 사우디, UAE 및 이란 등으로부터 도입하려고 노력중이나 외환부족으로 큰 어려움을 겪을 것으로 분석하고 있음.

(대사 김태지-국장)

관리번호	90/1365

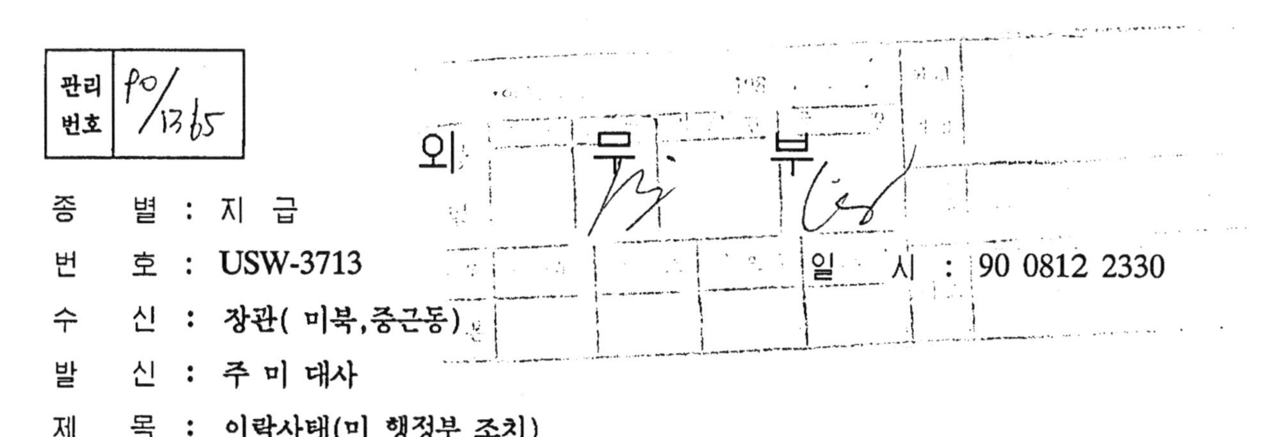

외 무 부

종 별 : 지 급

번 호 : USW-3713 일 시 : 90 0812 2330

수 신 : 장관(미북,중근동)

발 신 : 주 미 대사

제 목 : 이락사태(미 행정부 조치)

연:USW(F)-1791

1. 금 8.12(일) 미 백악관은 KENNENBUNPORT 에서 대변인 명의 성명을 통해, 쿠웨이트의 AL-SABAH 왕이 BUSH 대통령앞 친서를 발송, UN 알보리 제재결의의 시행을 위해 미국 정부가 필요한 조치를 취해줄것을 요청해 왔다고 발표 하였음.

2. 미측은 여사한 쿠웨이트의 요청은 회원국가의 집단적 또는 자율적 자위권을 규정한 헌장 51 조에 따른 것이라고 설명 하였는바, 미측은 미국등 다국적함대가 해상에서 이락의 교역에 대한 봉쇄조치를 실시하기 위해서는 헌장 51 조에 따른 쿠웨이트의 공식 요청이 필요 하다는 점을 수차 강조 한바 있음.

3. 이와 관련 금 8.12. BAKER 미 국무장관은 미 언론과의 대담을 통해 미국은 향후 이락측의 원유 수출을 위한 선박 이동을 차단 하겠다는 미 행정부의 의지를 명시적으로 밝힘.

4. 한편, 백악관은 상기 성명을 통해 금일 SADDAM HUSSEIN 이락 대통령이 쿠웨이트에서의 병력철수의 조건으로 이스라엘의 아랍점령지로 부터의 완전철수를 요구한데에 대해, 이는 쿠웨이트 점령을 기정사실화 하려는 시도일 뿐으로 동 요구를 단호히 거부 (CATEGORICALLY REJECT) 한다는 입장을 밝혔음.

(대사 박동진- 국장)

예고:90.12.31. 까지

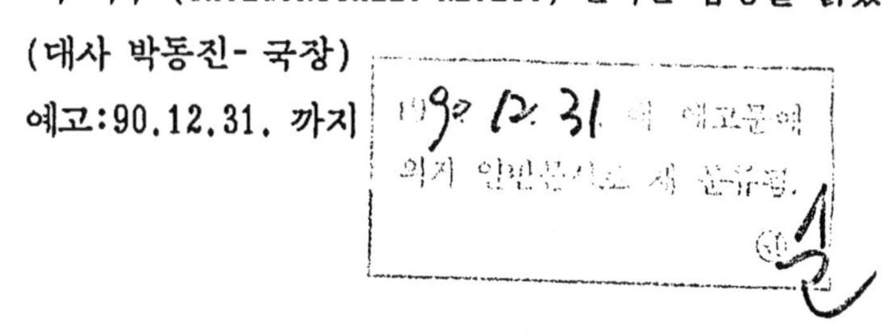

미주국	장관	차관	1차보	2차보	중아국	정문국	영교국	청와대
안기부	건설부	노동부						

PAGE 1 90.08.13 13:36 0010

외신 2과 통제관 DH

08/12/90 23:25 ☎202 [illegible]7 0595 EMBASSY OF KOREA → WOI 2 001/001

수신: 장관 (미북, 중근동)
발신: 주미대사
제목: 이상사태
(미 백악관 성명 8.12)

USW(F) - 1791

WHITE HOUSE STATEMENT

STATEMENT BY THE PRESS SECRETARY
(KENNEBUNKPORT, MAINE)

REGARDING IRAQ-KUWAITI SITUATION

SUNDAY, AUGUST 12, 1990

.STX

This morning, the President received a letter from His Highness, Sheikh Jaber Alahmad Al-Sabah, the Emir of Kuwait, requesting on behalf of the Government of Kuwait, and in accordance with Article 51 of the UN Charter and the right of individual and collective self-defense, that the United States government take appropriate steps as necessary to ensure that the UN-mandated economic sanctions aginst Iraq and Kuwait are immediately and effectively implemented.

In view of the Emir's request, the President has decided that the United States will do whatever is necessary to see that relevant UN sanctions are enforced. The President stressed that these efforts will complement not substitute for individual and collective compliance that has been highly successful thus far. The United States will coordinate its efforts with the governments of other nations to whom the Kuwaiti government has made similar requests.

Regarding Saddam Husayn's proposals announced today, the United States categorically rejects them. We join the rest of the UN Security Council in unanimously calling for the immediate, complete and unconditional withdrawal of Iraqi forces from Kuwait, and the restoration of Kuwait's legitimate government. These latest conditions and threats are another attempt at distracting from Iraq's isolation and at imposing a new status quo. Iraq continues to act in defiance of UN Resolutions 660, 661, and 662, the basis for resolving Iraq's occupation. The United States will continue to pursue the application of those resolutions in all their parts.

.ETX

END

128-1 (END)

0011

관리번호	90-405

분류번호	보존기간

발 신 전 보

번 호 : WND-0606 900813 1854 DP 종별 : WMX -0713 WBR -0356 WDJ -0634

수 신 : 주수신처 참조 ~~대사, 총영사~~

발 신 : 장 관 (미북) 기형

제 목 : 이라크.쿠웨이트 사태

1. 금번 이라크의 쿠웨이트 침공과 이에 대한 미국정부의 강력한 대응, 국제적인 경제제재 조치 및 군사적 움직임 등 일련의 사태는 그 심각성으로 인해 향후 동 사태가 진정된 이후에도 세계경제 및 정치정세에 다대한 영향을 끼치게 될 것으로 사료됨

2. 본부로서는 현재 이라크.쿠웨이트 사태가 향후 상당기간 가변적이 될 것으로 사료되나, 아국의 중장기 정책수립에 참고코저하니 우선 현재까지 밝혀진 귀주재국 정부의 입장, 학계 및 전략문제 전문가들의 다각적인 견해, 언론 해설 등을 예의분석하여, 앞으로 사태 종결후 예상되는 중동정세 및 세계정세(경제포함)의 변화 등에 관하여 가급적 조속 보고바람.

3. 본건과 관련하여서는 앞으로도 귀주재국 정부의 입장, 각계 의견을 예의 관찰, 분석하여 수시로 보고바람. 끝.

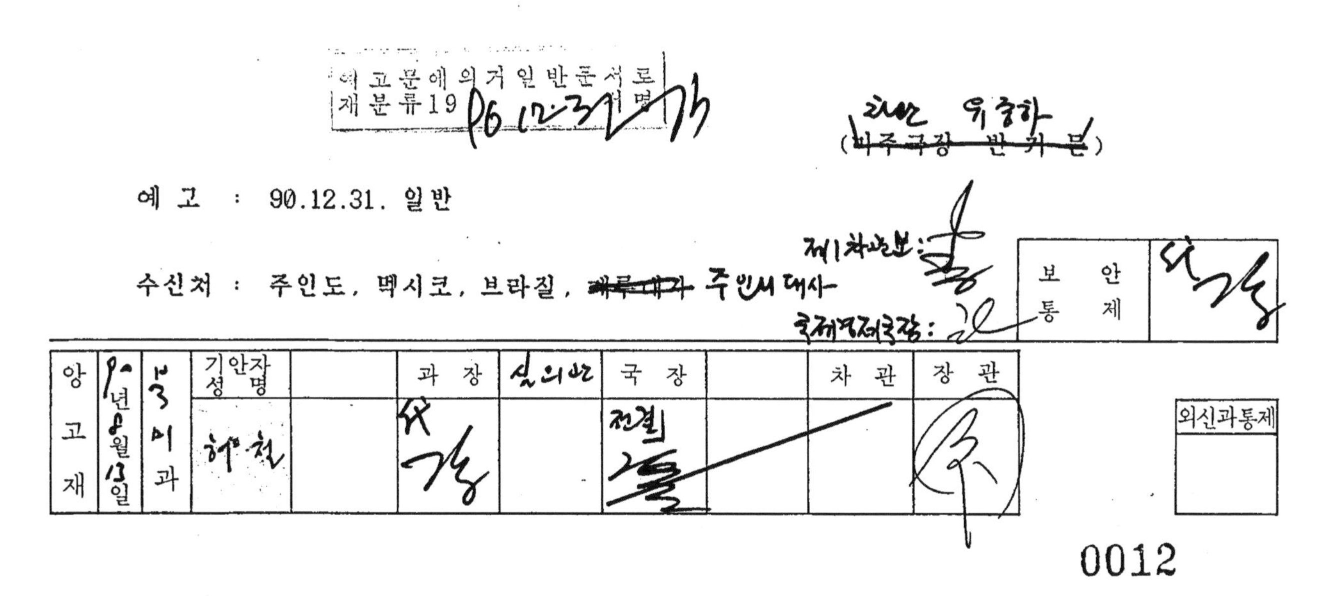

예고문에의거일반문서로 재분류19 90.12.31 서명

(차관 위중하 ~~미주국장 반기문~~)

예 고 : 90.12.31. 일반

수신처 : 주인도, 멕시코, 브라질, ~~배루대사~~ 주인니 대사

제1차관보: 국제경제국장:

보안통제	

앙고재	90년 8월 13일	북미과	기안자 성명	허철	과 장	심의관	국 장	전결	차 관	장 관

외신과통제

0012

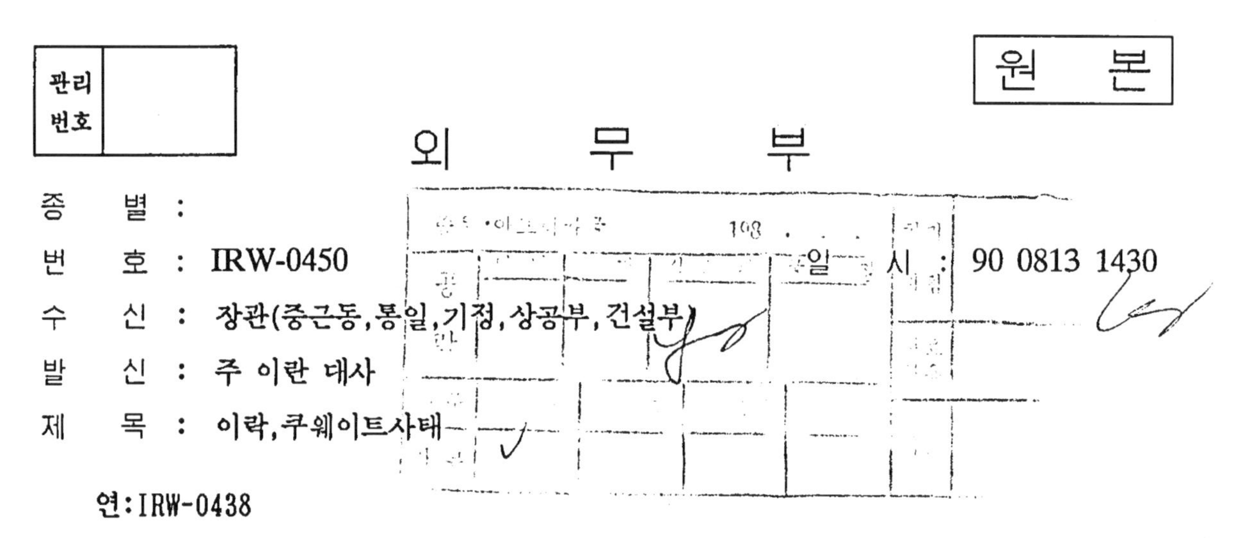

관리번호

원 본

외 무 부

종 별 :

번 호 : IRW-0450　　　일 시 : 90 0813 1430

수 신 : 장관(중근동,통일,기정,상공부,건설부)

발 신 : 주 이란 대사

제 목 : 이락,쿠웨이트사태

연:IRW-0438

본직은 금 8.13(월) 외무부 BURJERDI 아시아, 대양주담당 차관을면담한바, 표제관련 동인의 언급요지 아래보고함.

1. 이락 사담대통령이 8.12 연설을통하여 금번사태 해결과 관련 이락군의 철수조건으로 이스라엘의 팔레스타인지역, 시리아, 레바논등으로부터의 즉각적인무조건철군을 요구함으로써, 사태가 장기화될것으로 전망됨.

2. 쿠웨이트로부터 이라크의 철군을 요구하는 이란의 입장은 확고한것임.이란은 군사적 방법이외에 모든방법을동원, 쿠웨이트의 원상회복을위해 노력할것임.

3. 서방및 아랍제국의 대이락금수조치는, 바그다드내에 생필품부족현상이 생기는등 상당한 효과가 있는것으로 평가됨(이란의 대이락 제재조치로써 아랍정상회의결의나 서방국가의 예에따라 군사적 조치를 취할가능성문의에대해)현재로서 동가능성은 없음(이락의 쿠웨이트 무력점령이 묵인될경우, 향후 전례가되어 걸프지역내 정세불안 요인이되어 장기적 석유수급에 불안정요인이 될것임)

4.(본직이 아국의 대이락 관련조치를 설명한바), 이락과 경제, 정치관계가 단절된 이란과달리, 중동 원유 등에 의존하고있는 상황에서 그같은 조치를 취한 아국에 경의를표명하고, 이란의 대아국 경제관계 강화가능성등을 시사함. 끝

(대사정경일-국장)

예고:90.12.31 까지

중아국 장관 차관 1차보 2차보 경제국 통상국 ~~상황실~~ 청와대
안기부 상공부 동자부 건설부 (대책반)

0013

PAGE 1　　　90.08.13 21:18

외신 2과 통제관 FE

원 본

외 무 부

종 별 :

번 호 : NRW-0514 일 시 : 90 0813 1400

수 신 : 장관(통일,중근동,구이)

발 신 : 주노르웨이대사

제 목 : 주재국 대이라크 제재조치

대: AM-145

1. 주재국정부는 8.9.각료회의를 통하여 대이라크경제제재에 관한 유엔안보리 결의를승인하였음

2.이로서 주재국은 이라크 및 쿠웨이트로부터모든수입과 수출(의료품및 인도적 차원의 식품수출은 예외)금지,해운관련선적및하역금지,금융거래.신용대부및 보증을금지시켰으며 주재국내 이라크및 쿠웨이트의 자산도동결시켰음.끝

(대사 김정훈-국장)

통상국 구주국 중아국 정문국 1차보 2차보 대책반

PAGE 1

90.08.13 22:15 CT

외신 1과 통제관

0014

관리번호	90-458

원 본

외 무 부

종 별 :

번 호 : ITW-0948 일 시 : 90 0813 1600

수 신 : 장관(통일)

발 신 : 주 이태리 대사

제 목 : 대 이라크 제재

1990. 12. 31 에 예고문에 의거 일반문서로 재분류됨

대: WECM-0020

대호사항 아래보고함.

1.8.4 EC 공동성명 및 8.6 UN 안보리 결의에 대한 주재국 시행조치

0 8.5 각의, 이라크 자산동결 법령을 채택(8.6 발효)하였으며, 무기금수, 경제군사협력 중지 및 GSP 수혜정지등은 이태리 행정조치로 시행하고 석유금수는 EC 규정으로 시행키로 결정함.

0 8.9 무역성 장관령에 의거 무역금지 행정조치 발효

-8.7 이후 대이라크 및 쿠웨이트 수출입금지 및 관련 허가행위 일체금지(무기, 상품교역금지, GSP 수혜정지포함)

0 8.9 대이라크 및 쿠웨이트 석유수입금지 EC 규정 발효

2. 이라크 사태로인한 이태리의 불이익내지 영향

가. 대이라크 및 쿠웨이트 교역량

이라크: 수출 3.7 억불, 수입 6.7 억(전체대비 0.35%)

-쿠웨이트: 수출 3.3 억, 수입 5.0 억(0.8%)

나. 투자현황:대이라크 및 대 쿠웨이트 주재국의 투자실적 없음.

다. 이라크 및 쿠웨이트의 대주재국 채무현황

. 이라크:4 조리라(약 33 억불)

. 쿠웨이트: 없음.

라. 체류국민현황

0 이라크:300 명

0 쿠웨이트:140 명

마. 기타참고사항:ITW-930 참조.

통상국 장관 차관 1차보 2차보 정문국

PAGE 1 90.08.14 01:59

외신 2과 통제관 EZ

0015

(대사 김석규-국장)

예고:90.12.31. 일반.

71

외 무 부

종 별 :

번 호 : GEW-1370　　　　　　　　일 시 : 90 0813 1730

수 신 : 장 관(미북,기협)

발 신 : 주 독 대사

제 목 : 이라크-쿠웨이트 사태

대: WGE-1161

대호관련 표제건 당지 FRANKFURTER ALLGEMEINE지의 기사(당관 영영본)을 우선 별첨 송부함

별첨: GEW(F)-074

(대사 신동원-국장)

미주국 차관 1차보 2차보 통상국 정문국 청와대 안기부 대책반

경제국

PAGE 1

90.08.14 01:20 ER

외신 1과 통제관

0017

주 독 일 대 사 관

GEW(F) - 0774

수 신 : 장 관 (미북, 기협)

발 신 : 주 독 대 사

제 목 : GEW - 1370의 별첨

(표지 포함 총 2매)

0018

German military and Iraq, newspapers of August 13, 1990

Frankfurter Allgemeine, p. 4

"A group of three naval mine hunting craft and two mine sweepers as well as a tender and a supply ship will set out from Wilhelmshaven for the Mediterranean on Thursday for an unlimited tour. This was decided by Vice Admiral Braun, the Commander of the Fleet, on Sunday, according to an announcement made by the Defense Ministry. Braun thus followed the instructions of the Governemnt given on Friday. The formation will be under the command of Frigate Captain Nolting. The ships involved are the tender "Werra", the supply ship "Westerwald", the three mine hunting craft "Marburg", "Koblenz", and "Wetzlar", and the minesweepers "Überherm" and "Laboe".

The ships carry a total crew of 382 men, of whom 40 are officers, 170 petty officers, 175 enlisted men (111 of them draftees), and four physicians. The formation has not been placed under the command of the U.S. 6th Fleet in the Mediterranean. Instead, it was decided that the formation would be under the direct command of the Fleet Commander in Glücksburg, who is responsible for coordinating the deployment of German ships with the Allies in the event they are needed.

The chairman of the FDP in Nordrhein-Westfalen and Federal Minister of Education, Möllemann, has rejected the idea of sending Bundeswehr troops to the Persian Gulf, which has been approved by SPD parliamentarians Horn and Kolbow; Möllemann called the idea "megalomania". Möllemann said on Radio Luxembourg on Sunday: "This is out of the question with the FDP." However, he added that in the future constitution of a united Germany it should be laid down that soldiers of the Bundeswehr can be deployed as part of a UN peace-keeping force.

According to the Auswärtiges Amt, there are currently 600 Germans in Iraq and 300 in Kuwait."

0019

관리 번호	90-460

원본

외 무 부

종 별 :

번 호 : GEW-1373 일 시 : 90 0813 1830

수 신 : 장관(통일, 경협)

발 신 : 주 독 대사

제 목 : 대 이락 제재

1994. 12. 31. 에 예고문에 의거 일반문서로 재분류됨

대:WECM-0020

연:GEW-1365

1. 대호 당관 이상완 참사관은 8.13. 외무부 ACKERMANN 특수 경제정책 과장을 면담 아래 보고하

가. 주재국은 EC 결정및 유엔안보리 결정에따라 석유금수를 비롯한 모든상품의 수입은 물론 대이락 모든상품의 수출을 전면 금지하는 조치를 취하고 시행중임

나. 독일정부는 추가로 모든 이락및 쿠웨이트의 자산을 동결하고 이락의 쿠웨이트 침공이전에 발생하였던 상품결제(상품수입 관련 지불등)을 포함한 모든 재정적 거래도 전면 금지하였음

다. 쿠웨이트 망명정권(침공후의 소위 신정부는 승인치 않고 있음)등이 자산사용을 신청할 경우에는 중앙은행(BUNDESBANK)에서 접수, 검토하는 절차를 마련하고 있으며, 정부와 함께 허가여부를 결정함. 현재 이와관련 허가된 사항은 없다함

라. 주재국이 추가하여 더 취하고자하는 경제조치가 있는가의 질문에 대하여 주재국은 모든 관련조치를 취하고 있으며 현재 단독의 추가조치 시행은 생각치 않으나, UN 의 추가결의가 있으면 주재국은 이를 수용, 공동조치를 취할 것이라고 하였음

마. 동과장은 중동사태의 전망이 어려우나 앞으로 2-3 일이 고비일 것으로 예견된다함

2. 주재국의 대이락 및 쿠웨이트 주요경제관계는 아래와 같음

가. 교역현황(89 년)

1)독일의 수입(단위 1000 DM, ()안은 전체 수입중 비율)

이락 279,614(0.1)

통상국	장관	차관	1차보	2차보	~~통상국~~ 경제국	정문국	청와대	안기부
대책반								

PAGE 1 90.08.14 02:19

외신 2과 통제관 FE 0020

쿠웨이트 297,940(0.1)
2)독일의 수출
이락 2,199,036(0.3)
쿠웨이트 860,370(0.1)
나. 부자현황(90 년 현재의 현황)
1)독일의 부자
대이락: 없음
대쿠웨이트 5 백만 DM
2)이락및 쿠웨이트의 대독일부자
쿠웨이트 50 억 DM
이락: 없음
다. 채무
1)이락의 대주재국 채무
대은행: 35 억 DM
대기업(HERMES 대외수출보험기관의 보증을 통한 주재국 기업): 50 억 DM
대기업(HERMES 의 보증이 없이 대주재국 기업을 부터의 채무): 50 억 DM
2)쿠웨이트의 대주재국 채무: 191 백만 DM
라. 이락및 쿠웨이트 체류국민 현황
쿠웨이트: 약 300 명(대부분 체류허가를 받고 체류하는 상사관계자및 가족)
이락: 약 500 명(상동)
(대사 신동원-국장)
예고:90.12.31 일반

관리 번호	90-461

원본

외 무 부

종 별 :

번 호 : UKW-1502 일 시 : 90 0813 1100

수 신 : 장관(통일,중근동,구일) 사본: 상공부장관

발 신 : 주 영 대사

제 목 : 대 이라크 제재

1990.12.31 에 예고문에 의거 일반문서로 재분류됨

대:WECM-20

1. 주재국 상공성이 발표한 대 이라크 교역 지침 내용 아래 요약 보고함

-이라크와 쿠웨이트에 대한 모든 거래시 정부 승인을 받아야 하며 승인의 대상은 재화 뿐만 아니라 엔지니어, 기술적 자문등 용역의 제공도 포함됨

-정부는 모든 사안에 대하여 개별 심사를 하게될 것임

-세관당국은 화물의 선적지가 이라크, 쿠웨이트가 아니더라도 우회 수출의 우려가 있는 경우에 대비, 감시를 강화할 것임

-동 지침은 거주지에 불구하고 모든 영국인에 적용됨

-동 지침을 위반하거나 부정한 방법으로 허위 통관을 한자는 6 년 이하의 징역 또는 그에 해당하는 벌금에 처함

-현지 관측에 의하면 대 제재국 수출의 경우 생존에 영향을 주는 식량, 또는 약품등에 한하여 제한적으로 승인을 받을 수 있을것이며 수입의 경우 이미 대금 지불이 이루어진 상품의 반입, 또는 현재 제재국에 거주하고 있는 영국인이 소유하는 물건중 방송장비, 개인용 콤퓨터등의 반입은 허용될 것이라 함

2. 동 조치로 손실을 입게되는 회사에 대하여는 보험 이외에 보상책이 별도로 없으며 수출 신용 보증기구(EXPORT CREDITS GUARANTEE DEPARTMENT)는 동 기구에서 보상하여야 할 금액이 약 8 억 5 천만 파운드에 달할 것으로 보고있음. 끝

(대사 오재희-국장)

예고:90.12.31. 일반

통상국	장관	차관	1차보	2차보	구주국	중아국	정문국	청와대
안기부	상공부							

PAGE 1

90.08.14 02:32

외신 2과 통제관 FE

0022

74

관리번호	90-469

외 무 부

원 본

종 별 : 지 급

번 호 : FRW-1460　　　　　　　　　　일 시 : 90 0813 1600

수 신 : 장관(통일)

발 신 : 주 불 대사

제 목 : 대 이라크 경제 제재

1991.12.31.에 예고문에 의거 일반문서로 재분류됨

대:WECM-0020

표제관련사항 아래 보고함.

1. EC 및 UN 결의 관련 주재국 조치내용(90.8.13 현재)

가. 자산동결 조치(8.2 대통령령, 8.4 경재 재무성령)

0 외환, 자본이동, 제반 개인 및 법인간(이락 및 쿠웨이트 거주, 이락 및 쿠웨이트 국적 소요) 결제는 사전에 경제, 재무성의 허가 필요

0 이락 및 쿠웨이트로부터의 대주재국 투자도 사전에 경제, 재무성의 허가 필요(회사설립 및 청산 포함)

0 경제, 재무상, 해운상, 정부 대변인은 상기 조치 시행 여부 공동감시.

나. 군함(PROTET 호, COMMANDANT- UCING 호)에 의한 EMBARGO 시행(8.6 UN 결의 이래 지속)

2. 대 이라크 및 쿠웨이트 교역량(89 년기준, 단위:백만불)

0 대 이라크

- 수입: 852(전체 대비 4.5%): 미 , 터키, 일, 브라질 다음으로 5 위

- 수출: 478.8(전체 대비 2.8%): 서독, 미, 영, 일 다음으로 5 위

0 대 쿠웨이트

-수입: 172.8(전체 대비 0.9%)

-수출: 211.2. (전체 대비 1.2%)

3. 이라크의 대 주재국 채무

0 서방 제국에 대한 채무 350 억불중 대 주재국 채무는 약 50-60 억불로 추정

(실제 대외 발표는 않고 있으나, RESCHEDULING 대상이 240 억프랑 정도 되는것으로 알려짐)

통상국　장관　차관　1차보　2차보　중아국　청와대　안기부

PAGE 1　　　　　　　　　　　　　　90.08.14　08:46

외신 2과　통제관 CW

0023

0 이라크의 대 주재국 채무 관련 RESCHEDULING 현황

-89 년: 85 억 프랑

-90 년도: 35 억 프랑(타결 단계에서 쿠웨이트 침공으로 최종 협상 중단)

0 참고 사항

- 90 년초 이라크는 THOMSON 으로부터 구입한 9 억프랑 상당의 장비 대금 및 PECHENEY 사 알미늄 공장건설(8 억프랑 상당)을 위한 DOWN-PAYMENT 를 CASH 로 지급한것으로 알려지고 있음.

4. 체류국민현황.

0 이라크내: 230 명(장기 체류자 170, 경유자 40, 쿠웨이트에서 이송된 BRITISH AIRWAY 승개 20)

0 쿠웨이트내 : 300 (경유자 50 포함)

사우디내에는 약 1500 명이 체류중.

5. 본건 관련사항 수시 확인보고 위계인바, 주재국측은 대 이라크 및 쿠웨이트 투자 현황 일체에대한 대외 발표를 현재까지 금지하고 있음을 참고 바람. 끝

(대사 노영찬-국장)

예고:90.12.31 일반

1 7L

외 무 부

종 별 :

번 호 : USW-3719 일 시 : 90 0813 1805

수 신 : 장 관(중근동, 미북,통일, 해운항만청)

발 신 : 주 미 대사

제 목 : 페르시아만 대 이락 해운 수송 검색

1.8.13. 미 정부는 쿠웨이트 망명 정부의 요청에 의거, 유엔의 대이락 경제 제재 PPA 치의 효과적 시행을 위한 대이락, 쿠웨이트 하비상 검색 (SHIPPING INTERDICTION)노력을 개시할것임을 공식 발표 하였음.

2.당관 김성수 해무관이 국무부 해운. 육운담당관실에 확인한바에 의하면, INTERDICTION 의 시행을 위한 절차등 GUIDANCE 는 명일 발표될 예정이며, 동조치의 주내용은 유엔 안보리 결의에 의거 수출입이 금지된 (단, 의약품 및 인도주위적 식량은제외) 화물 수송 의혹이 있는 페만 통항 선박에 대해 미 해군이 동 선박에 승선점검활동 및 필요시 회항 조치등이 될것으로 예상됨.

3.한편 미측은행상 검색 이외에도 외국정부에 대해 이락.쿠웨이트와의 항공. 육상 화물 수송을 중단할것을 촉구 하였는바, 국무부 발표 보도자료등 별첨 보고함.

(대사 박동진- 국장)

중아국 2차보 미주국 통상국 안기부 해항정 대책반 1차보 차관

PAGE 1 90.08.14 09:15 WG

외신 1과 통제관

0025

7 USW(F)-1793
- 수신: 장관 (중근동. 미주. 통일. 기획 안보)
발신: 주미대사

USW-3719 첨부물

INTERDICTION

--THE GOVERNMENT OF KUWAIT HAS REQUESTED THAT THE UNITED STATES PARTICIPATE IN AND COORDINATE MULTINATIONAL NAVAL OPERATIONS TO INTERDICT MARITIME TRADE WITH IRAQ AND KUWAIT THAT IS PROHIBITED BY UN RESOLUTION 661.

--WE ARE COMMENCING INTERDICTION EFFORTS IN ACCORDANCE WITH ARTICLE 51 OF THE UN CHARTER, WHICH RECOGNIZES THE INHERENT RIGHT OF INDIVIDUAL AND COLLECTIVE SELF-DEFENSE.

--WE ARE CONTACTING OTHER NATIONS ALREADY ASKED BY KUWAIT TO PARTICIPATE IN THIS MULTINATIONAL INTERDICTION EFFORT TO WORK OUT MODALITIES AND PROCEDURES.

--THERE HAVE BEEN NO INTERDICTIONS SO FAR.

--I UNDERSTAND THAT AN IRAQI TANKER SEEKING TO TAKE ON IRAQI CRUDE OIL FROM TANKERS IN SAUDI ARABIA WAS UNABLE TO DOCK BECAUSE SAUDI TUGBOATS WERE UNAVAILABLE TO SERVICE IT. UNITED STATES FORCES WERE NOT INVOLVED IN THAT INCIDENT.

IF ASKED WHAT OTHER NATIONS HAVE BEEN REQUESTED TO PARTICIPATE:

--I WOULD PREFER TO LET OTHER NATIONS SPEAK FOR THEMSELVES.

IF ASKED ABOUT A BLOCKADE

--THIS IS NOT A "BLOCKADE" AS THAT TERM IS TRADITIONALLY USED. WE ARE TAKING LIMITED MEASURES TO ENSURE THAT TRADE PROHIBITED BY THE UN SANCTIONS DOES NOT TAKE PLACE.

1793-1

0026

PRESS GUIDANCE

MONDAY, AUGUST 13, 1990

"BLOCKADE"

-- PRESIDENT BUSH SAID HE IS NOT PLAYING A SEMANTICS GAME. WE ARE WORKING WITH OTHER COUNTRIES TO SEE THAT THE U.N. SANCTIONS ARE IMPLEMENTED. THE PRESIDENT HAS DECIDED THAT THE U.S. WILL DO WHATEVER IS NECESSARY TO SEE THAT RELEVANT U.N. SANCTIONS ARE ENFORCED.

-- WE ARE GOING TO TAKE WHATEVER STEPS ARE NECESSARY AND PROPORTIONATE. (MEANS WHATEVER ACTIONS ARE APPROPRIATE UNDER THE CIRCUMSTANCES)

-- PRESIDENT BUSH: "I CONSIDER INTERDICTION OF SHIPPING TO BE IN ACCORD WITH U.N. ECONOMIC SANCTIONS."

-- PRESIDENT BUSH: THE U.N. - APPROVED EMBARGO, "GAVE US BROAD AUTHORITY, WORKING IN CONJUNCTION WITH OTHERS, TO DO WHATEVER IS NECESSARY TO SEE NO OIL GOES OUT."

-- SECRETARY BAKER: THE U.S. WOULD BEGIN "ALMOST INSTANTLY TO TAKE MEASURES THAT ARE NECESSARY AND PROPORTIONATE IN ORDER TO ENFORCE THE U.N. SANCTIONS."

1793-2

0027

08/13/90 17:20 ☎202 797 ■595 EMBASSY OF KOREA --→ WOI ▣003/005

PRESS GUIDANCE

MONDAY, AUGUST 13, 1990

REFUSING TO STOP

-- ANY VESSEL SUSPECTED OF CARRYING PROHIBITED CARGO THAT REFUSES TO STOP WILL BE INTERDICTED.

WILL DO WHAT IS NECESSARY AND PROPORTIONATE.

FOOD SHIPMENTS

-- U.N. SECURITY COUNCIL RESOLUTION 661 PROHIBITS IMPORTS AND EXPORTS TO AND FROM IRAQ AND KUWAIT EXCEPT THOSE "INTENDED STRICTLY FOR MEDICAL PURPOSES AND, IN HUMANITARIAN CIRCUMSTANCES, FOODSTUFFS."

AIR AND LAND SHIPMENTS

-- WE WOULD EXPECT THE GOVERNMENTS IN THE COUNTRIES FROM WHICH LAND AND AIR SHIPMENTS ORIGINATE OR ARE TRANSSHIPPED DESTINED FOR IRAQ AND KUWAIT TO BE RESPONSIBLE FOR ENSURING THAT SUCH SHIPMENTS ARE STOPPED.

--WE WILL DO WHATEVER IS NECESSARY TO ENFORCE U.N. SANCTIONS.

1793-3 (END)

0028

통일 관

외 무 부

종 별 :

번 호 : ITW-0944 일 시 : 90 0813 1600

수 신 : 장 관(기협)

발 신 : 주 이태리 대사

제 목 : 이라크,쿠웨이트사태

대: WIT-0713

대호사항 아래 보고함.

1.금번사태전망

0 정치적 평가는 불확실시되며 현재로서는 전망키 어려움

0 경제적으로는 최근 IAEA 회의(8.9)에서 현사태를 비상사태로 보고 있지 않은점 감안시 과거 오일쇼크와는 달리 평가되며 유가경우 최근수준보다 높은 수준을 보일 것으로 전망되어 세계경제에 인플레 압박등 어느정도 부정적효과는 예상됨.

2.사태장기화시 국제수급및 유가전망

0 각국 에너지 의존구조가 과거 오일쇼크때와 다른데다 현재 각국이 충분한 비축량을 보유하고 있으며 (OECD 각국 100일분 이상 보유)생산국의 재고량도 많아 앞으로 2-3개월간은 국제수급에 차질이 예상되지 않으며 유가도 2-3개월간은 배럴당 21-22불선을 유지하고 그이후에도 25불선 정도가 될것으로 봄.

3.광역전쟁등 인근지역으로 확산시 국제수급및 유가전망

0 광역전쟁으로 사우디 생산량이 감소하는 경우는 비상사태에 돌입 국제수급이나 유가에 부정적 영향이 큰 오일쇼크재현을 상상갈수 있음.

4.주재국의 대책

0 현재로선 비상대책을 사용치 않고 있으나 항상준비된 상태임.비상대책으로 소비감소, 비상비축량 활용 및 79년 합의된 OECD간 공동대책적용등이 있음.

(대사 김석규-국장).

경제국 통상국 구주국 정문국 대책반 1차보 2차보 차관

PAGE 1

90.08.14 11:31 CT

외신 1과 통제관

0029

EMBASSY OF THE REPUBLIC OF HUNGARY
SEOUL

Seoul, August 14, 1990

No. 110/1990

The Embassy of the Republic of Hungary presents its compliments to the Ministry of Foreign Affairs of the Republic of Korea and has the honour to enclose the statement by the Government of the Republic of Hungary on the Iraqi annection of Kuwait.

The Embassy of the Republic of Hungary avails itself of this opportunity to renew to the Ministry of Foreign Affairs of the Republic of Korea the assurances of its highest consideration.

Ministry of Foreign Affairs
of the Republic of Korea
S e o u l

0030

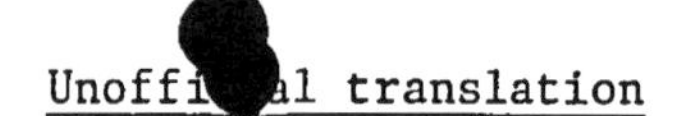

Statement by the Government of the
Republic of Hungary

The Government of the Republic of Hungary received the news of the annection of Kuwait by Iraq proclaimed on August 8, in Bagdad, with deep consternation and concern. This step - in the Government's view - is irreconcilable with the U.N. Charter and the basic principles of the international law in the field of the inter-state relations, therefore it is null and void.

On the background of its recent historical experiences, the Hungarian people looks with repugnance to any kind of use of foreign troops under the pretext of "rendering assistance". Therefore, the Government feels especially prompted to raise its voice publicly against Iraq's efforts aimed at giving legal appearence to an unacceptable military aggression.

The Government of the Republic of Hungary, in accordance with U.N.S.C. resolutions 660, 661, 662, demands the restoration of Kuwait's sovereignity and guaranteeing its territorial integrity. In the Government's view, the immediate, entire and unconditional withdrawal of Iraqi troops from the territory of Kuwait is the precondition for settling the situation.

As for Hungary, it considers for itself compulsory to carry out U.N.S.C. resolution 661 providing for sanctions, as it is aimed at the earliest settlement of the crisis. In order to promote the settlement Hungary suggests that U.N. peace-keeping forces should be formed and transferred to the region.

Taking sides with the Statement, adopted in Brussels, on August 10, 1990, on the meeting of Ministers of the EC , the Government of the Republic of Hungary is ready to co-operate in any actions to be carried out within the frameworks if the U.N.O., and serving to restore peace and security in the region. The Government is convinced that the summit of heads of Arab states and governments will bring about results effectively contributing to the earliest settlement.

0031

The Hungarian Government cannot but be amazed at the fact that irrespective of its repeated requests, Iraqi Authorities have not made yet possible the free leaving of Hungarian citizens residing in Kuwait. The Iraqi side should bear all the responsibility for their safety. At the same time the Hungarian Government keeps on expecting Iraqi Authorities to render possible the immediate, safe repatriating of Hungarian citizens, preferably by airplane.

The Hungarian Government expresses its sincerest hope that this serious crisis will be settled by peaceful means, as soon as possible.

0032

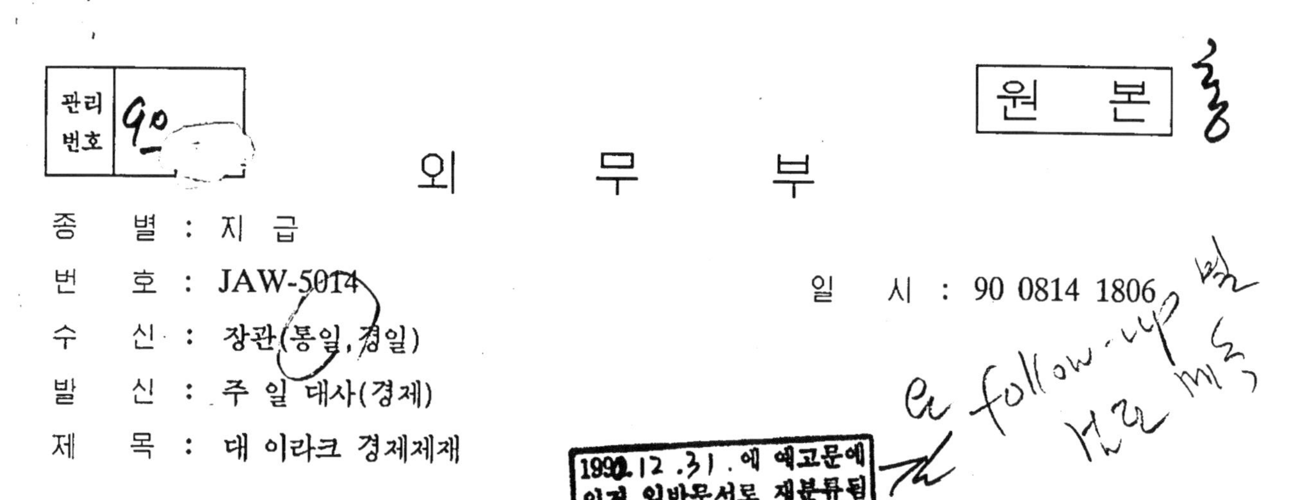

관리 번호	90

원 본

외 무 부

종 별 : 지 급

번 호 : JAW-5014

일 시 : 90 0814 1806

수 신 : 장관(통일,경일)

발 신 : 주 일 대사(경제)

제 목 : 대 이라크 경제제재

1990.12.31. 에 예고문에 의거 일반문서로 재분류됨

follow-up 바람

대: WJA-3410

대호 관련 주재국 통산성 수입과 담당관에 탐문한 결과를 아래 보고함.

1. 대 쿠웨이트산 유류도입분 지불

0 쿠웨이트 및 이라크에 대한 무역결재는 90.8.15. 부터 허가제로 이행하게 되어있는바, 수입금지조치 (8.9) 전에 쿠웨이트에서 선적된 원유분에 대해서는 수입업자가 수입승인을 요청한 경우, 동 도입원유 통관에 대한 조건부가 여부와 동시에 대금지불 루트가 어떻게 되어있는가에 따라 지불허가 여부를 결정할 예정임.

0 일본 회사들은 쿠웨이트 석유공사로부터 석유를 도입하고있고, 동 석유대금은 대부분 미국등의 제 3 국 은행구좌에 입금하도록 되어있는바, 동 대금 지불 허가 여부를 결정함에 있어서 고려할 사항으로 검토하고 있는것은 다음과 같음.

-일본회사들의 대금지불에 사용토록 되어있는 쿠웨이트석유공사 구좌는 대체로 미국내에 있는바, 미국이 동 구좌를 BLOCK 하고 있는지 여부 (현재 이에관해 조사, 확인중)

-미국 이외의 국가에 지정된 구좌가 있는 경우는 동 국가가 당해 구좌를 BLOCK 하고 있는지 여부외에 UN 결의를 준수하고 있는지 여부.

-석유대금 지불은 정통 쿠웨이트 정부의 구좌인가가 확인되어야 할것인바, 이라크의 쿠웨이트 침공이후 선적된 석유는 사실상 없으므로 현 잠정정부에 대한 수입석유 대금 지불문제는 없음.

0 석유대금 지불은 수입업자가 신청을 했을경우에 정부가 허가여부를 결정하는 것으로서, 수입업자의 신청여부 및 정부의 지불불허에 따른 동 대금 처리여부는 수입업자가 상거래 관점에서 조치하지 않을까 생각함. (현재로서는 지불이 불허된 대금에 대한 정부조치는 특별히 검토되고 있는것이 없음).

통상국	장관	차관	1차보	2차보	경제국	청와대	안기부	동자부

PAGE 1

90.08.14 19:36

외신 2과 통제관 DH

0033

2. 대 이라크산 유류도입분

0 경제제재 조치 이전에 선적된 이라크산 원유가 아직 일본에 도착하지 않고있는 상황이며, 동 원유수입업자가 통관승인 신청과 더불어 대금지불 허가신청을 해올지는 아직 미지수임.

0 동 신청을 해올 경우 어떻게 대처해야 할것인지는 지금부터 검토해야할 문제로서 아직 구체적 방침이 정해지지 않고있음. 끝

(공사이한춘-국장)

예고:90.12.31. 일반

관리번호	90/2027

원 본

외 무 부

종 별 :

번 호 : JAW-5016 일 시 : 90 0814 1820

수 신 : 장관(중근동,아일,정일,미북)

발 신 : 주 일 대사(일정)

제 목 : 부시-카이후 전화회담

1. 금 8.14. 카이후 일수상은 금일오전 부시 미국대통령으로부터 대이라크 경제제재 조치로 피해를 보고 있는 주변국에 대한 일본의 경제적 협력을 요청하는 전화를 받고 약 20 분간 대담하였음을 밝혔음.

- 동 전화에서 부시 대통령은 일본의 대이라크 경제제재 조치를 높이 평가하고, 헌법상 군사적 지원할수 없는 일본의 입장에 이해를 표시하면서도 경제지원 증대를 통한 일본의 국제적 역할에 기대를 표시하였다고 함.

2. 이에대해 카이후 수상은 부시대통령의 중동평화 노력에 경의를 표하면서 일본으로서의 가능한 적극 지원방침을 밝히고, 이를 위해 나카야마 외상을 중동에 파견할 방침을 전달하였다고함. 끝

(공사 김병연-국장)

예고:90.12.31. 까지

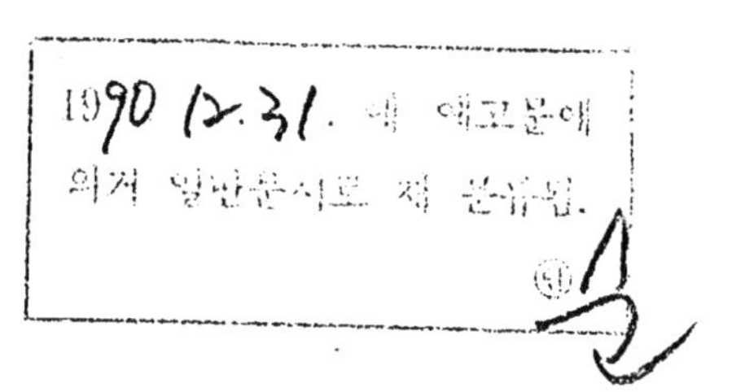

중아국	장관	차관	1차보	2차보	아주국	미주국	정문국	청와대
안기부								

PAGE 1

90.08.14 19:40

외신 2과 통제관 DH

0035

관리번호	90-490

원 본

외 무 부

종 별 :

번 호 : BBW-0615 일 시 : 90 0814 1530

수 신 : 장 관(통일,중동1,정이,기정)

발 신 : 주 벨기에 대사

제 목 : 대이라크 제재(자료응신 58)

1990. 12. 31. 에 예고문에 의거 일반문서로 재분류됨

대:WECM-0020

대호관련, 주재국 정부는 8.4. 구주 공동체 결정 및 8.6. 유엔안보리 결의를 시행하기 위해 특정국가와의 금융거래에 관한 왕령(1990.8.9 자 발효) 및 상품의 수출입 및 통과 허가에 관한 각령(1990.8.9 자 발효)을 선포하였는 바, 그 요지를 아래 보고함.

1. 특정국가와의 금융거래에 관한 왕령내용

가. 쿠웨이트나 이락인의 계정과 관련된 벨지움과 외국간의 일체의 환거래, 자본이동 및 금융거래는 재무부의 사전 허가를 요함.

나. 벨지움내 쿠웨이트 또는 이락인으로부터 발생한 투자와 관련된 모든 거래도 재무부의 사전 허가를 요함.

2. 상품의 수출입 및 통과 허가에 관한 각령 내용

가. 이락, 쿠웨이트가 원산지이거나 또는 이락, 쿠웨이트에서 발송된 모든 물품의 수입은 허가를 받을것

나. EC 가 원산지이거나 또는 EC 에서 발송된 모든 물품의 이락 또는 쿠웨이트에의 수출도 허가를 받아야 함.

다. 이락, 쿠웨이트가 목적지이거나 발송지인 모든 상품의 통과도 허가를 받아야 함.

3. 주재국의 대이락 교역량등 관련사항은 별도 파악 추보 위계임.끝

(대사 정우영-국장)

예고:90.12.31. 일반

통상국	장관	차관	1차보	2차보	중아국	정문국	청와대	안기부

PAGE 1 90.08.14 22:54 0036

외신 2과 통제관 CN

원 본

외 무 부

종 별 :

번 호 : BBW-0616 일 시 : 90 0814 1530

수 신 : 장 관(중동1,정이,기정)

발 신 : 주벨기에대사

제 목 : 이락 제재 (자료응신 59호)

1. 주재국 정부는 8.13. 임시 각의를 개최, 호위함 1척과 소해정 2척(해군병력 270여명)을 우선 지중해에 파견키로 결정하였으며, 8.20. 파리에서 개최예정인 서구동맹 (WEU) 각료회의 결과에따라 홍해 또는 걸프만으로 최종 파견 해역을 결정할 예정임.

2. 동 결정을 발표한 정부성명은 소련,아랍국가를 포함한 국제적인 단합 및 유엔안보리의 결정에 따르기 위해 이 같은 조치를 취했다고 하면서 이락을 포함한 모든이 해당사국의 냉정을 촉구하였음.끝

(대사 정우영-국장)

중아국 정문국 안기부

0037

PAGE 1

90.08.14 23:35 CG

외신 1과 통제관

관리번호	90-492

원 본

외 무 부

종 별 : 지 급

번 호 : ECW-0563 일 시 : 90 0814 1730

수 신 : 장관 (통일,중근동,기협)

발 신 : 주 EC 대사

제 목 : 대이라크 제재

1992.12.31.에 예고문에 의거 일반문서로 재분류됨

대: WECM-0020, AM-0145

연: ECW-0554

1. 대호관련, 당관 운종곤서기관이 8.13. 및 8.14. BECHET EC 집행위 대외관계 총국 GULF 지역담당관및 CUNHA EC 집행위 사무총장실 정무협력 담당관과 각각 면담하여 파악한 EC 측의 대이라크 제재조치 관련사항 아래보고함

가. 대이라크 추가 제재조치

0 EC 측은 유엔안보리 결의채택에 따라 연호 제재조치에 이어 8.9. 이락및 쿠웨이트와의 모든 상품교역및 무역관련 써비스 교역(보험, 운송등) 을 금지키로 결정

0 단, 건설업등 순수 써비스업은 EC 집행위 권한외의 사항으로서 유엔안보리 결의에 의거, 각 회원국이 별도로 필요한 조치 강구

나. EC 의 대이라크및 쿠웨이트 교역량

1) 대이라크 교역 (89 년 기준, 1 ECU - 1.10 미불)

0 수입: 33 억 25 백만 ECU (그중 96.7% 가 원유및 석유관련 제품)

- EC 의 총 역외수입중 차지비중: 0.7%

0 수출: 30 억 11 백만 ECU

- EC 의 총 역외수출중 차지비중: 0.7%

2) 대쿠웨이트 교역 (89 년 기준)

0 수입: 26 억 54 백만 ECU (그중 95.1% 가 원유및 석유관련 제품)

- EC 의 총 역외수입중 차지비중: 0.6%

0 수출: 16 억 29 백만 ECU

- EC 의 총 역외수출중 차지비중: 0.4%

다. 이라크및 쿠웨이트내 EC 체류국민 현황

통상국	장관	차관	1차보	2차보	중아국	경제국	정문국	청와대
안기부								

PAGE 1 90.08.15 04:20 0038

외신 2과 통제관 CN

1) 쿠웨이트 (총 5,580 명)

영국 4,000 명, 아일랜드 500, 불란서 300, 서독 270 (동독 16), 희랍 130,이태리 125, 스페인 100, 화란 70, 덴마크 60, 벨지움 24 명

2) 이라크 (총 2,671 명)

0 영국 800 명, 서독 500-600, 아일랜드 350, 이태리 340, 불란서 209, 화란 150, 스페인 55, 폴투갈 50, 덴마크 40, 벨지움 38, 희랍 35, 룩셈부르그 4 명

라. EC 의 대이라크및 쿠웨이트 부자현황및 채무내역

0 EC 집행위측은 상기관련 통계를 파악치 못하고 있는바, 관련정보 입수되는대로 추보하겠음

마. EC 의 대이라크 제재조치 영향

0 BECHET EC 집행위 GULF 담당관에 따르면, 이라크및 쿠웨이트와의 교역이 EC 의 총 역외교역중 차지하는 비중이 미미하며, 또한 EC 수입의 대부분은 원유및 석유관련 제품으로서 다소의 유가인상외에는 커다란 경제적 영향이 없을것으로 보고있음

0 또한 원유수급 측면에 있어서도 덴마크및 희랍의 대이라크및 쿠웨이트 의존도가 높기는 하지만 EC 전체로 보아서는 11% 정도이며, 금번 사태가 일부 GULF 지역에만 국한되어 있어 전세계적 원유부족 사태는 상정되기 어렵기 때문에 커다란 문제는 없을것이라는 반응임

0 동 담당관은 또한 국제사회의 대이라크 제재조치가 현재와 같이 효과적이고 강력히 계속 시행될 경우, 이라크 당국이 장기간 (6 개월 정도) 버티기에는 어려울 것으로 보고, 이락측이 도발적 행동을 취함으로써 사태를 ESCALATE 할 가능성을 배제치 않고 있으나 이 경우에도 국제 원유수급 상황에는 커다란 변화가 없을 것으로 전망함

바. EC 측의 대이라크 조치사항

0 바그다드 주재 12 개 EC 회원국 대사들은 8.9. 이라크 당국에 이라크및 쿠웨이트 체류 EC 국민뿐만 아니라 모든 외국인의 안전에 필요한 조치를 취할것과 행방불명자의 소재에 관한 정보를 제공할 것을 요청하는 강력한 DEMARCHE 를 행하였음

- 호주, 오지리, 카나다, 핀랜드, 동독, 일본, 뉴질랜드, 놀웨이, 스웨덴, 스위스, 터키, 미국이 동 DEMARCHE 를 전폭적으로 지지하는 입장을 표명한바 있음

0 EC 12 개 회원국 외무장관들은 8.10. 브랏셀 EPC 특별 각료회의에서 금번사태 관련 성명발표 (동 전문 별도 FAX 송부)

- 이라크의 쿠웨이트 합병무효
- 쿠웨이트 주재 외국공관 철수요청 거부
- 이라크및 쿠웨이트 체류 EC 국민의 이동 자유보장및 신변안전을 위해 적극노력
- 걸프지역 긴장완화와 국제적 합법성 회복위한 아랍국가의 노력에 지원제공

0 상기 성명에 따라 EC TROIKA 외무장관들은 금번사태 관련, 아랍국가들과의 협력방안및 역내 EC 회원국 국민들의 신변안전 문제등 협의를위해 명 8.15. 사우디, 요르단, 이집트등 3 개국 방문예정

0 또한 EC 12 개국은 금 8.14. 브랏셀에서 EPC 특별회의를 갖고, 당분간 EC12 개국 외교공관을 쿠웨이트내에 계속 유지키로 할것과 향후 1-2 일 내에 이라크및 쿠웨이트 당국에 외국인 신변안전 보호에관한 DEMARCHE 를 재차 수행할것을 결정하고 모든 관련국가의 동참을 촉구하였음

2. CUNHA EC 집행위 정무협력 담당관은 동 DEMARCHE 에 한국이 참여를 희망할 경우에는 주이라크 이태리대사및 주유엔 이태리대사에 아측의 참여의사를 전달, 상호 협력하는 방안도 모색할수 있을것이라고 말함

3. BECHET 담당관은 EC 집행위측이 아국을 포함, 주요 관계국들과 대이라크 경제제재조치 시행에 관한 상호 정보교환을 위해 브랏셀에서 실무회의를 개최할 것을 추진중이며 이에관한 EC 측 공한을 금명간 당관에 송부하게 될것이라고 말함. 동 공한 접수즉시 추보위계임. 이와관련, 8.14. EC 집행위 DG I 의 한국담당관실도 상기관련, EC 측 공한 발송예정 사실을 당관에 알려온바 있음. 끝

(대사 권동만-국장)

예고: 90.12.31 일반

관리번호	90-491

원 본

외 무 부

종 별 :

번 호 : DEW-0336 일 시 : 90 0814 1930

수 신 : 장관(통일,중근동,구이,기정)

발 신 : 주 덴마크 대사

제 목 : 대 이라크 제재

1991. 12. 31.에 예고문에 의거 일반문서로 재분류됨

대:WECM-0020

1. 당관 추서기관은 8.13 외무부 경제 3 국 FINN JOENCK 과장및 산업부 KIMSPARLUND 과장을 접촉, 이라크의 쿠웨이트 침공과 관련, 주재국이 취한 대이라크 제재조치 내용을 탐문한바, 양인 언급내용 아래보고함.

가. 덴마크는 8.4 로마 EPC 회의에 앞서 8.3 덴마크내 쿠웨이트 자산 동결조치를 취한데 이어 8.9 에는 무역금지등 유엔안보리 결의 제 661 호에 부응하는 포괄적인 대이라크 제재조치를 발표, 이를 이행중임. 동 조치내용은 아래와같음.

0 8.3. "덴마크내 쿠웨이트 자산 보호조치에 관한 공고"(산업부 공고)

- 쿠 정부에 속하는 유가증권, 유동자산 포함 모든 CREDIT 및 쿠 정부가 소유자 또는 정당한 청구자로 되어있는 모든 금융 구좌 동결 (동결자산은 산업부 허가없이 인출불가)

- 산업부 허가 없이는 쿠 정부 또는 개인에 속하는 지불수단은 제 3 국에 이전불가

- 본 공고 위반시 2 년이하 징역

0 8.9. "대이라크 조치에 관한 칙령"

- 구주이사회 DECREE NO.2340/90 (90.8.8) 에 따라 이.쿠 양국과의 교역금지(유럽 석탄철강 공동체 (ECSE) 설립조약에 포함된 상품도 적용)

- 유가증권, 유동자산 포함한 이라크 귀속 채권동결

- 이라크 정부 또는 개인소유 구좌동결및 사전허가없는 인출금지

- 인도적 사유로 인한 구호식량에 대해서는 교역금지조치 제외

-상기 위반시 벌금형 또는 4 는 이하 징역및 불법거래 (612)익 몰수

나. 상기 제재조치에 따라 덴마크 정부는 이미 쿠웨이트로부터 도입한 원유대금 1 억 5 천만 DKR (약 2 천 5 백만불)에 대한 지불유예 조치를 내림.

통상국 장관 차관 1차보 2차보 구주국 중아국 정문국 청와대 안기부

PAGE 1 90.08.15 04:32

외신 2과 통제관 CN

0041

다. 주재국 정부로서는 대 이라크 제재조치 시행에 따라 어느정도의 불이익 감수는 불가피한 것으로 보고 있으나 주재국 경제전반에 대한 별다른 영향은 없을것임.

라. 쿠웨이트, 이라크와의 교역, 투자, 채무, 교민현황등

0 교역

- 89 는 수출액은 이라크에 2 억 3 천만 DKR, 쿠웨이트에 8 억 4500 만 DKR 등 도합 10 억 7500 만 DKR(약 1 억 7 천만불)로 전체수출액 2,048 억 DKR 중 0.5 퍼센트 비중임. (특히 쿠웨이트에 대해서는 89 년도에 일부품목 대량수출로 예년평균 3 억 DKR 를 크게 상회함).

- 양국으로부터의 89 년도 수입액은 쿠웨이트 32 억 DKR, 이라크 7 억 DKR 등 총 39 억 DKR(약 6 억 5 천만불)로 전체 수입액 1,945 억 DKR 중 약 2 퍼센트 차지

- 주요 수출품은 기계류, 수송수단, 화학제품, 의약류, 낙농제품등이며 주요 수입품은 원유 (쿠웨이트, 이라크), 채소(이라크)등임.

0 투자: 쿠웨이트에 4-5 개 회사가 합작형태로 진출하고 있으나 투자규모는 큰편이 아님.(이라크에는 없음)

0 채무: 이라크에 대하여 수출대금에 대한 연불보증금이 소액걸려 있음. (대 쿠웨이트 채권없음)

0 교민: 쿠웨이트에 100 명, 이라크에 15 명 가량의 체류교민이 있으며 이들의 철수문제에 대하여는 여타 EC 국가들과 보조를 같이하고 있음.

0 기타

- 이, 쿠 양국의 대 덴마크 투자내용은 투자등록의무제도 부재및 대부분 영국, 화란등 타 서구국가 소재 회사를 통한 간접투자로 인해 사실상 파악이 불가능함.

- 그동안 쿠웨이트 정부 투자회사로 널리 인식되어온 다국적 주유소 체인회사 (당지에 다수 주유소 체인소유)의 처리문제를 검토한 결과 동 회사가 법률상 화란회사로 금번 동결대상에 포함될수 없다는 결론에 도달함.

2. 당관 평가

0 주재국은 금번사태와 관련하여 EC 결정에 앞서 자체결정에 의한 주재국내쿠웨이트 자산 동결조치를 취하는등 신속하게 대 이라크 제재조치를 취하고 있으며, 여타 EC 회원국들과도 긴밀한 협조를 하고 있는것으로 보임.

0 그동안 이라크및 쿠웨이트와의 교역및 투자규모가 경미함에 따라 금번 제재 조치는 주재국 경제에 별다른 영향을 미치지 않을것으로 보임. 끝.

(대사 장선섭-국장)

예고:90.12.31. 일반

관리번호	90-493

원 본

외 무 부

종 별 : 지 급

번 호 : FRW-1472 일 시 : 90 0814 1830

수 신 : 장관(통일)

발 신 : 주 불 대사

제 목 : 대이라크 경제 제재

1990 12.31. 에 예고문에 의거 일반문서로 재분류됨

대:WECM-0020

연:FRW-1460

당관 오서기관은 금 8.14 외무성 경제국 MIRAILLET 특수통상담당관을 면담, 표제관련 사항 추가 확인한바, 아래 보고함.

1. 무기 금수 조치

0 8.3 부로 이라크와 쿠웨이트를 목적지로 하는 모든 무기 수출 금지(GENERAL EMBARGO)

0 8.3 이후 새로운 무기 시장 확보, 교섭, 판매 전면금지.

0 EXPORT LICENSE 발급 중단

2. 석유금수조치

0 이라크, 쿠웨이트로부터의 원유 수입 전면금지

0 이라크 침공 이전에 계약을 체결, 현재 수송과정에 있는 원유도 도입 금지

3. 자산 동결:FRW-1460 으로 기보고

4. EC 차원의 제재 조치(8.7 이래)

가. 상품 반입 전면금지(ABSOLUTE PROHIBITION OF ENTRANCE)

0 이라크, 쿠웨이트로부터의 반입 전면금지(출발지, 원산지 불문)

0 TRANSIT, 보세구역 유치, 임시 반입도 일체 금지.

0 예외 조치

- 이라크, 쿠웨이트로부터 귀국하는 자연인의 개인 용품.

- 8.7 이전에 이미 선적한 이라크 또는 쿠웨이트의 수출품

나. 상품 반출 전면금지(ABSOLUTE PTOHIBITION OF EXIT)

0 이라크, 쿠에이트로의 직접또는 간접 반출 전면금지(원산지가 EC 이거나 제 3

통상국 장관 차관 1차보 2차보 청와대 안기부

PAGE 1 90.08.15 04:40 0044

외신 2과 통제관 CN

국임을 불문)

0 수출 통관 수속이 8.7 이전에 완료된 후 실질적으로 출발치 않은 상품에도 적용

0 예외 조치

- 의약품 수출

- 인도적 차원에서 제공되는 식품(긴급구호, 정부 사전 승인경우등). 끝

(대사 노영찬-국장)

예고:90.12.31 일반

원 본

외 무 부

종 별 :

번 호 : AVW-1178 일 시 : 90 0814 1700

수 신 : 장관(통일,중근동,구이)

발 신 : 주오스트리아대사

제 목 : 오스트리아의 대이라크 제재 조치

연: AVW-1166

1. 오스트리아 정부는 8.13. 유엔 안보리의 대이라크제재 결의 이행을 위한 구체적 조치를 다음과 같이 결정하였음:

가. TO ENFORCE THE TRADE EMBARGO, NO AUSTRIAN AUTHORIZATIONS WILL BE GRANTED FOR IMPORTS, EXPORTS, AND TRANSIT CONSIGNMENTS OF ANY GOODS TO AND FROM IRAQ AND KUWAIT:

나. IRAQI AND KUWAITI TRUCKS WILL NOT BE ALLOWED THROUGH AUSTRIA:

다. THERE WILL BE A TOTAL BAN ON DELIVERIES OF WAR MATERIALS OF ALL KINDS AND CIVILIAN WEAPONS AND AMMUNITION:

라. THE AUSTRIAN NATIONAL BANK WILL STOP CURRENCY TRANSACTIONS WITH IRAQ AND KUWAIT, AND BAN CREDITS THERE:

마. ONLY THOSE KUWAITI INSTITUTIONS STILL UNDER CONTROL OF THE LAWFUL GOVERNMENT WILL BE ALLOWED ACCESS TO KUWAITIASSETS IN AUSTRIA:

바. EXEMPTED FROM THE SANCTIONS WILL BE ONLY SUPPLIESFOR EXCLUSIVELY MEDICAL PURPOSES AND, IN CASES OF NEED, FOODSUPPLIES.

2. 오스트리아의 상기 제재 조치는 8.17.(금) 부터시행됨.

(끝)

통상국 구주국 중아국 1차보 2차보 안기부 대책반

PAGE 1 90.08.15 04:49 CG

외신 1과 통제관

0046

관리번호	90-494

외 무 부

종 별 :

번 호 : BRW-0482 일 시 : 90 0814 2100

수 신 : 장 관(중근동,기협,미북,미남,정일,기정동문)

발 신 : 주 브라질 대사

제 목 : 이라크-쿠웨이트 사태(자료응신 90-40)

1990.12.31. 에 예고문에 의거 일반문서로 재분류 됨

연: BRW-0480

주재국 REZEK 외무장관이 작(8.13)일 당지 CORREIO BRAZILIENSE 지와 가진 인터뷰에서 이라크-쿠웨이트 사태에 대한 주재국 입장등 외교현안에 대한 견해를표명하였는바, 동 언급내용중 표제관련 부분을 발췌 보고함.

1. 동사태는 국제사회가 냉전시대를 극복하고 국제관계의 장래에 대한 낙관적 분위기속에서도 국지적 분쟁가능성이 우려되던 시기에 발생한 예상치 않은 사태로서 국제관계에 있어 매우 중대한 사건임.

2. 브라질 정부는 동사태 발발직후 타국의 반응과 관계없이 무력침공을 비난하는 공식입장을 발표하였으며, 이라크측으로 부터 무력침공을 정당화하는 설명이 있었으나 이라크의 주장이 옳다하더라도 분쟁을 무력으로 해결하는 것은 국제법 원칙에 반한다는 입장임. 브라질은 유엔의 성실한 회원국으로서 안보리의 결의를 기다렸으며 안보리 결의에 따른 회원국으로서의 의무를 수행하는 조치를 취하였는바, 브라질 정부가 동사태와 관련 취한 입장은 사태의 성격과 전개과정을 감안할때 적절한 것이었음.

3. 이라크를 위요한 현 국제정세가 지속하는한 대이라크 무기수출 관련 브라질이 과거의 정책으로 복구할수 없음. 브라질은 18 개월전부터 정치적 이유아닌 경제적 이유(이라크, 대 브라질 부채 5 억불 상당 미지불)로 대 이라크 무기수출을 중단하고 있었는바 사태발발 이후 무기 인도 연기등 조치를 취할 필요는 없었음.

4. 일부 외국언론이 브라질의 대 이라크 무기수출을 비난하고 있는 것은 부당함. 브라질 뿐만 아니라 서구제국도 이라크에 대해 무기를 판매하였으며 무기수출 당시에 공급된 무기들이 방위목적에 사용되지 않으리라고 추측할 이유가 없음. 끝.

(대사 김기수-국장)

중아국	장관	차관	1차보	2차보	미주국	미주국	경제국	통상국
정문국	청와대	안기부						

PAGE 1 90.08.15 09:58 0047

외신 2과 통제관 CW

예고: 90.12.31. 일반

PAGE 2

0048

관리번호	90-1145

원 본

외 무 부

종 별 :

번 호 : IDW-0275 일 시 : 90 0814 1800

수 신 : 장관(통일)

발 신 : 주 아일랜드 대사

제 목 : 대이라크 제재

1991.12.31 에 예고문에 의거 일반문서로 재분류됨

대:WEUM-0020

주재국의 대 이라크 제재 관련 사항에 대하여 금 8.14. 현재까지 파악된 바를 우선 하기 보고함.

1. 무역 제재 조치에 관하여는 8.7. 및 8.9. PH BRUSSEL 회원국 상주 대표회의에서 채택된 CONCIL REGULATION 이 직접 적용됨.

다만 PENALTY 에 대해서는 회원국 재량에 따라 결정키로 되어 있는 바, 이에 관한 주재국 규정은 현재 상공부에서 성안중임.

2. 자산 동결에 대해서는 별첨 FINANCIAL SANCTION AGAINST IRAQ AND KUWAIT 가 8.10. 부터 적용됨.

3. 주재국의 대 IRAQ 주종 수출품은 7 천만불 상당의 우육(89 년) 인 바, 무역이 중단될 경우 동 수출액 및 동수출에 관한 EC 보조금 약 8 천만불, 도합 1 억 5 천만불의 차질이 있게 될 것임.

4.IRAQ 는 주재국에 대하여 이.이전 개전 이래 우육수입 대금 누적액 약 1 억 3 천만불의 채무를 현재 지고 있음.5.8.2. 현재 쿠웨이트 체류 아일랜드인은 48 명, 이라크 체류 아일랜드인은 350 명임. 그간 전기 48 명중 4 명이 탈출한 것으로 알려지고 있음. 또한 전기 350 명중 300 명은 바그다드 소재 병원에 근무중인 바 병원 근무자는 금번 제재 대상에 포함되지 안흠. 잔여 50 명에 대해서는각자 재량에 따라 출국 여부를 결정토록 하고 있음. 이들을 포함 EC 회원국의 양국 체류 국민 안전 문제를 교섭하기 위하여 EC TROIKA 외상이 오는 8.16.(목) 부터 JORDAN, EGYPT, SAUDI 를 방문함. 끝.

(대사 민형기-국장)

예고:90.12.31. 까지

통상국	장관	차관	1차보	2차보	중아국	정문국	청와대	안기부

PAGE 1

90.08.15 11:31 0049

외신 2과 통제관 CW

첨부:FINANCIAL SANCTIONS AGAINST IRAQ AND KUWAIT

EXCHANGE CONTROL ACTS 1954-1986, STATUTORY INSTRUMENT NO. 44 OF 1959 AND STATUTORY INSTRUMENT NO. 213 OF 1990

1.THE IRISH GOVERNMENT HAS IMKPOSED SANCTIONS AGAINST IRAQ AND KUWAIT IN ACCORDANCE ITH UNITED NATIONS SECURITY COUNCIL RESOLUTION NO.661 OF6 AUGUST 1990. AS PART OF THESE SANCTIONS ALL PERMISSIONS, DELEGATIONS AND EXEMPTIONS UNDER THE ABOVE STATUTORY PROVISIONS HAVE BEEN REVOKED IN SO FAR AS THEY RELATE DIRECTLY OF INDIRECTLY TO IRAQ AND KUWAIT OF RESIDENTS OF THOSE COUNTRIES. THE MAIN EFFECTS OF THIS REVOCATION ARE SUMMARISED IN THE FOLLOWING PARAGRAPHS.

2.FOR THE PURPOSES OF THIS DIRECTION "RESIDENTS OF IRAQ AND KUWAIT" INCLUDE THE GOVERNMENTS, PUBLIC UTILITY UNDERTAKINGS, CORPORATIONS AND PERSONS RESIDENT IN BOTH COUNTRIES TOGETHER WITH COMPANIES OF OTHER ENTITIES ANYWHERE CONTROLLED BY THEM AND AGENTS ACTING ON THEIR BEHALF.

3.ALL IRISH POUND AND FOREIGN CURRENCY ACCOUNTS IN THE NAME OF, AND ALL FUNDS HELD ON BEFALF OF, RESIDENTS OF IRAQ AND KUWAIT OF TO WHICH SUCH RESIDENTS ARE PARTY SHOULD BE DESIGNATED IRAQI ACCOUNT OF KUWAITI ACCOUNT AS APPROPRIATE.

4.APART FROM THE LIMITED EXEMPTIONS SET OUT IN PARAGRAPH 6 BELOW, AUTHORISED DEALERS, APPROVED AGENTS, FINANCIAL INSTITUTIONS, REGISTRARS AND OTHER PERSONS CONCERNED MUST REFER ALL TRANSACTIONS INVOLVING RESIDENTS OF IRAQ AND KUWAIT OF THE CURRENCIES OF IRAQ AND KUWAIT OT EXCHANGE CONTROL.

5.THE FOLLOWING ARE PROHIBITED EXCEPT WITH THE PRIOR PERMISSION OF EXCHANGE CONTROL

(A)ALL DEALINGS IN THE CURRENCIES OF IRAQ AND KUWAIT

(B)ALL TRANSACTIONS OVER IRAQI AND KUWAITI ACCOUNTS(EXCEPT AS SET OUT IN PARAGRAPH 6 BELOW)

(C)ALL PAYMENTS, WHETHER IN IRISH PUNDS OF FOREIGN CURRENCY, TO OR ON BEHALF OF RESIDENTS OF IRAQ OR KUWAIT

(D)ALL TRANSACTIONS IN SECURITIES, INCLUDING DEPOSIT RECEIPTS, WHICH ARE

IN THE NAMES OF RESIDENTS OF IRAQ OF KUWAIT OF TO WHICH SUCH RESIDENTS ARE PARTY AND

(E)PROVISION OF LOANS, CREDITS, OVERDRAFTS OF OTHER FINANCIAL FACILITIES TO RESIDENTS OF IRAQ OF KUWAIT

(F)PROVISION OF FOREIGN CURRENCY FACILITIES OFR TRAVEL TO IRAQ AND KUWAIT.

6.THE FOLLOWING ITEMS ARE EXEMPTED FROM THE GENERAL PROHIBITION AND MAY BE EFFECTED AS NECESSARY

(A)PROVISION FORM IRAQI AND KUWAITI ACCOUNTS OF REASONABLE LIVION, MEDICAL, EDUCATIONAL AND SIMILAR EXPENSES TO RESIDENTS OF IRAQ AND KUWAIT WHILE IN THE STATE.

(B)CREDIT TO IRAQI AND KUWAITI ACCOUNTS OF PAYMENTS RECEIVED AND

(C)NORMAL BANK CHARGES

7.ALL FINANCIAL TRANSACTIONS INVOLVING IRAQ OR KUWAIT NOT COVERED BY THE ABOVE PARAGRAPHS AND ALL CASES OF DOUBT MUST BE REFERRED TO

EXCHANGE CONTROL

CENTRAL BANK OF IRELAND

PO BOX 559

DAME STREET

DUBLIN 2.

10 AUGUST 1990

외 무 부

종 별 :

번 호 : USW-3765 일 시 : 90 0815 1249

수 신 : 장 관 (중근동,미북,통일,기협)

발 신 : 주 미 대사

제 목 : 중동 사태

이락-쿠웨이트 사태관련 금 8.15 당지 언론보도 요지 아래 보고함 (기사 전문은 별전 FAX송부함)

1. CNN 방송은 09:00 뉴스를 통해 사담후세인 이락 대통령이 이란에 대해 군대철수, 전쟁포로 교환, 국경조약 체결등 전면화해를 제의했다고 보도했는바, 이는 시리아의 대이락 제재동참에 따라 고립상태에 빠진 이락이 이란과의 화해를 통해 현재 이란-이락전에 개입되어 있는 이락군을 이동시켜 쿠웨이트내 점령군을 증강시킬수 있는 전술로 평가되고 있음.

2. 미국 정부는 요르단의 AQABA 항구가 이락에 대한 물품반입에 이용되고 있다고비난하면서 동항구의 봉쇄가능성을 시사했으며, 또한 사우디내 미군증강을 위해 20만명 규모의 예비군의 동원계획을 검토중인 것으로 알려졌음.

한편 금일 아침 워싱턴에 도착한 후세인 요르단국왕은 명일 부쉬 대통령과 메인주 휴가소 (캐니벙커포트)에서 회담할 예정임.

3. 대이락 제재조치에 대한 아랍국가들의 동참과 관련, 미국정부는 이집트에 1억불 이상의 무기판매를 결정했으며, 요르단이 동 제재에 동참할 경우 요르단에 대한경제지원도 고려하고 있다고 알려졌음. 또한 사우디, 오만, 바레인, UAE, 모르코등에 대한 무기판매 확대문제도 검토중인 것으로 보임.

4. NYT, WP 는 금일자 사설을 통해 미국이 취한 일방적인 해상단속이 유엔헌장의규정에 따른 적법한 조치라 할지라도, 안보리 상임 이사국인 소.불 등의 반대에 유의, 유엔안보리등에서 강대국과의 긴밀한 협의를 통해 실시할것을 촉구했음.

5. 한편 당지 전문가들의 분석에 따르면 미국은 금번사태가 장기화될 경우 제반상황이 미국측에 불리하게 전개될 것으로 판단, 대규모병력 파견을 통해 대 이락 압력을 강화함으로서 이락이 스스로 협상에 응해오던지, 아니면 이락의 대 사우디

중아국 1차보 미주국 경제국 통상국 정문국 안기부 그차보 차관 대책반

PAGE 1 90.08.16 07:23 FC

외신 1과 통제관

0052

침공 또는 이락군 내부의 반란에 의한 후세인의 몰락을 예상하고 있다함.

(대사 박동진-국장)

각국의 대이라크 경제제재조치 현황

90. 8. 16
통 상 국
통 상 1과

1. 미 국

o 미국내 모든 이라크 및 쿠웨이트 자산 동결

o 대이라크 및 쿠웨이트 교역금지

- 8.2 이전 계약이 체결되어 미국으로 수송중인 원유와 관련, 동 원유가 8.2 05:01 이전에 적재되었고 10.1 11:59까지 미국에 도착되며, B/L이 8.2 이전에 발급되었을 경우 수입은 허가되나 원유대금은 미국내 동결구좌에 예치

o 사우디, 터키에 동국 통과 이라크 송유관 폐쇄 요청

o 대이라크 해상저지

2. 일 본

o 일본내 이라크 및 쿠웨이트 자산동결 및 자본거래 금지

o 대이라크 및 쿠웨이트 원유도입 중단 및 수출금지

- 수입금지 조치(8.9)전 쿠웨이트에서 선적된 원유의 대금결제는 통관에 대한 조건부과 여부 및 대금지불 루트에 따라 지불허가 여부 결정 예정

· 일본회사들의 대금지불에 사용토록 되어 있는 쿠웨이트 석유공사 구좌는 대체로 미국내에 있는 바, 미국이 동 구좌를 동결하고 있는지 여부

· 미국 이외의 국가에 지정된 구좌가 있는 경우는 동 국가가 당해 구좌를 동결하고 있는지 여부 및 UN 결의 준수 여부

0054

- 제재조치 이전 선적된 이라크산 원유에 대한 대금결제 문제는 계속 검토 예정

o 대이라크 경제협력정지(엔차관 동결)

3. EC

o 대이라크 및 쿠웨이트 원유 수입금지

o 회원국내 이라크 자산동결

o 대이라크 무기 및 기타 군사장비 판매금지 및 군사협력 중지

o 대이라크 과학기술협력 및 GSP 부여 중지

o 상품교역 및 무역관련 서비스교역 금지 (8.9 추가)

※ EC 각국 동향

- 불란서
  - · 원유수입금지 관련, 이라크 침공이전 계약체결, 현재 수송과정에 있는 원유도 수입금지

- 독 일
  - · 이라크의 쿠웨이트 침공이전에 발생한 상품거래의 결제도 금지
  - · 쿠웨이트 망명정권등이 자산 사용을 신청할 경우에는 중앙은행에서 접수, 검토

- 벨기에
  - · 이라크 및 쿠웨이트가 목적지 또는 발송지인 모든 상품의 통과도 허가 필요

0055

4. 소련 및 중국

o 대이라크 무기판매중지

5. 카나다

o 쿠웨이트 자산동결

o 이라크 및 쿠웨이트 원유수입금지

o 대이라크 수출통제를 위해 이라크를 수출통제 대상지역에 포함

o 이라크와의 무역·경제·기술협력협정 효력중단 및 최혜국 대우 폐지

o 대이라크 수출관련 지원활동 중단, 대이라크 및 쿠웨이트 신규사업에 대한 수출개발공사(EDC)의 금융지원 중단

o 대이라크 학술·문화·스포츠교류 양해각서 효력중단

6. 호 주

o 대이라크 및 쿠웨이트 원유수입금지

o 호주내 쿠웨이트 재산보호 및 이라크 자산동결

o 대이라크 군수물자 금수

o 이라크 항공사 시드니 사무실 설치 불허

7. 브라질

o 이라크 및 쿠웨이트와의 통상관계 단절(8.6)

0056

각국의 대이라크 경제제재조치 현황

90. 8. 16.
통 상 국
통 상 1과

국 명	제 재 조 치 내 용	제재조치에 따른 손실액
미 국	o 자산동결 o 교역금지 o 사우디, 터키에 이라크 송유관 폐쇄 요청 o 대이라크 해상 저지	
일 본	o 자산동결 o 원유도입 중단 및 수출금지 o 경제협력정지(엔차관 동결)	o 민간기업의 대이라크 채권 : 약 7천억엥
E C	o 원유수입금지 o 자산동결 o 무기·군사장비 판매금지 및 군사협력금지 o 과학기술협력 및 GSP 제공 중지 o 상품교역 및 무역관련 서비스 금지	o 불란서 : 대이라크 채권액 : 약 55억불 o 독 일 - 대이라크 채권액 약 135억DM - 대쿠웨이트 채권액 약 191백만 DM - 쿠웨이트의 대독일 투자 약 50억 DM - 독일의 대쿠웨이투자 약 5백만 DM o ~~대이라크~~ 이태리 : 대이라크 채권액 약 33억불 o 오스트리아 : 대이라크 채권액 약 9억불 o 아일랜드 : 대이라크 채권액 약 1.3억불

0057

국 명	제 재 조 치 내 용	제재조치에 따른 손실액
소 련	o 무기판매중지	
중 국	o 무기판매중지	
카 나 다	o 자산동결 o 원유수입금지 o 이라크를 수출통제 대상지역에 포함 o 무역·경제·기술협정 효력중단 및 최혜국대우 폐지 o 수출관련 지원중단 및 수출개발공사(EDC)의 금융지원 중단 o 학술·문화·스포츠교류 양해각서 효력중단	
호 주	o 원유수입금지 o 군수물자 금수 o 이라크항공사 시드니 사무실 설치 불허	o 약 10억 호주불 상당(미수액 7억, 기수주액 3억)의 대이라크 수출에 영향
브 라 질	o 통상관계 단절	

0058

유엔 안보리 661호 대이라크 결의, 포괄적

경제제재 조치 내용 (8.6)

○ 나. 이라크 또는 쿠웨이트 상품의 수입전면금지

○ 다. 이라크 또는 쿠웨이트 상품의 수출 촉진활동 또는 환적 금지. 동 목적의 대이라크, 쿠웨이트자금 이동 금지 (생산물)

○ 라. 무기등 군사장비를 포함한 모든 상품의 대이라크, 쿠웨이트 판매 또는 공급및 동 촉진활동 금지 (의료 및 인도적 목적을 위한 경우제外)

○ 마. 모든 국가에 의한 이라크 또는 쿠웨이트 내상업적, 산업적 또는 공공사업에 대한 어떠한 자금이나 재정적, 경제적 자원 제공금지.

○ 바. 유엔 비회원국을 포함한 모든 국가가 동 결의안 이전의 계약이 허가에도불문하고 동결의안의 제규정을 엄격히 준수할것을 촉구

○ 사. 동 결의안 규정에도 불구하고 쿠웨트의 정당한정부에 대한 지원을 금지하는것은 아님.

○ 아. 모든국가들이 점령국에 의하여 수립된 어떠한 정권도 승인치 않을것과 쿠웨트의 정당한정부의 자산을 보호 하기 위해 적절한 조치를 취할것을 촉구함.

0059

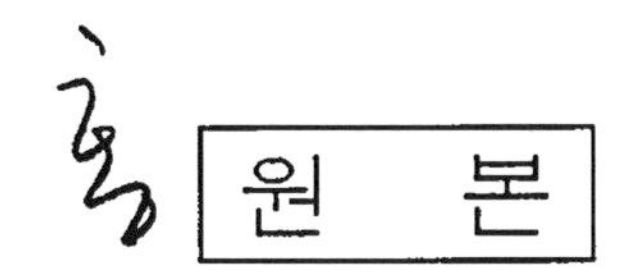

외 무 부

종 별 :

번 호 : FNW-0244 일 시 : 90 0816 1350

수 신 : 장 관(통일,중근동,구이)

발 신 : 주 핀랜드 대사

제 목 : 대이락 경제제재 조치

주재국은 8.13자 대통령령으로 유엔안보리 결의 제661호에 따라 아래 요지의 경제제재 조치를발표함.

1.이락 및 쿠웨이트로부터의 상품수입 및 자금 이동금지

2.주재국의 대 이락및 쿠웨이트 수출금지(무기포함)및 자금 이동, 기타 경제자원공여 금지

3.다만, 상기 수출금지는 인도적인 의약품 수출에는 적용되지않음.

4.상기 제규정은 동 대통령령 발효이전에 체결된 계약에도 적용됨.끝

(대사 최상진-국장)

통상국 1차보 구주국 중아국 안기부 그차보 미주반

PAGE 1 90.08.16 21:19 DN 0060

외신 1과 통제관

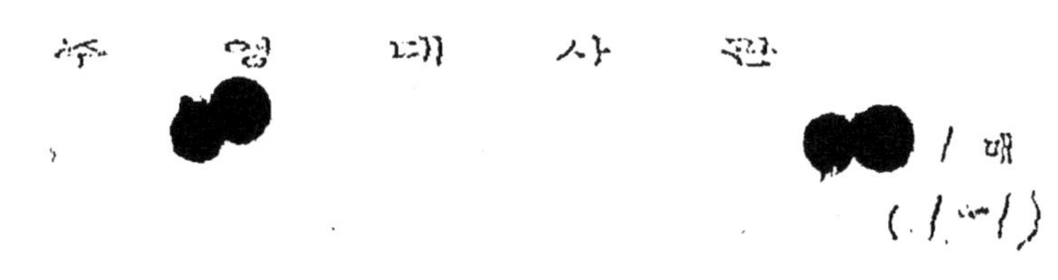
주 영 대 사 관

/ 매
(1-1)

번 호 : UKW(F)- 0248 DATE: 08/16 1800
수 신 : 장 관 (중근동,구일,미안,봉일)
제 목 : 걸프사태(8.16자 외무성 대변인 정세설명)

FCO SPOKESMAN: THURSDAY 16 AUGUST 1990

IRAQ/KUWAIT

Spokesman said that there had been little change in the overall situation since yesterday and he had nothing further to report. There had been no reports of any members of the British community in difficulty.

Spokesman said that the British Embassy in Kuwait had made arrangements for a road convoy from Kuwait to Baghdad for Embassy dependants and non-essential staff and for members of the British community. The convoy, accompanied by a similar Russian convoy, had left Kuwait at 9.00 am local time today sharing the same Iraqi military escort. In answer to a question Spokesman said that the convoy consisted of 28 cars containing 112 people.

In answer to further questions about the purpose of the convoy, Spokesman explained that our first priority remained the welfare of the British community in Kuwait. By arranging the transfer of non-essential staff and dependants, the remaining key diplomatic and other teeth staff would be able to devote their full attention to the crisis and to the needs of the British community. Spokesman made it clear that the British community had been invited to join the convoy but very few had accepted.

Asked whether the convoy was in response to the Iraqi announcement that Embassies should move to Baghdad by 24 August, Spokesman explained that this was not the case. The reasons for the convoy were as set out above. There were no plans to close the Embassy.

In response to a question, Spokesman said that we had raised the question of Mr Croskery's body with the Iraqi authorities. We had had no immediate response but would be following this up.

배부처	장관실	차관실	一차보	二차보	기획실	의전장	아주국	미주국	구주국	중아국	국기국	경제국	통상국	정문국	영교국	총무과	감사관	공보관	외연원	청와대	총리실	안기부	대책반
	/	/	/	/				/	/	○		/	/							2	/	/	/

14매 22

0061

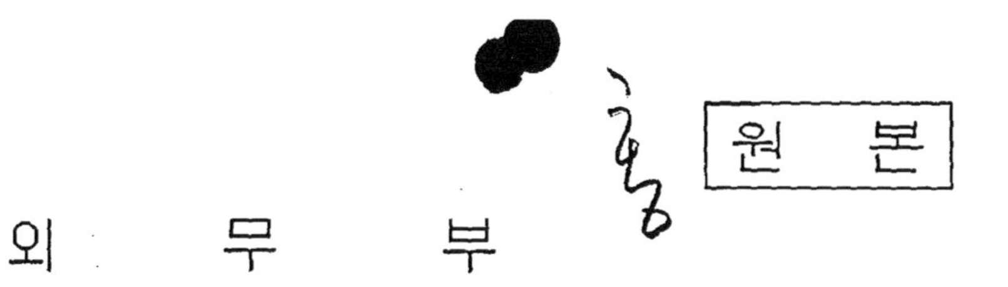

외 무 부

종 별 :

번 호 : BUW-0179 일 시 : 90 0816 2105

수 신 : 장관(통일,아동,중근동)

발 신 : 주브루나이대사

제 목 : 이락,쿠웨이트사태에대한주재국입장

연: BUW-173

임족생 외무성사무차관은 8.16.공관장(아세안대사제외)을 외무성에 초치 자카르타개최 제23차 AMM 과 PMC회의 경과및 성과 제2차 APEC 각료회의결과 OIC 회의및 이락,쿠웨 이트사태에 대한 주재국입장을 브리핑한바 AMM 과 PMC회의 결과는 제1차 한,브 정책협의회에서 논의되었으므로 OIC회의에서의 MOHAMED 외무장관의 발언내용과 입장 유엔안보리 결의661호에 관한 주재국의 입장 아래 보고함

1. OIC 에서의 주재국입장

MOHAMED 외무장관은 8.2. OIC 총회에서 아래와같이 발언한바 동회의에서는 인니및 주재국만이 이락을 규탄하는 발언을 하였으며 8.4. OIC 의 이락쿠웨이트사태에 관한 결의안을 지지함

IT SADDENS TO LEARN THAT THE MISUNDERSTANDING BETWEEN OURBROTHERS IRAQ ANDKUWAIT HAS ESCALATED INTO A SERIOUSCONFLICT. I WOULD LIKE TO APPEAL TO OUR BROTHERS TO SETTLETHEIR PROBLEM PEACEFULLY THROUGH NEGOTIATIONS.

2. 유엔 안보리 결의에 대한 주재국입장

이락의 쿠웨이트합병은 인정치않으며 경제제재는 주재국이 과거 이락으로부터 8,000 미불상당의 NUTS를 수입한 실적밖에 없기때문에 경제제재를 위한 기구의 설치나별도의 행정조치는 취하지 않고있음.끝

(대사허세린-국장)

통상국 1차보 2차보 아주국 중아국 안기부 대책반

0062

PAGE 1 90.08.16 23:56 DN

외신 1과 통제관

관리 번호	90/1253

외 무 부

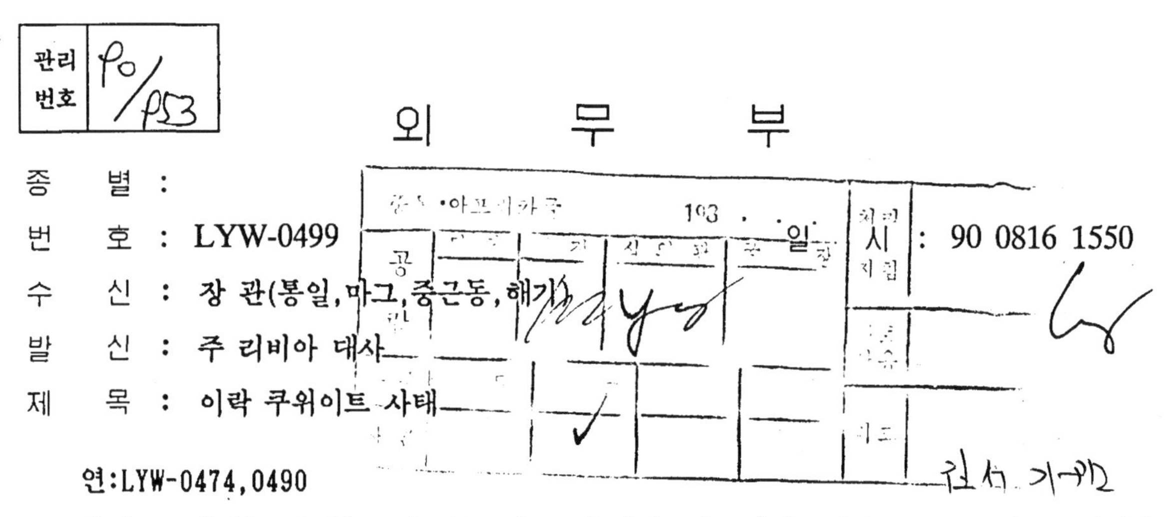

종 별 :

번 호 : LYW-0499 일 시 : 90 0816 1550

수 신 : 장 관(통일,마그,중근동,해기)

발 신 : 주 리비아 대사

제 목 : 이락 쿠웨이트 사태

연:LYW-0474,0490

주재국 정부는 8.15. 와 16 일 모슬렘및 아프리카 일부, EC 국가 공관장을 외무성에 초치, 아래 요지의 배경 설명후 카다피 지도자의 친서를 (MEMORENDUM 포함) 각각 국가 원수에게 전달해 주기를 요청했음

1. 배경 설명 요지

가. 리비아는 걸프지역에서 발생한 사태, 특히 걸프지역에서의 미국 군사력증강의 중대성에 관심을 갖고 있음

나. 걸프지역에서의 그러한 사태는 공포 분위기와 혼란만 조장한다고 느끼고 있음

다. 사우디는 주권 국가로서 미국에 군사 원조를 요청할수 있을 뿐 아니라 어떤 나라에 대해서 어떠한 원조도 요청할수 있는 권리가 있음

라. 미국은 UN 의 주선이나 UN 안보리 결의에 따라서만 걸프 사태에 개입 할수 있다고 생각함. 개발 국가의 개발 조치는 걸프 분쟁해결에 기여할수 없다고 생각함

마. 리비아는 대이락 경제적 제재 조치를 포함한 UN 의 결의를 지지함. 리비아는 모든 아랍지도자들이 참석, 각자 의견을 개진할수 있도록 UN 임시 총회 또는 UN 안보리가 제네바에서 소집될길 요구함. 중동 평화 유지를 위해 이와 같은 회의 소집이 다급하기 때문에 UN 회원국중 리비아의 우방국 지도자들에게 리비아 제의에 대한 지지를 요청하는 카다피 지도자의 친서를 송부함.

2. 배경 설명후 질의 응답에서 율단 국왕의 이락 대통령 친서 전달을 위한 방미 관련 사전 협의를 받은바 없다고 밝힘

3. 배경 설명및 카다피 지도자는 CNN 회견에서 미국을 극열히 비난치 않고 동사태에 상당히 조심스럽게 대처 하는 태도를 보인 것은 미국과의 관계 개선 방안을 모색하며 유가 인상에 따른 경제적 이익을 도모하기 위한 것으로 판단되어, 대이락

통상국	장관	차관	1차보	2차보	중아국	중아국	정문국	청와대
안기부	공보처	대책반						

PAGE 1 90.08.17 04:19 0063

외신 2과 통제관 DL

경제 제재 조치 참여 국가에 대한보복 조치는 없을 것으로 생각됨.

첨부:카다피 지도자의 MEMORENDUM 가역

예고:90.12.31.

이하 PART 2(LYW-0503 호) 로, 첨부:카다피 지도자의 MEMORENDUM 송부함

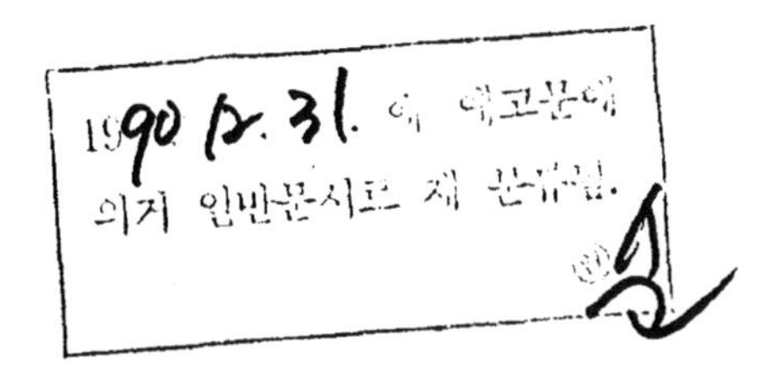

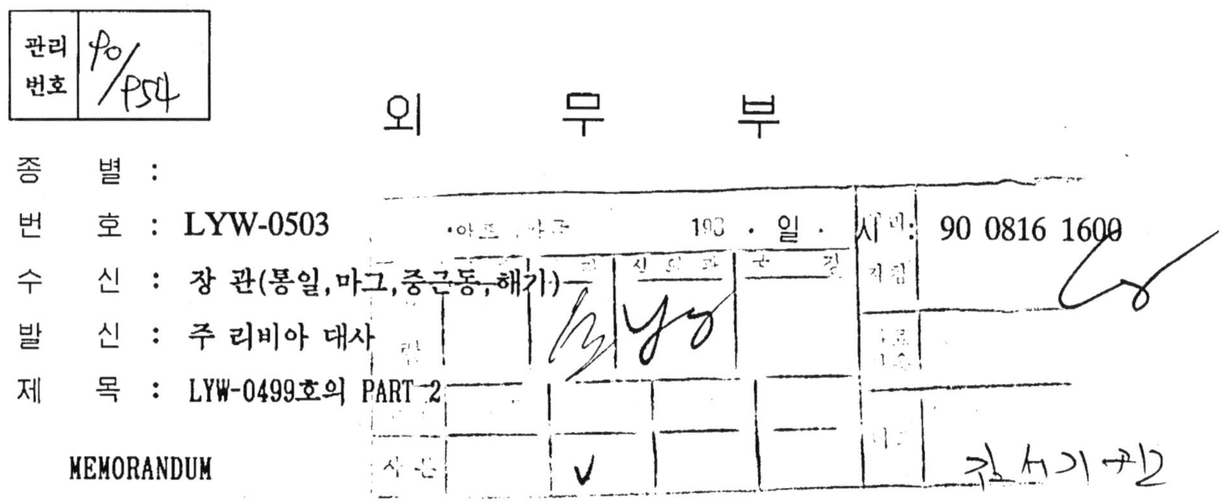

관리번호 90/P54

외 무 부

종 별 :

번 호 : LYW-0503

일 시 : 90 0816 1600

수 신 : 장 관(통일,마그,중근동,해기)

발 신 : 주 리비아 대사

제 목 : LYW-0499호의 PART 2

MEMORANDUM

THE MATTERS ARE MIXING AND CONFUSION IS TAKING PLACE NOW IN THE ARABIAN GULF.AMERICA IS GATHERING AND MOBILING THEIR FORCES AND ALLIANCES, PEACE IS STRONGLY THREATENED.

AT THE BEGINNING, ARABS WERE AGAINST IRAQ FOR INVADING KUWAIT, BUT NOW THEY (ARABS) ARE PRO IRAQ DUE TO THE INTERFERENCE OF AMERICA IN THE REGION AS IF THE CONFRONTATION NOW BECOME BETWEEN IRAQ AND AMERICA.

ALTHOUGH THE SAUDI GOVERNMENT REQUESTED THE AMERICAN FORCES FOR ITS SECURITY AND DEFENSE, AND IT HAS LEGALLY THE RIGHTS OF DOING SO, THE SAUDI GOVERNMENT IS THE ONLY ONE WHICH WILL BEAR THE POLITICAL RESULTS OF THIS MATTER.

THE WITHDRAWAL OF IRAQ FROM KUWAIT OR THE ECONOMIC AND POLITICAL PUNISHMENTS FOR INVADING KUWAIT SHOULD BE DECIDED BY THE U.N.AND NOT U.S.A.OTHER WISE ALL ARABS WILL REJECT AND BE AGAINST ALL THESE MEASURES, BECAUSE THEY ARE NOT LEGAL ONES.

THE ECONOMIC BOYCOTT SHOULD BE DONE ON THE NAME OF U.N.AN FORCES TO BE SENT AND EXIT NOW IN THE GULF SHOULD BE UNDER THE LEADERSHIP OF SECURITY COUNCIL AND NOT AMERICA. THESE FORCES SHOULD BE MULTINATIONAL, COMPOSED FROM THE COUNTRIES DECIDED BY THE SECURITY COUNCIL, HAVING THE SIGN PUTTING ON THE UNIFORM OF THE U.N.UNLIKE WHAT IS GOING ON NOW, EVERYTHING IS MANAGED BY AMERICA AND UPON ITS REQUEST.

WE ARE SUPPORTING EVERY DECISION TAKEN BY THE U.N.AND REJECTING ANY MEASURE

통상국 장관 차관 1차보 2차보 중아국 중아국 정문국 청와대
안기부 공보처 대책반

0065

PAGE 1 90.08.17 04:23

외신 2과 통제관 DL

TAKEN BY U.S.A.AND ITS ALLIANCES.WE SHOULD DIFFRENTIATE VERY CLEARLY BETWEEN USA AND U.N..NOW U.S.A.REPLACED THE U.N., THIS MATTER IS COMPLETELY REJECTED AND ILLEGITIMATE AND, IT IS CONSIDERED AN AGGRESSION AND VIOLATION TO THE U.N.CHARTER.

IF AMERICA CONTINUE CARRING ON THIS MATTER AS WHAT IS GOING ON NOW, CONFRONTAION WILL BE BETWEEN ARABS AND AMERICA.AMERICA IS A STATE MEMBER IN THE U.N.LIKE ANY OTHER STATE MEMBER AND HAS NO MORE RIGHTS OR ADVANTAGES.

THE PRESENCE OF OTHER FORCES IN SAUDIA ARABIA SHOULD BE IN RETURN OF THE WITHDRAWAL OF THE AMERICAN FORCES BY THE SAME AMOUNT AND QUANTITY UNTILL THESE FORCES WILL BE ENOUGH TO DEFEND SAUDI.AT THIS POINT THE WITHDRAWAL OF THE AMERICAN FORCES WILL COME TO AN END AND COMPLETED AND REPLACED BY THE ALTERNATE FORCES.

THE REVIEWING OF THIS SUBJECT AND RE-ARRANGING THE MATTERS ACCORDING TO THE U.N.CHARTER, NEEDS ANOTHER SECURITY COUNCIL SESSION, PROPOSED TO BE HELD IN GENEVE, TO ENABLE SOME OF ARABS LEADERS DELIVERING THEIR SPEECHS AND OPINIONS IN REGARDING THIS CRITICAL AND EXPLOSIVE MATTER WHICH THREATENS THE WHOLE WORLD S PEACE.

LOOKING FORWARD THAT OUR PROPOSAL WILL GET YOUR SUPPORT.END

PAGE 2

외 무 부

종 별 :

번 호 : USW-3788 일 시 : 90 0816 1934

수 신 : 장 관(미북,중근동,통일,기협)

발 신 : 주 미 대사

제 목 : 요르단 국왕 방미

연: USW(F)-1843,(2)USW(F)-1842

1.부쉬 대통령은 현재 방미중인 요르단의 훗쎄인 왕과 금 8.16 메인주 KENNEBUNKPORT에서 정상 회담을 가졌는바, 동 정상 회담후가진 기자회견에서 부쉬 대통령 주요 언급 요지 하기보고함 (기자 회견 전문은 연호 (1)송부)

가.금일 회담을 통해 금번 중동 사태 관련 미-요르단간의 이견이 좁혀졌는바, 특히 훗쎄인 왕은 대이락 경제 제재 조치에의 동참 입장을 재천명하였음.

나.훗쎄인 왕은 AQABA 항을 통한 대이락 수출입의 금지를 약속하였음 (단, 요르단측은 식량등 인도적 상품도 경제 제재 대상 품목인지에 대해 유엔측의 의견을구하고 있는 상태임)

다.또한 금일 회담시 후세인 왕의 최근 이락 방문 결과에 관해서는 언급이 없었는바, 이락측이 쿠웨이트로 부터 철수 하리라는 느낌은 받지 못했음.

라.한편 후쎄인 왕은 현재 미-이락간에 여하한 중개자 역할도 하고 있지 않음.

마.미국으로서는 이락 골비화 정책을 계속 추구할것이며, 자국만의 경제적 이익을 위해 전 세계적차원의 경제 제재 조치를 위배하는 CHEATERS를 계속 경계할것임.

2.또한 전기 정상 회담후 후쎄인왕은 기자들과 간단한 질의 응답을 가졌는바 동인 주요 언급 요지하기 보고함 (기자 회견 전문 연호(2) 송부)

가. 요르단 정부는 유엔 안보리의 대이락 경제 제재결의를 존중해 왔음.다만 SANCTION 의 구체적 의미에 관해서는 유엔측의 의견을 구하고 있는중임.

나.금번 방미시 이락측으로부터 여하한 MESSAGE 도 가지고 오지 않았음.

다.현재 AQABA 항을 통한 대이락 수출입 상품은 없음.

(대사 박동진-국장)

미주국 1차보 중아국 경제국 통상국 안기부 대책반 2차보 차관

PAGE 1 90.08.17 10:23 WG 0067

외신 1과 통제관

관리 번호 90-481

원 본

외 무 부

종 별 :

번 호 : HOW-0343 일 시 : 90 0816 1600

수 신 : 장 관(봉일,중근동,구일,정일) -재수신분-

발 신 : 주 화란 대사

제 목 : 대 이락 제재(자료응신 제 73호)

1990.12.31.에 예고문에 의거 일반문서로 재분류 됨

대: WECM-0020

연: HOW-0338

1. 대호 관련, 주재국 정부가 취한 대 이락 제재조치는 아래와 같음.

0 8.3. 주재국, 이락, 쿠웨이트의 자산 및 금융거래 동결, 단, 주재국내 쿠웨이트 석유회사에 대해서는 예외적으로 8.15. 까지 자산 및 금융거래 동결 면제

(기 계약사항 이행 목적)0 8.7. 대이락, 쿠웨이트 무역전면 금지 및 원유 수입금지 조치

단, 기 선적분 원유는 해당되지 않으며, 주재국내 쿠웨이트 석유회사에 대해서는 8.15. 까지 원유수입 허용

0 군수품 및 군사기술 제공 금지

- 주재국은 1981 년 이래 이락에 군수품 및 군사기술제공 금지해 옴.

0 함정파견: 8.13. 2 척의 해군함정 파견키로 결정, 8.20. 경 출항하여 9 월초에 걸프만 도착 예정이며, 총 360 여명의 승무원 탑승 예정

0 참고: 화란의 2 개 회사 (BOSKALIS 사 및 VOLKER STEVIN 사)가 이락 남부항만준설 공사에 참여중인바, 주재국 정부는 이를 UN 제재결의안 내용중 제재대상에서 제외되는 용역 (SERVICE) 으로 해석, 공사 완료시까지 계속토록 함.

2. 주재국과의 경제관계

0 대이락 및 쿠웨이트 교역량

- 화란의 대이락 수출입(1989 년)

수출 - 약 1.5 억불 (전체수출량의 약 0.12 퍼센트)

수입 - 약 7 억불 (전체수입량의 약 0.57 퍼센트)

- 화란의 대 쿠웨이트 수출입(1989 년)

통상국 대책반 차관 1차보 2차보 구주국 중아국 정문국 청와대 안기부

PAGE 1

90.08.17 17:30

외신 2과 통제관 CD

0068

수출 - 약 1.4 억불(전체수출량의 약 0.11 퍼센트)수입 - 약 13 억불 (전체 수입량의 약 1.1 퍼센트)

0 부자현황

- 대이락: 약 8.5 백만불

- 대 쿠웨이트: 약 14 백만불

0 이락 및 쿠웨이트의 대 주재국 채무내역

- 이락: 약 58 백만불

- 쿠웨이트 : 약 100 백만불

0 이락및 쿠웨이트내 체류 화란 국민 현황(8.13. 현재)

- 이락: 159 명

- 쿠웨이트: 88 명. 끝.

(대사 최상섭-국장)

예고:90.12.31. 일반

각국의 대이라크 경제제재조치 현황

90.8.17.

통 상 국

0070

목 차

0071

미 국

제재조치	세 부 조 치 내 용	참 고
자산동결	o 부쉬대통령, IEEPA법(Int'l Emergency Economic Powers Act)에 따라 미국내 이라크 및 쿠웨이트 자산동결 o 자산동결 또는 교역금지 조치로 인한 민간업체의 피해 발생에 대한 보상조치 없음.	o 행정명령 공포 o 재무부소속 Office of Foreign Assets Control 은 즉시 연방준비은행과 민간투자회사에 미국내 이라크 자산동결 지시 o 세관은 대이라크 수출입품의 통관보류, 압류등의 조치
일반상품 교역금지	o 이라크산 상품 및 서비스의 미국 수입(출판물등 정보자료 제외) 금지 o 미국산 상품, 기술 및 서비스의 대이라크 수출(출판물등 정보자료 및 인도적 구호목적의 기증품 제외) 금지 o 미국인에 의한 대이라크 수송관련 거래 또는 이라크인이나 이라크에 등록된 선박 및 항공기에 의한 대미국 수송 금지 o 미국인의 이라크 수출품(목적지 불문) 구입 금지 o 미국인의 이라크내 공업, 상업 및 정부 프로젝트 관련 계약 이행 중지 o 미국인의 이라크 정부 및 기관에 대한 차관 및 대출 중지 o 미국인의 이라크 여행관련 거래 및 이라크내 미국인과의 거래(이라크내 체류자의 이라크 출발 및 언론 활동을 위한 여행 제외) 중지	o 8.2 행정명령 공포와 동시 발효 o 미 재무부, 행정명령 실시를 위한 시행령 제정 예정 - 교역금지의 구체적 내용 잠정조치, 벌칙등 포함 (과거 유사사태때의 전례) o 의회에서도 대이라크 제재결의안을 만장일치로 채택(8.2), 행정부의 제재 뒷받침

0072

제재조치	세 부 조 치 내 용	참 고
	o 상기 금지 내용을 위반하거나 위반할 목적을 가진 미국인의 거래 * 상기 미국인에는 미국 국적인, 미국 영주권 소유자, 미국 법인 및 미국내 체류자 포함	
이라크의 원유 수출봉쇄 및 석유수입 금지	o 이라크의 터키관통 송유관 차단, 사우디를 통한 송유도 중단 o 8.2 이전 계약체결, 이미 미국으로 수송중인 원유도 8.2 이전 적재, 10.1까지 미국도착, B/L이 8.2 이전에 발급되었을 경우 수입허가 - 해당 원유대금은 미국내 동결구좌에 예치	
우방국에 대한 집단제재 협조 요청	o 산유국의 원유생산량 증가, 서방 동맹국들의 전략비축 원유사용, 석유 소비절약운동 및 정유회사의 부당이윤, 가격조작 행위등 자제 촉구	
걸프만 지역 여행지침 발표 (8.6)	o 신규여행의 금지와 동 지역 체류자의 자발적 철수 권고	o 동 지침 작성에는 사우디 원유 증산 필요성 고려, 미국기업의 급격한 철수 방지에 주안점

0073

일 본

제재조치	세 부 조 치 내 용	참 고
원유수입금지	o 석유비축량이 142일분으로 당분간 수입 감소분을 비축량 방출로 보충	o 일본이 이라크 및 쿠웨이트로 부터 수입하는 원유는 44만 배럴(수입원유의 12%)
	o 석유 수급 핍박 및 석유가 인상에 따른 물가상승에도 당분간은 44개월간 지속되어온 대형경기 감속은 없을 것으로 전망 - 다만 최근 국내 물가상승 기조로 원유가 상승이 물가상승 자극 가능성에 대장성 경계심 표시, 그러나 공정금리 인상을 고려할 상황은 아니라는 입장	o 이라크로 부터의 원유수입 금액이 대이라크 수입의 99% 차지, 사실상 대이라크 경제관계 정지 의미
	o 석유업계에 대해 수입선 다변화 요청, 각석유회사는 여타 산유국에 대해 대일 공급계약량 증량 교섭에 착수 - 석유업계가 고가의 원유를 구입치 않도록 지도, 석유가의 편승인상을 자숙하도록 요청	o 석유제품의 대쿠웨이트 의존도 : 14% LPG 의 대쿠웨이트 의존도 : 12.7%
	o 종합적 에너지절약 대책 검토 - 1,2차 오일쇼크와 같은 위기적 상황은 아니라고 보고 석유 사용량 규제등 강경대책은 당분간 보류 입장 - 제재조치 장기화에 대비 수급대책 검토 예정	o 사우디등에 증산 요청

- 3 -

0074

제재조치	세 부 조 치 내 용	참 고
	o 금수조치 이전 쿠웨이트 선적 원유도입분 지불 문제 - 쿠웨이트 및 이라크에 대한 무역결제는 90.8.15부터 허가제로 이행 - 수입업자의 승인 요청의 경우 동 도입원유 통관에 대한 조건부과 여부 및 대금지불 루트에 따라 지불 허가 여부 결정 예정 · 현재로서 지불이 불허된 대금에 대한 정부조치는 특별히 검토되고 있는 것이 없음. - 일본회사들은 쿠웨이트 석유공사로 부터 석유도입, 동 석유대금은 미국등 제3국 은행구좌에 입금토록 되어 있음. · 따라서 미국내 구좌를 미국이 동결하고 있는지 여부, 미국이외 국가에 지정구좌가 있는 경우 동 국가가 당해 구좌를 동결하고 있는지 및 UN 결의 준수여부등 검토 - 석유대금 지불은 정통 쿠웨이트 정부의 구좌입이 확인되어야 함. o 금수조치 이전 이라크 선적 유류도입분 지불문제 - 아직 일본에 도착하지 않고 있는 상황 - 동 원유 수입업자가 통관 승인신청과 더불어 대금 지불 허가를 신청해 올지는 미지수 - 신청의 경우 대응책에 대해서는 구체적 방침 미수립	o 이라크의 쿠웨이트 침공이후 선적된 석유는 사실상 없으므로 현 잠정 정부에 대한 수입석유 대금 지불문제 없음.

0075

제재조치	세 부 조 치 내 용	참 고
경제협력정지	o 엥차관 동결을 포함한 경제협력 정지 o 이라크에 대한 투자, 융자등의 자본거래 금지	o 동결 액수는 약 4천억엥(ODA 차관 및 민간수출 신용 혼합금액) o 동 액수는 이란-이락 전쟁으로 인한 이라크의 채무상환 불이행으로 85년 이후 공여중지, 금년 2월 재개키로 합의했던 금액
자산동결	o 일본 국내의 이라크 자산동결	
대이라크 무역 및 프로젝트 금지	o 수입승인 대상지역 및 대상품목으로 이라크, 쿠웨이트 원산 또는 선적의 모든 화물추가 형식 o 일본정부, 제재기간이 장기화 될 경우 민간기업의 보험청구 증가로 통산성의 무역보험 지불 급증에 대비, 무역보험 특별회계의 운용자금 확보 조치 강구 - 현재 민간기업의 무역보험 채권은 이라크 관련 채권 4,300억엥, 쿠웨이트 관련 채권 900억엥 정도 - 90년도내 지불기한이 도래하는 무역보험 채권은 약 800억엥 정도로 추산 o 통산성, 대쿠웨이트 및 이라크 수출의존도가 높은 중소기업 대상, 금수조치의 영향 조사 - 피해가 클 경우 자금 긴급 융자제도 검토 착수	o 통산산업성 고시 310호 o 이란, 이라크 전후 부흥계획에 참여, 대이라크 무역 및 경제교류를 확대해 온 상사 및 수출업체는 대형 프로젝트 추진에 대한 타격 우려, 대이라크 채권회수가 동국의 석유수입 감소로 어려워질 것으로 전망 - 89년 대형 종합상사의 대이라크 계약건수는 총 7건 430억엥 * 미쯔이 물산등에 의한 대쿠웨이트 담수화 플랜트는 1건 50억엥 상당 * 그외에 대이라크 엥차관 제공을 겨냥한 민간업계간 대형 상담 추진 - 일본기업 약 100개사의 대이라크 채권은 현재 7,000억엥으로 * 이중 통산성 소관 무역보험 대상은 4,300억엥 정도인 바, 이라크는 88년말부터 대일 석유수출대금의 약 25%, 90.2.부터는 45%를 주로 이자분으로 지불해 왔으나, 원금은 거의 그대로인 상태

- 5 -

0076

제재조치	세 부 조 치 내 용	참 고
		o 여타 업계는 제재조치로 직접적 영향은 거의 없는 것으로 평가 - TV, 비디오등 전기기계 부문의 대이라크 수출은 89년도 100억엥(수출구성비 1%)에 불과 - 철강의 대이라크 수출량은 90.1-5간 4.4만톤으로 전체수출의 0.7% - 89년 자동차의 수출은 이라크에 2,183대, 쿠웨이트에 22,897대에 불과

- 6 -

0077

E C

제재조치	세 부 조 치 내 용	참 고
석유금수	o 이라크 및 쿠웨이트로 부터의 석유금수	
자산동결	o EC 회원국내 이라크 자산동결	
경협중지	o 이라크와의 과학기술협력 중지 o GSP 공여중지	
상품교역 및 무역관련 서비스 금지	o 모든 상품교역 및 무역관련 서비스교역(보험, 운송등) 금지 o 건설업등 순수 서비스업은 EC 집행위 권한외의 사항으로 각회원국이 별도 필요조치 강구	o EC 의 대이라크 교역량(89년, 1ECU=1.1미불) - 수입 : 33억25백만 ECU(96.7% 가 원유 및 석유관련제품) EC 총역외 수입중 0.7% 차지 - 수출 : 30억11백만 ECU, 총역외 수출중 0.7% 차지 o 대쿠웨이트 교역 - 수입 : 26억54백만 ECU(95.1% 가 원유 및 석유관련제품) 총역외 수입중 0.6% 차지 - 수출 : 16억29백만 ECU 총역외 수출중 0.4% 차지

0078

- 7 -

영 국

제재조치	세 부 조 치 내 용	참 고
교역금지	o 이라크와 쿠웨이트에 대한 모든 거래시 정부승인을 받아야 하며 승인의 대상은 재화뿐만 아니라 엔지니어링, 기술적 자문등 용역의 제공도 포함됨. o 정부는 모든 사안에 대하여 개별 심사를 하게 될것임. o 세관당국은 화물의 선적지가 이라크, 쿠웨이트가 아니더라도 우회수출의 우려가 있는 경우에 대비, 감시를 강화할 것임. o 동 지침은 거주지에 불구하고 모든 영국인에 적용됨. o 동 지침을 위반하거나 부정한 방법으로 허위통관을 한자는 6년 이하의 징역 또는 그에 해당하는 벌금에 처함. * 대제재국 수출의 경우 생존에 영향을 주는 식량, 또는 약품등에 한하여 제한적으로 승인, 수입의 경우 이미 대금지불이 이루어진 상품의 반입, 또는 현재 제재국에 거주하고 있는 영국인이 소유하는 물건중 방송장비, 개인용 콤퓨터등의 반입은 허용될 것으로 관측 * 동 조치로 손실을 입게되는 회사에 대하여는 보험 이외에 보상책이 별도로 없으며 수출신용보증기구 (EXPORT CREDITS GUARANTEE DEPARTMENT)는 동 기구에서 보상하여야 할 금액이 약8억5천만 파운드에 달할 것으로 보고 있음.	o 상공성 발표 대이라크 교역지침 o 대이라크 교역(1989) - 수출 : 450백만 파운드(전체수출의 0.5%) - 수입 : 55백만 파운드(전체수입의 0.04%) o 대쿠웨이트 교역 - 수출 : 229백만 파운드(전체수출의 0.2%) - 수입 : 150백만 파운드(전체수입의 0.1%) o 쿠웨이트의 대영국 투자 - BP, Midland Bank 등 석유, 금융, 보험, 부동산 분야에 11건(금액 미상)

독 일

제재조치	세 부 조 치 내 용	참 고
자산동결	o 이라크 및 쿠웨이트의 자산동결, 이라크의 쿠웨이트 침공이전에 발생한 상품결제(상품 수입관련 지불등)를 포함한 모든 재정적 거래도 금지 o 쿠웨이트 망명정권등이 자산사용을 신청할 경우 중앙은행에서 접수, 검토하는 절차 마련, 정부와 함께 허가여부 결정 - 현재까지 허가된 사항 없음.	o 이라크의 대독일 채무 - 은행 : 35억 DM - 기업(대외수출보험기관의 보증을 통한 채무) : 50억 DM - 기업(무보증 채무) : 50억 DM o 쿠웨이트의 대독일 채무 - 191백만 DM
석유금수 및 수출입 금지	o EC 결정 및 유엔안보리 결정에 따라 석유금수 및 모든 상품의 대이라크 수입 및 수출 전면금지	o 대이라크 및 쿠웨이트 교역현황(89년) - 독일의 수입(괄호안 전체대비 비중) · 이 라 크 : 280백만 DM(0.1%) · 쿠웨이트 : 298백만 DM(0.1%) - 독일의 수출 · 이 라 크 : 2,199백만 DM(0.3%) · 쿠웨이트 : 860백만 DM(0.1%)

- 9 -

0080

제재조치	세 부 조 치 내 용	참 고
		o 투자 현황(90년 현재) - 독일의 투자 · 이 라 크 : 없음 · 쿠웨이트 : 5백만 DM - 이라크 및 쿠웨이트의 대독일 투자 · 쿠웨이트 : 50억 DM · 이 라 크 : 없음

불 란 서

제재조치	세 부 조 치 내 용	참 고
석유금수조치	o 이라크, 쿠웨이트로부터의 원유수입 전면금지 o 이라크 침공이전에 계약을 체결, 현재 수송과정에 있는 원유도 도입금지	
자산동결	o 외환, 자본이동, 제반 개인 및 법인간(이락 및 쿠웨이트 국적 소유) 결제는 사전에 경제, 재무성의 허가 필요 o 이락 및 쿠웨이트로부터의 대불란서 투자도 사전에 경제, 재무성의 허가 필요(회사설립 및 청산 포함) o 경제, 재무상, 해운상, 정부대변인은 상기 조치 시행 여부 공동감시	o 대통령령, 경제재무성령
상품반입 및 반출 전면금지	o 상품반입 전면금지(ABSOLUTE PROHIBITION OF ENTRANCE) - 이라크, 쿠웨이트로부터의 반입 전면금지(출발지, 원산지 불문) - TRANSIT, 보세구역 유치, 임시 반입도 일체 금지 - 예외조치 · 이라크, 쿠웨이트로부터 귀국하는 자연인의 개인용품 · 8.7 이전에 이미 선적한 이라크 또는 쿠웨이트 수출품 o 상품반출 전면금지(ABSOLUTE PROHIBITION OF EXIT) - 이라크, 쿠웨이트로의 직접 또는 간접 반출 전면금지(원산지가 EC 이거나 제3국임을 불문)	o EC 차원의 제재조치 o 대이라크 교역량(89년 기준, 단위: 백만불) - 수입 : 852(전체대비 4.5%) : 미, 터키, 일, 브라질 다음으로 5위 - 수출 : 478.8(전체대비 2.8%) : 서독, 미, 영, 일 다음으로 5위 o 대쿠웨이트 교역량(89년 기준, 단위: 백만불) - 수입 : 172.8(전체대비 0.9%) - 수출 : 211.2(전체대비 1.2%)

0082

제재조치	세 부 조 치 내 용	참 고
	o 수출통관 수속이 8.7 이전에 완료된 후 실질적으로 출발치 않은 상품에도 적용 o 예외조치 - 의약품 수출 - 인도적 차원에서 제공되는 식품(긴급구호, 정부 사전 승인경우등)	o 이라크의 대주재국 채무 - 서방제국에 대한 채무 350억불중 대주재국 채무는 약50-60억불로 추정(실제 대외발표는 하지 않고 있으나, RESCHEDULING 대상이 240억프랑 정도 되는 것으로 알려짐) o 이라크의 대주재국 채무 관련 RESCHEDULING 현황 - 89년 : 85억프랑 - 90년도 : 35억프랑(타결 단계에서 쿠웨이트 침공으로 최종 협상 중단) o 참고사항 - 90년초 이라크는 THOMSON 으로부터 구입한 9억프랑 상당의 장비 대금 및 PECHENEY 사 알미늄 공장건설(8억프랑 상당)을 위한 DOWN-PAYMENT 를 현금으로 지급한 것으로 알려지고 있음.

이 태 리

제재조치	세 부 조 치 내 용	참 고
자산동결	o 각의, 자산동결 법령채택, 발효	o 이라크 및 쿠웨이트의 대이태리 채무현황 - 이라크 : 약33억불(4조리라) - 쿠웨이트 : 없음
무역금지	o 대이라크 및 쿠웨이트 수출입금지 및 관련 허가행위 일체금지 - 무기, 상품교역금지, GSP 수혜정지포함	o 대이라크 교역량 - 수출 3.7억불, 수입 6.7억불(전체대비 0.35%) o 대쿠웨이트 교역량 - 수출 3.3억불, 수입 5억불(0.8%) o 대이라크 및 쿠웨이트 투자실적없음
석유금수	o EC 규정으로 시행	
건설공사 중단	o GIE 사(DANRA, MOSUL DAM, BAYI, EL ANBAR, ELMUSSAIB, SHEMAL 지역발전시설) o IMPRCGILO, ITALSTRADE 사의 공동수주 댐공사 o SNAMPROGETTI, SAIPEM 사 송유관(IPSA 지역) 및 윤활유 플랜드(BASSORA 지역) o SAIPEM, NUOVO PIGNONE 사 석유시추 (KIRKUK 및 RUNAILA 지역) o TPL 사 화학, 정유시설 o DANIELI 사 전기, 철강시설 o FOCHI 사 비료 액체 관련 플랜트	o 공사계약 불이행시 일부사업은 이태리 수출보험공사(SACE)에 의거 80프로가 보상 ※ 국영기업인 FINTANTIERI 사의 군함 및 헬기 공급(30억불상당) 계약 불이행 벌과금은 계약액 과다로 SACE 에 의해 10프로 정도밖에 보상되지 않고 있어 추가부담은 정부에 의존 예상

0084

- 13 -

벨기에

제재조치	세부조치내용	참고
금융거래 통제	o 쿠웨이트나 이라크인의 계정과 관련된 벨지움과 외국간의 일체의 환거래, 자본이동 및 금융거래는 재무부의 사전허가를 요함 o 벨지움내 쿠웨이트 또는 이라크인으로 부터 발생한 투자와 관련된 모든거래로 재무부의 사전허가를 요함	o 금융거래에 관한 왕령 선포
상품의 수출입 및 통과.통제	o 이라크 쿠웨이트가 원산지이거나 동 지역에서 발송된 모든 물품은 수입허가 필요 o EC 가 원산지 이거나 또는 EC에서 발송된 모든 물품의 이라크 또는 쿠웨이트에의 수출도 허가필요 o 이라크 쿠웨이트가 목적지이거나 발송지인 모든 상품의 통과도 허가필요	o 상품의 수출입 및 통과허가에 관한 각령선포

0085

아일랜드

제재조치	세 부 조 치 내 용	참 고
무역제재	o 무역제재조치는 Brussel 회원국 상주대표회의 채택 Council Regulation 직접적용 o 벌칙(Penalty) 에 대해서는 회원국 재량에 따라 결정	o 대이라크 주종 수출품은 7천만불 상당의 우유 (89년) - 무역중단의 경우 동 수출액 및 동 수출에 관한 EC 보조금 약 8천만불등 합계 1억5천만불의 차질 발생
자산동결	o 아일랜드내 모든 쿠웨이트 및 이라크 소유 아일랜드 파운드 및 외화 구좌 및 기금 동결 - 기존법규 적용 취소 o 모든 통화, 외환, 금융거래 금지	o 이라크는 아일랜드에 대해 이.이전 개전이래 우육수입 대금누적액 1억3천만불의 채무 보유

- 15 -

0086

덴 마 크

제재조치	세 부 조 치 내 용	참 고
자산동결	o 쿠웨이트 정부에 속하는 유가증권, 유동자산 포함 모든 CREDIT 및 정부가 소유자 또는 정당한 청구자로 되어 있는 모든 금융구좌 동결(동결자산은 산업부 허가없이 인출불가) - 산업부 허가없이는 쿠웨이트정부 또는 개인에 속하는 지불수단은 제3국에 이전불가 - 본 공고 위반시 2년이하 징역	o 덴마크내 쿠웨이트자산 보호조치에 관한 공고 (산업부 공고) o 기 타 - 이라크, 쿠웨이트 양국의 대덴마크 투자내용은 투자등록 의무제도 부재 및 대부분 영국, 화란등 타 서구국가 소재 회사를 통한 간접투자로 인해 사실상 파악이 불가능함. - 그동안 쿠웨이트정부 투자회사로 널리 인식 되어온 다국적 주유소 체인회사(당지에 다수 주유소 체인소유)의 처리문제를 검토한 결과 동 회사가 법률상 화란회사로 금번 동결대상에 포함될 수 없다는 결론에 도달함.
교역등 금지	o 구주이사회 DECREE NO.2340/90(90.8.8)에 따라 이라크, 쿠웨이트 교역금지(유럽 석탄철강공동체(ECSE) 설립 조약에 포함된 상품도 적용) - 유가증권, 유동자산을 포함한 이라크 귀속 채권동결 - 이라크정부 또는 개인소유 구좌동결 및 사전허가 없는 인출금지 - 인도적 사유로 인한 구호식량에 대해서는 교역금지 조치 제외 - 상기 위반시 벌금형 또는 4년 이하 징역 및 불법 거래 이익 몰수 o 동 제재조치에 따라 덴마크정부는 쿠웨이트로부터 도입한 원유대금 1억5천만 DKR(약2천5백만불)에 대한 지불유예 조치	o 대이라크 조치에 관한 칙령 o 89년 대이라크 및 쿠웨이트 수출액은 약1억7천만불로 전체수출액중 0.5% 비중에 불과, 양국으로부터의 89년도 수입액은 전체수입액중 약 2% 차지

0087

오스트리아

제재조치	세 부 조 치 내 용	참 고
거래관계 중단	o 오스트리아의 모든 대이라크 거래관계 (All Business Contact) 중단 (8.7) - 수출.수입, 경유화물 통과 - 이라크 및 쿠웨이트 트럭 통과금지	o 이라크는 오스트리아의 입장이 중립정신에 반하므로 놀라움으로 받아들인다는 입장 발표
자산동결	o 오스트리아 국립은행, 이라크 및 쿠웨이트의 모든 자산에 대한 처분과 양국에 대한 은행의 모든 자금 이전은 국립은행의 특별허가가 없는한 동결한다고 발표	o 이라크의 대오스트리아 채무는 약 9억불
원유수입금지	o 오스트리아의 대 이라크 및 쿠웨이트 원유수입은 전체의 2% 미만	o 원유수입에 큰 타격 없을것으로 전망

- 17 -

0088

카 나 다

제재조치	세 부 조 치 내 용	참 고
자산동결	o 카나다 은행가 협회등과 협의, 카나다 금융기관내 쿠웨이트 자산 사실상 동결토록 조치(미국이나 영국과 같은 직접동결 조치가능한 법령 부재)	o 카나다내에는 이라크 자산은 별무, 동결조치 의미 없음
원유수입금지	o 이라크 및 쿠웨이트산 원유수입금지	
수출통제 조치 및 수출지원 활동 중지	o 이라크를 수출통제 대상지역 리스트에 포함 o 카.이라크간 무역, 경제, 기술협정 효력중단 및 최혜국 대우폐지 o 카정부의 대이라크 수출관련 지원활동 중단, 카나다 기업의 대이라크.쿠웨이트 신규사업에 대한 수출개발 공사(EDC)의 금융지원 중단	o 유엔법에 의거한 시행규칙 발표

0089

호 주

제재조치	세 부 조 치 내 용	참 고
자산동결	o 호주내 쿠웨이트 재산보호 및 이라크 재산동결	
원유수입금지	o 이라크 및 쿠웨이트로 부터의 원유수입금지	
상품수출		o 대이라크 수출 주종 품목은 소맥.식용유, 양 약10억 호주불 상당의(동주종 품목 판매 미수대금 7억 및 기수주액 3억) 수출 영향 예상
기 타	o 이라크 항공사 시드니 사무실설치 불허	

0090

브 라 질

제재조치	세 부 조 치 내 용	참 고
통상관계 단절	o 대이라크 및 쿠웨이트와 통상관계 단절	o 대통령령 공포
석유 금수		o 일일 원유도입량 55만배럴중 35%(19만 배럴 : 이라크 16만 배럴, 쿠웨이트 3만 배럴) 해당 o 원유 수입협정 체결국(10개국)과 원유 추가도입 교섭

0091

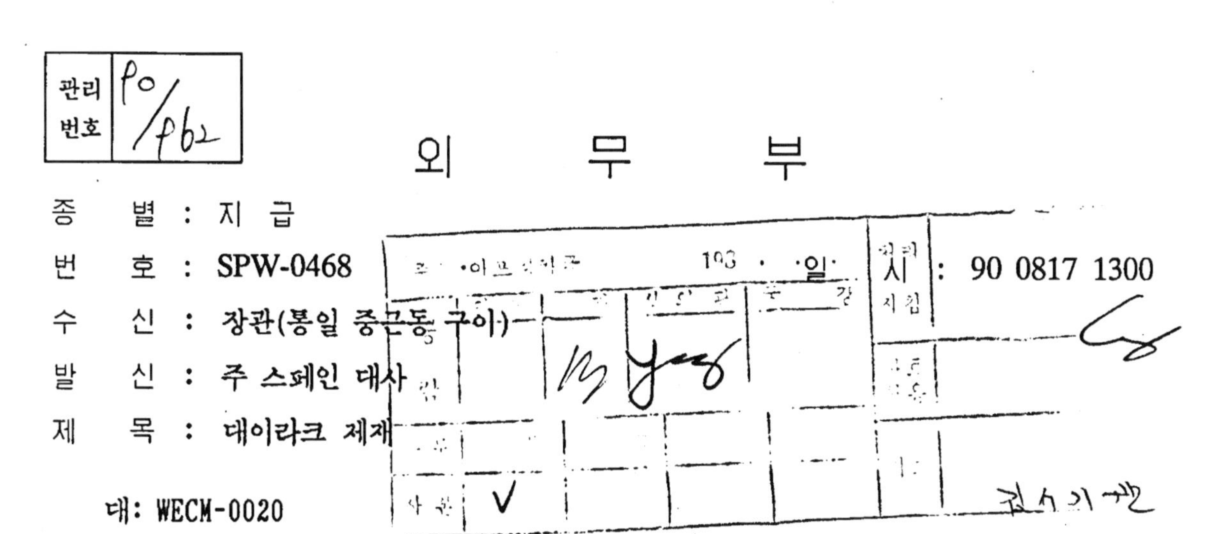
관리 번호 90/662

외 무 부

종 별 : 지 급

번 호 : SPW-0468 일 시 : 90 0817 1300

수 신 : 장관(통일 중근동 구이)

발 신 : 주 스페인 대사

제 목 : 대이라크 제재

대: WECM-0020

1. 대호 주재국의 대이라크 제재조치는 다음과같음.

가.8.4.18:30 주재국 외무성은 동일자 로마 EC 회의 결의전문을 보도자료로배포함.

나.8.4.20:00 외무성 보도자료로 다음 정부훈령을 발표함.

0 쿠웨이트에 대한 자산이전은 사전에 경제재무성의 허가를 받도록하고 쿠웨이트의 대주재국 투자자산은 보호될것임.

다. 경제재무성 고시(8.6. 및 8.7.), 중앙은행 고시(8.8)를 통해 상기조치를 보완함.(주재국내 이라크및 쿠웨이트 자산동결조치)

라.8.8. 오후 주재국 정부는 비상각의(EL GABINETE DE CRISIS)를 개최후 정부성명을 통해 8.4. EC 결의 6 개항목및 8.6. 유엔 안보리 결의내용을 포함하는 후속조치를 발표함.

2. 대호 3 항 다음과같이 조사 보고함.

가. 대이라크 및 쿠웨이트 교역량(1989 년도단위 백만뻬세타, 불화 상당액,전체대비 비중의 순서)

대이라크수입:77,954(7 억,0.92%)

대이라크수출:20,747(2 억, 0.39%)

대쿠웨이트수입:12,710(1 억, 0.15%)

대쿠웨이트 수출: 9,684(9 천만, 0.18%)

나. 대이라크및 쿠웨이트 부자현황

-쿠웨이트의 대주재국 부자:72.9 억불(대부분 KIO, KUWAIT INVESTMENT OFFICE 에서 관리함)

-주재국은 1989 년도 대이라크 6 만불 투자

통상국 장관 차관 1차보 2차보 구주국 중아국 정문국 청와대
안기부 대책반

PAGE 1 90.08.17 21:57 0092

외신 2과 통제관 CW

-여타자료 미비함

다. 이라크및 쿠웨이트의 대주재국 채무내역

-자료 미비함

라. 체류국민현황

-이라크내:67 명

-쿠웨이트내:90 명

마. 기타 참고사항

1)주재국 원유수입량은 년간 5 천만톤이며 90 일분을 비축하고 있다고함.

-주요 수입국및 전체대비비중(%, 1989 년도)

멕시코 20.4, 나이제리아 18.7, 이란 12.7, 이락 10.6, 쏘련 10.3, 리비아 8.6, 사우디 6.3

2)1989 년도 대이라크및 대쿠웨이트 원유수입

대이라크 5,285,785 톤(전체의 10.6%)

대쿠웨이트 105,444 톤(전체의 0.2%)

3)1981-1989 년간 주재국의 대이라크 무기수출은 2 억 5 천만불이라고 보도됨.

(대사-국장)

예고 1990.12.31 일반

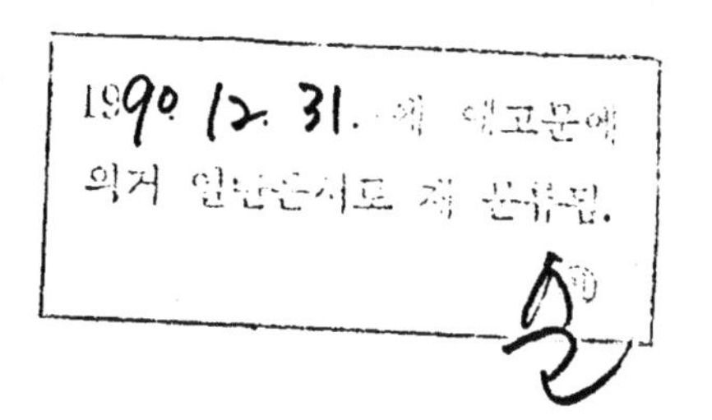

PAGE 2

0093

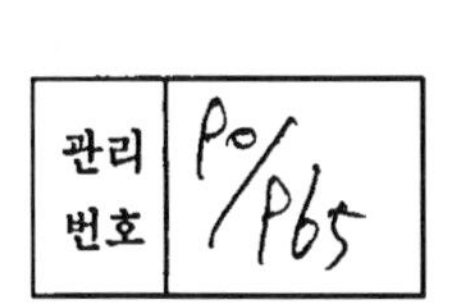

외 무 부

종 별 : 지 급

번 호 : ECW-0566 일 시 : 90 0817 1600

수 신 : 장관 (통일,중근동,구일)

발 신 : 주 EC 대사

제 목 : 대이라크 제재

대: WECM-0020

연: ECW-0563

1. 연호관련, 당관은 금 8.17. 대이라크 경제제재 조치에관한 DEFRAIGNE EC집행위 대외관계 총국장대리 명의 본직앞 공한(8.14. 자) 을 접수하였는바 주요내용은 아래와같음

0 유엔안보리 결의 661 호에 의거, EC 측이 8.8. 자로 채택한 대이라크및 쿠웨이트 교역금지에 관한 규정내용 통보 (동 규정 별전 FAX 송부)

0 8.10. EPC 특별 각료회의에 따라 EC 집행위가 유엔안보리 결의 661 호 이행을위해 EC 및 각회원국 차원에서 취해지는 모든 조치에관한 정보교환을 위한 CLEARING HOUSE 역할을 수행

0 각국이 취하는 제재조치에 관한 충분한 정보교환이 동 제재조치에 효율성제고에 기여하게 될것임을 언급하면서 이와관련 한국측과의 회의개최 가능여부타진을위해 당관에 연락 예정임을 통보.

2. EC 집행위측은 금명간 대이라크 경제제재 조치에 관한 상호 정보교환및 동 조치사항에 따르는 문제점 협의를위한 상기회의 개최를 당관에 제의해올 것인바 이에대한 본부방침 회시바람.

3. EC 측이 이문제 협의를위해 협조를 요청중인 국가의 수와 각국의 참여여부등은 파악되는대로 추보하겠음

첨부: EC 집행위측 공한. 끝

(대사 권동만-차관)

예고: 90.12.31 일반

첨부

1990.12.31. 에 예고문에 의거 일반문서로 재 분류됨.

통상국	장관	차관	1차보	2차보	구주국	중아국	정문국	청와대
안기부	대책반							

PAGE 1 90.08.18 05:57 0094

외신 2과 통제관 CW

YOUR EXCELLENCY,

I HAVE THE HONOUR TO ENCLOSE, FOR THE INFORMATION OF YOUR AUTHORITIES,A COPY OF COUNCIL REGULATION(EEC) NO 2340/90 AND COUNCIL DECISION 90/414/ECSC OF 8 AUGUST 1990, WHICH IMPLEMENT PARAGRAPH 3 OF THE UN SECURITY COUNCIL RESOLUTION 661(1990) ESTABLISHING AN EMBARGO ON TRADE WITH IRAQ AND KUWAIT

I WOULD ALSO LIKE TO INFORM YOU THAT FOLLOWING THE EXTRAORDINARY EPC MINISTERIAL MEETING ON 10 AUGUST, THE COMMISSION WILL BE ACTING AS A CLEARING HOUSE FOR THE EXCHANGE OF INFORMATION, WITHIN THE EC, ON THE APPLICATION OF ALL MEASURES BEING TAKEN, AT COMMUNITY AND MEMBER STATE LEVEL, TO IMPLEMENT RESOLUTION 661

THE COMMISSION CONSIDERS THAT THE FULLEST POSSIBLE EXCHANGE OF INFORMATION ON THE MEASURES BEING ADOPTED BY THE VARIOUS COUNTRIES IN RESPONSE TOTHE UN RESOLUTION, WILL CONTRIBUTE TO THE EFFECTIVENESS OF THE SANCTIONS.IT IS, ACCORDINGLY, READY TO PROVIDE YOUR AUTHORITIES WITH 슈 UCH INFORMATION AS IS AVAILABLE AND WOULD WELCOME WHATEVER INFORMATION YOU ARE ABLE TO SUPPLY

ACCORDINGLY, I CONSIDER THAT AN EARLY MEETING FOR A MUTUAL BRIEFING ONOUR RESPECTIVE MEASURES AND A DISCUSSION OF ANY DIFFICULTIES WE MAY BE ENCOUNTERING IN THE IMPLEMENTATION OF THE SANCTIONS WOULD BE MOST USEFUL. WESHALL BE MAKING CONTACT WITH YOUR MISSION BY TELEPHONE TO SEE IF SUCH A MEETING CAN BE ARRANGED IN THE COMING DAYS

I AVAIL MYSELF OF THIS OPPORTUNITY TO RENEW TO YOU THE ASSURANCES OF MY HIGHEST CONSIDERATION

P.DEFRAIGNE

ACTING DIRECTOR GENERAL. 끝

외 무 부

종 별 :

번 호 : TTW-0153 일 시 : 90 0817 1520

수 신 : 장 관(중근동,미중)

발 신 : 주 트리니다드 대사

제 목 : 주재국의 대 쿠웨이트사태 입장

주재국 정부 (외무부)는 작 8.16(목) 이락의 쿠웨이트 침공에 대해 아래 요지의 성명서를 발표하였음.

0.유엔헌장의 원칙에 따라 모든 국가의 주권, 독립및 영토보전을 확고히 존중함.

0.이락의 쿠웨이트 침공을 비난하고 이락군의 즉각적인 무조건 철수등을 요구하는 유엔 안보리결의안 660-662호를 지지함.

0.약소국가의 안보와 독립이 군사력으로 유린파괴되는 것은 특별히 비난 받아야 함.

0.세계평화를 위협하는 이락의 무모한 무력사용으로 야기된 금번 사태가 해결되어, 쿠웨이트의 독립이 회복되기를 희망함.끝

(대사 박부열-국장)

중아국 1차보 미주국 정문국 안기부 통상국 대책반 2차보 차관

PAGE 1 90.08.18 09:24 WG

외신 1과 통제관

0096

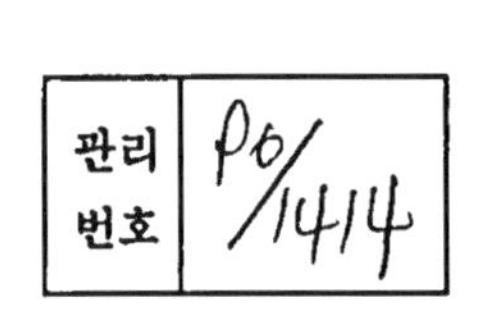

외 무 부

종 별 :

번 호 : PMW-0520 일 시 : 90 0817 1400

수 신 : 장관(미중)

발 신 : 주 파나마 대사

제 목 : 이라크선박 파나마 운하 통과 허용

1. 주재국 리나레스 외상은 8,16, 기자회견에서 파나마운하 위원회가 현 중동사태와 관련 이라크 선박의 파나마 운하 통과를 방해하지 않는다는 방침을 결정하였다고 발표함.

2. 동 외상에 의하면 운하위원회의 이러한 결정은 유엔 안보리의 결의보다 77 년 파나마운하 조약의 중요성을 보다 강조한 입장에서 취한 결정으로보며 유엔 결의안이 국가간에 준수되고 국가간의 조약에 우선되어야함이 원칙이나 파나마운하 조약의 경우처럼 특정지역만을 대상으로하는 조약의 경우는 상기 구속 대상에 해당되지 않음을 국제법이 인정하고 있다는 견해를 피력하였음.

3. 운하위원회측에 의하면 지난 7 년간 파나마운하를 통과한 이라크 선박은 2척에 불과하며, 동 결정이 이라크의 경제에 미치는 영향은 거의 무시할수 있음에 비하여 모든 국가에 대하여 운하의 중립을 강조하는 정치적 의미는 상당할것으로 보고 있음.

4. 당관이 운하위원회에 확인한바로는 최근 이라크 사태 발발 이후 파나마운하를 통과한 이라크(쿠에이트포함) 선박은 없음.

(대사 최종익- 국장)

예고: 90,12,31, 일반

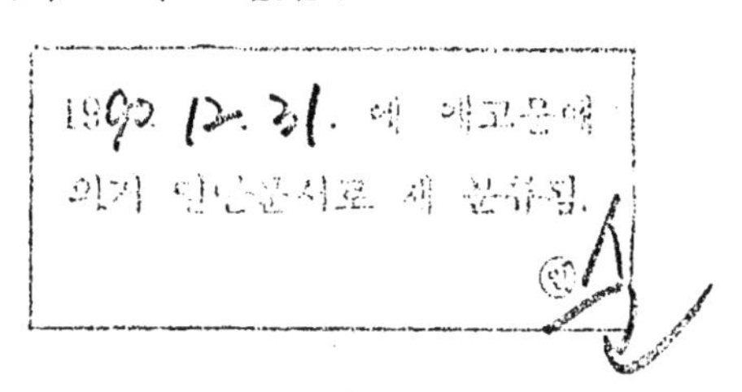

미주국 차관 1차보 2차보 중아국 청와대 안기부 대책반

0097

PAGE 1

90.08.19 08:22

외신 2과 통제관 CF

외 무 부

종 별 :

번 호 : VZW-0450 일 시 : 90 0818 2000

수 신 : 장관(중동,미남,기정)

발 신 : 주 베네수엘라대사

제 목 : 이라크.쿠웨이트 사태에 대한 주재국반응

1. 베네수엘라의 원유 증산계획 관련, 8.14 당지 주재 SAMARRAI 이라크 대사가 이라크는 이를 아랍국가에 대한 공격행위 (OFFENSIVE ACT) 로 간주할 것이라고논평한 것으로 보도됨.

2. 이에 대하여 PEREZ 주재국 대통령은 8.15 베네수엘라는 정의로운 국제경제 질서를 추구하는 모든 국가와 우호관계를 유지하고 있기에 이라크와도 좋은 관계를맺고 있다고 언급하고 그러나 베네수엘라는 군소국가의 국제법상 영토 보호권을 옹호한다고 천명한후, 쿠웨이트와 같은 군소국가들은 바로 이러한 권리에 그 생존을의존하고 있음을 언급하고 중동 분쟁의 신속한 해결을 희망하였음.

3. SAMARRAI 대사는 주재국 외무부에 소환되어 동논평이 사실과 다르고 부정확하게 보도되었음을 해명하였고, 주재국 외무부는 동 해명에 만족을 표한 것으로 보도됨. 끝.

(대사 김재훈-국장)

중아국 1차보 미주국 정문국 안기부 통상국 대책반 그외부

0098

PAGE 1

90.08.20 22:59 DA

외신 1과 통제관

관리번호	90-507

/ 원 본

외 무 부

종 별 :

번 호 : BBW-0636 일 시 : 90 0820 1630

수 신 : 장 관(통일,정이,기정)

발 신 : 주 벨기에 대사

제 목 : 대이락 제제(자료응신 60)

1990.12.31. 에 예고문에 의거 일반문서로 재분류 됨

대:WECM-0020

연:BBW-0165

연호, 주재국의 대이락, 쿠웨이트 교역량드 관련사항 아래 추보함.

1. 교역량('89 년 기준, 단위 BF)

벨지움의 대이락 수출.입 : 46 억, 116 억

벨지움의 대쿠웨이트 수출.입 : 34 억, 10 억

2. 대벨지움 채무내역(단위 BF)

이락크 11 억

쿠웨이트 31 억

3. 이락크, 쿠웨이트내 체류 국민현황 : 각각 37 명, 27 명. 끝.

(대사 정우영-국장)

예고:90.12.31. 일반

통상국 차관 1차보 2차보 중아국 정문국 안기부

0099

PAGE 1

90.08.21 00:45

외신 2과 통제관 DO

1 기

외 무 부

종 별 :
번 호 : ITW-0986 일 시 : 90 0820 1630
수 신 : 장관(구일,중근동,기정,주이태리대사)
발 신 : 주 이태리대사대리
제 목 : 걸프전쟁 주재국반응 (자응90-71)

주재국 데 미켈리스 외상은 EC TROIKA 외상과 사우디, 요르단, 이집트 방문후8.18 기자회견을 갖은바요지 아래 보고함.

0 중동방문 소감

-사담 후세인 이라크대통령은 아랍권내에서 예상보다도 더욱 고립된감을 느낌.

-어느 아랍국가도 이라크를 지원하지 않고 있으며 리비아 조차도 돕지 않고 있음

-카타피 리비아 국가원수는 유엔 주관하에 이라크군의 안전한 쿠웨이트 철수를보장한다면 리비아는 유엔안보리 결정을 받아 들릴것이며 이를 위해 리비아군을파견할 용의가 있다고 밝힘.

-아랍 지도자들은 서방진영의 결속을 촉구하였으며 이라크측에 서방진영이 분열되어 있다는 인상을 주지 않는것이 중요하다고 강조함.

0 군사적 참여 문제

-이태리의 군함파견은 정치적인 SIGNAL 이며 걸프지역에서의 무력사용은 불원함.

-이태리는 유엔 안보리의 결정을 존중하기 위해 군함을 파견한것임.

-명 8.21 파리에서 개최되는 서유럽기구(WEU) 회의에서 각국간 정치적인 COORDINATE 를 할것이며 각국의 참여문제가 결정 될것임.

0 현지 체류자 문제

-현재의 주요문제는 이라크, 쿠웨이트내 체류인의 문제임.

-쿠웨이트 체류 이태리인은 현재 안전하며 이라크측이 지정한 호텔로 강제 이송시키고 있지는 않은것으로 파악됨.

-현지 체류인 문제 해결을 위하여는 이라크에 대한 계속적인 정치적인 압력과 외교체널을 통한 노력으로 해결되어야 함.

-이들 문제 해결을 위해 유고 (비동맹 의장국)에 중재를 요청중임. 끝.

구주국 (대사) 1차보 중아국 정문국 안기부 대책반 2차보 통상국

0100

PAGE 1 90.08.21 04:55 DA
외신 1과 통제관

관리 번호	90-1201

외 무 부

원 본

종 별 :

번 호 : YGW-0397 일 시 : 90 0820 0910

수 신 : 장관(통일,중근동,동구이,기정동문)

발 신 : 주 유고 대사

제 목 : 대이라크 경제제재 조치

1990.12.31.에 예고문에 의거 일반문서로 재분류 됨

대:AM-0145

연:YGW-0374

1. 표제관련 당관 최병구 서기관이 8.17 외무부 중동과 MR.VLADIMIR KERECKI 부과장을 면담, 파악한 유고측 조치내용을 아래 보고함

가. 유고정부는 유엔안보리 결의 661 호에 따라 원유수입금지, 상품교역 중단, 군수물자 수출금지등 대이락 경제제재 조치를 이미 취함

나. 금번 사태에대한 유고정부의 입장은 8.2 외무장관 성명, 8.11 연방 각료회의및 연방의회 성명에서 표명된 대로 이락의 쿠웨이트 침공을 규탄하는것임

다. 유고는 금번 사태로 경제적 손실을 크게 받고있는 국가중의 하나인바, 소련에 이어 두번째로 많은 근로자(만여명)가 이락에서 50 억불 규모의 건설공사를 하고있고 20 억불에 달하는 대이락 채권중 6 억여불을 금년말까지 원유로 상환받도록 되어있으며 양국간의 교역도 연간 7 억불 규모로서 총교역 규모에서 적지않은 비중을 차지하고 있음

라. 금번 사태가 언제 해결될수 있을지 예측할수 없으나, 동사태가 또한차례의 에너지 위기를 초래할 것으로는 생각하지 않음

2. 페르샤만 사태에따른 여사한 경제적 타격에 불구 유고정부는 이락의 쿠웨이트 침공에 대한 규탄입장을 분명히 하면서 유엔결의에따라 이락군의 쿠웨이트 철수를 촉구하는한편, 이락(10,000 여명)및 쿠웨이트(300 여명) 주재 유고인의 본국 소개를 위해 이락정부와의 협의를 진행중인바 현재 이락으로 부터 263 명이 요르단 경유 공로 소개되었으며 쿠웨이트 주재 유고인의 대부분(200 여명)은 현재 쿠웨이트 주재 유고 대사관 구내에 피신, 기거중인것으로 알려짐

3. 이와관련 주재국 외무성 VAIGL 대변인은 8.16 기자회견을 통해 유고정부는

통상국	장관	차관	1차보	2차보	구주국	중아국	정문국	청와대
안기부	대책반							

0101

PAGE 1 90.08.21 09:31

외신 2과 통제관 EZ

비동맹의장국으로서 페르샤만 사태의 최근 진전과 관련한 비동맹제국의 입장을 종합하여 곧 성명을 발표할것이라고하면서, 상금까지 협의된 비동맹제국의 공통된 입장은 오직 유엔만이 대이락 제재 조치를 취할 권능이 있으며 무력사용을 배제하고 효과적인 국제조정을 통한 평화적 문제해결을 지향하는 것이라고 밝힘.끝

(대사 신두병-국장)

예고:90.12.31 까지

PAGE 2

0102

관리 번호	90-514

외 무 부

종 별 :

번 호 : DJW-1210 일 시 : 90 08211630

수 신 : 장관(미북,기협)

발 신 : 주인니 대사

제 목 : 이라크.쿠웨이트 사태

대: WDJ-0634

대호 관련 당관 여참사관이 8.20 주재국 외무성 AMIN RIANOM 아중동국장으로부터 청취한 주재국 외무성입장 전망등을 우선 보고하며, 관련기관과 계속 접촉 추보위계임

1. 주재국 입장

가. 8.2 외무성 성명을 통해 우려표명, 분쟁 당사국간 협상에 의한 평화적 해결, 제 3 자 개입 불원 입장을 공식으로 밝혔으며, 8.4 자 쿠웨이트에서의 이락군 철수를 호소한 이슬람국회의 (OIC) 선언에 대해 지지를 표명 하였음. 8.7 자GINANDJAR 광업에너지성 장관은 유엔결의 661 호에 따라 이락과의 무역중단을 발표하였으며, 주재국 외무성은 관련 재외공관에 유엔결의 662 호를 지지하는 내용의 훈령을 시달하였음

나. 주재국은 이락과 비동맹, OIC, OPEC 회원국으로서 가능한 친선을 유지코저하며, 또한 유엔회원국으로서 유엔결의를 존중해야하는 2 중의 어려운 입장에 있음

다. 주쿠웨이트대사는 이미 철수 귀국하였으며, 잔여 공관원및 가족 75 명등 700 여명에 대한 이락측의 철수승인을 받았음

라. 인니는 유엔결의에 의거 쿠웨이트 왕정이 일단 복귀후, 왕정존속 또는 민간정부 수립은 쿠웨이트 국민 자주선택에 맡겨야 한다고봄

2. 사태진전에 관한 의견

가. 당초 쿠웨이트가 이락과 협상에서 신중을 기해 회담을 장기화 시켰을 경우 이락의 전격적인 침공을 지연시킬수 있었을것임

나. 이락의 사담훗세인 대통령은 BAD BOY 이며 아랍종주국 지위확보, 유가상승을 통한 수입일부의 아랍건설사업 부입등 실현불가능한 이상과 자만심을 가진 독선자임

미주국 차관 1차보 2차보 중아국 경제국 통상국 청와대 안기부
대책반

PAGE 1

1990.12.31. 에 예고문에 의거
일반문서로 재분류됨

90.08.21 21:30 0103

외신 2과 통제관 CW

다. 미,영이 프랑스의 반대에도 불구하고 장기적인 경제봉쇄, 군사보복을 시사하고 있고, 아랍연맹중 이집트, 시리아, 모로코가 군대를 사우디에 파병중에있으며, 파키스탄, 방글라데쉬가 파병에 동의하는등 각종 군사적 압력과 식량부족, 외환고갈, 해외재산의 동결등으로 이락경제가 계속 파국 국면에 있으며 요르단이 아카바항을 봉쇄할경우 이락은 사면초가에 빠질것임

라. 이란과의 8 년 전쟁을 통해 확보한 SHATT AL-ARAB 점령지에서의 이락철군에 대해 1 백만명의 희생자와 국가재정의 고갈 대가가 없는 무모한 전쟁이 었다는 이락 국민들의 불만과 군부의 철군반대 세력의 강한 반발이 있어 국내 정치상황도 예측하기 어려우며, 이란이 사담의 태도에 의심을 품고있어 이락에 부담을주고있음

3. 현사태 관찰

가. 이락, 이란 국경선 주둔 이락군 30 만명이 철수하고, 쿠웨이트에 14 만,사우디국경에 17 만, 터키국경에 10 만 내외의 이락군이 포진하고 있음

나. 상호 오해로 인한 발포 위험성이 있음

다. 인니, 말련은 군대파견을 거절 하였으나 유엔의 요청시는 평화감시군으로 파견할것임. 인니는 현재 이락, 이란 국경지역 유엔감시병으로 15 명의 사병을파견하고 있음

라. 미군의 미국시민 구출작전 가능성도 있음

마. PLO, 쿠웨이트등이 사우디에 이어 주재국에 특사파견을 통고하여 왔음

4. 전망

가. 동사태 전개 방향으로서는

1) 쿠웨트에서 이락군의 철수

2) 사우디가 상당한 보상금을 지불하고 이락과 화해

3) 내부분열에 의한 사담정권 붕괴등을 예상할수 있음

나. 이번 사태가 어떤 방향으로 종결되던 향후 상당수 미군이 사우디에 장기주둔, 중동지역에 친미 세력이 강화될 가능성이 많으며 중동국가들이 향유하던오일의 힘은 점차 위축될것으로 예상됨. 또한 아랍권의 분열은 PLO 의 입지를 더욱 어렵게 함으로서 PLO 는 이스라엘과 대결 보다는 공존을 모색 함으로써 중동의 새로운 질서가 형성될수 있음. 끝

(대사 김재춘-국장)

예고:90.12.31일반

PAGE 2

0104

관리번호 90-1206

71

원 본

외 무 부

종 별 :

번 호 : POW-0426 일 시 : 90 0821 19300

수 신 : 장관(통일,중근동,정홍,구이,미안)

발 신 : 주포르투갈대사

제 목 : 포르투갈의 대이라크 관계(자료 응신 제 56호)

1990.12.31.에 예고문에 의거 일반문서로 재분류 됨

연:POW-0393

1. 주재국은 연호 8.2 대이라크 규탄 성명 발표이래, 유엔과 EC 의 대 이라크 제재조치를 철저히 준수한다는 입장을 견지하고 있음. 또한, 8.9 일에는당지 미국대사관의 요청에 따라 미군의 주재국 AZORES 섬 LAJES 공군기지와 포르투갈 영공사용을 허가 조치하였음.

2. 금번 대이라크 제재 조치로 인해 주재국이 받는 직접적 경제적 피해는 COMENTA 사의 대이라크 무기 수출(포탄, 수류탄 등 경무기)대금 3,000 여 만불미회수 및 90.7. 계약 서명된 PROFABRIL 사의 정유소 건립대금 50 만불 등 비교적 적은 것으로 알려짐.그외 국립방위 무기회사인 INDEP 가 최근 이락과 벌려왔던 무기 수출 협상도 무위로 돌아 갔음.

3. 주재국은 주재국 국립 조선소 LISNAVE 와의 수선 계약에 따라 입항을 대기중이던 이라크 원유 수송선 TARIK IBN ZIYAD 을 수일전 입항 금지 조치하였음.주재국은 원유 수입의 1/5 을 이라크로 부터 들여왔으나 금번 사태 불구 원유수입선 전환에는 별다른 큰 어려움이 없는 것으로 파악됨.

4. 주재국의 사우디 체류인 91 명은 단계적으로 철수하고 있으며 이락과 쿠웨이트에 있는 교민 계 100 여명의 철수를 위해 이락 정부와 협상을 벌리고 있으며 동 후송용 군용기(C-130) 2 대도 대기 시키고 있으나 실제 후송 여부는 상금 미상임. 한편 주재국내에서 휴가중이었던 MESQUITA DE BRITO 주재국 이락 주재 대사는 육로 등을 이용 수일전 임지로 급거 귀임하였음.

5. 쿠웨이트 전정부의 XEQUE ALIKHALITA 재무상과 JAHR HAYAT 체신상이 스페인으로 부터와서 주재국 DEUD PINHEIRO 외상 및 NOGUEIRA 국방상 등과 면담했고 8.21. 에는 SOARES 대통령 및 CAVACO SILVA 수상과도 잠시 면담한 것으로 파악되고

통상국 장관 차관 1차보 2차보 미주국 구주국 중아국 정문국
청와대 안기부 대책반

PAGE 1 90.08.22 06:53 0105

외신 2과 통제관 CW

있음. 쿠웨트측은 주재국의 8.2. 대아락 규탄에 감사하고 쿠웨트의 회복을 위해 계속적 지원을 요청함.

6.DEUS PINHEIRO 외상 및 NOGUEIRA 국방상, CARNEIRO 합참의장은 8.21. 파리 개최 서구라파 동맹체(WEU)외상회의에 참가, 대 이락 공동 제재 방안을 협의하고 있는 바, 주재국으로서는 대 이락 관련 상기 공동 입장을 따를 것이나 대 이락 군사 제재에는 직접 참가치 않을 것으로 간주되며 참여하더라도 상징적 참여에 불과할 것으로 사료됨.

6. 한편 당지 이락 대사관은 8.7. 주재국의 대이락 비난 성명에 대해 유감을 표명하고 앞으로 포르투갈의 이해를 침해하는 결과가 될 것이라고 발표했으며8.13. 에도 이락의 쿠웨이트 점령을 정당화하고 서구제국의 침부를 비난하는 성명을 발표한 바 있음. 끝.

(대사 유 혁인-국장)

예고:90.12.31 까지

0106

미북 김

관리번호	90-1588

외 무 부

종 별 :

번 호 : BRW-0499 일 시 : 90 0821 1830

수 신 : 장 관(중근동,기협,미북,미남,정일,기정동문)

발 신 : 주 브라질 대사

제 목 : 이라크-쿠웨이트 사태

대: WBR-0360

대호관련 당관 김의기 참사관이 8.21. 외무성 중동 2 과장 PAULO WOLOWSKI 참사관과 접촉 파악한 내용및 기타 관련사항을 하기 보고함.

1. 쿠웨이트 주재 공관 폐쇄

가. WOLOWSKI 참사관에 의하면 주재국은 쿠웨이트 주재 대사관을 폐쇄하지 않을 방침이며, 쿠웨이트 망명정부를 쿠웨이트의 합법정부로 인정하고 있으나 사태 발발이후 사실상 공관활동이 중단상태에 있음.

나. 주재국 외무성은 8.17. 쿠웨이트 주재 대사관을 잠정 폐쇄키로 결정하였다는 8.10. 자 일부 언론보도를 부인하고 일시적으로 공관활동이 중지되었으나 공관이 폐쇄되지 않았다고 밝힌바 있음.

2. 쿠웨이트및 이라크 체재 자국인 철수문제

가. 주재국 언론보도에 의하면 사태발발 당시 이라크및 쿠웨이트내에 482 명(이라크 421, 쿠웨이트 61)의 브라질인이 체재하고 있었으나 이중 28 인은 사태이전 이라크 정부로 부터 출국허가를 취득 8.15. 이전 이라크로부터 출국하였으며, 또한 8.20. 이라크 주재 브라질 상사원및 가족 44 인과 쿠웨이트 체류자 34인 총 78 인의 주재국인이 사태발발후 이락정부로 부터 정식 출국허가를 얻어 요르단으로 철수하였음. 상기 쿠웨이트 체류자 34 인중에는 주 쿠웨이트 브라질 대사 SERGIO SEABRA NORONHA 대사부부가 포함되었으나 동대사는 소환 또는 공관철수 여부와 관계없이 계급 정년에 따른 본부 귀임인것으로 알려짐.

나. 당지주재 AL-MUKHTAR 이라크 대사는 8.14. 연호(BRW-0480) 주재국 COLLOR 대통령의 8.11. 자 자국인 철수협조 요청친서에 대한 SADAM HUSSEIN 이라크 대통령의 답신을 주재국 외무성을 통해 전달하였으나 HUSSEIN 대통령 친서에 이라크및 쿠웨이트

중아국 장관 차관 1차보 2차보 미주국 미주국 경제국 정문국
청와대 안기부 대책반

0107

PAGE 1 90.08.22 07:48

외신 2과 통제관 EZ

체재 브라질인들의 출국문제에 대한 명백한 언질이 없었던 것으로 알려졌음.

한편 REZEK 주재국 외무장관은 8.15. 이라크와 쿠웨이트에 억류되고 있는 자국인들이 사실상 인질상태에 있다고 언급하고 이라크 정부의 외국인 억류행위는 국제법에 위배된다고 비난하였으며, 이라크 주재 자국대사에게 자국인 억류자의 안위에 대한 주재국 정부의 우려를 전달하도록 지시하였다 함.

다. 당지주재 이라크 대사는 8.16.PMDB 당(원내다수당) IBSEN 하원 원내총무를 방문 수일내에 이라크 체재 주재국인의 철수가 가능할것이라 말한바 있으나,WOLOWSKI 참사관에 의하면 현재 주재국 정부는 이라크내 자국인 철수를 위해 이라크 정부와 다각적 교섭을 진행하고 있으나 자국인 완전철수에는 상당한 시일이 걸릴것으로 예상된다함.

라. 주재국은 8.15. 부터 대 이라크 식류품및 의약품 금수를 해제하였으며, 동조치에 따라 주재국 정부가 대 이라크 경제 제재 조치(8.8)이전 양국간 구상무역으로 수입한 이라크산 원유대금을 위해 일부 의약품과 30 만톤의 설탕을 요르단을 경유 수출할것으로 알려졌음. 이와관련 8.15. REZEK 외무장관은 상기 일부 금수 해제조치는 인도적 견지에서 UN 안보리 결의에 반하지 않는 범위내에서 취해진 조치이며, 이라크 체재 자국인 철수와 교환조건은 아니라고 언급함.

3. 주재국의 원유수급문제

또한 WOLOWSKI 참사관은 연호(BRW-0466) 대이라크, 쿠웨이트 금수조치로 인한 원유도입 부족분 일일 19 만 배럴의 보전을 위한 베네즈웰라 및 에쿠아돌로 부터 부족분 추가도입에 문제가 없어 주재국은 이라크-쿠웨이트 사태에도 불구 원유수급에 차질이 없을것이라고 언급함.

4. 금번 이라크-쿠웨이트 사태와 관련 주재국 정부는 이라크의 분쟁해결을 위한 무력침공에 반대하며, 쿠웨이트 망명정부를 쿠웨이트의 합법정부로 인정하고, 무력에 의한 이라크의 쿠웨이트 합병을 인정하지 않으며, 사태해결을 위한 UN 안보리 결의를 준수한다는 기본입장이나 이라크와의 기존의 경제협력관계를 감안 UN 결의와 상충되지 않는 범위내에서 이라크와의 관계를 유지하며 자국인 철수교섭등을 진행할 것으로 관측됨. 끝.

(대사 김기수-국장)

예고: 90.12.31. 까지

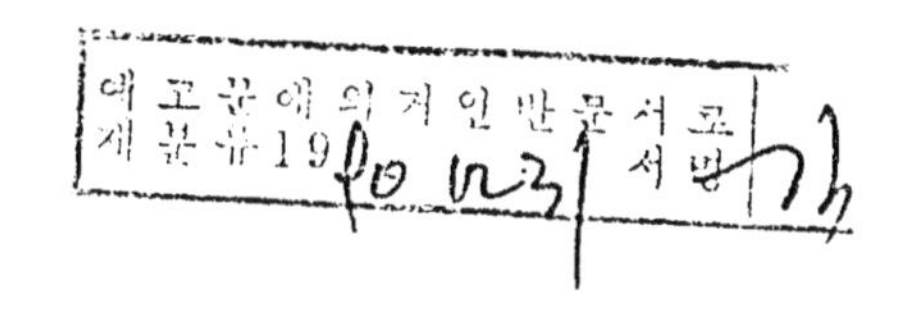

외 무 부

종 별 :

번 호 : CLW-0523 일 시 : 90 0821 1800

수 신 : 장 관(국연, 미남,중근동)

발 신 : 주 콜롬비아 대사

제 목 : 이락,쿠에이트 사태

대: AM-0143

1. 이락, 쿠웨이트 사태관련 주재국 JARAMILLO외무장관은 8.20. 통상관계 동결조치는 취하였으나 파병등은 고려하지 않고 있다고 언급함.(주재국과의 통상실적은 20만불에 불과함)

2. 쿠웨이트 주유엔 MOHAMMAD ABAULHSHIM 대사는 동국 국왕의 친서를 휴대하고 8.19. 콜롬비아를 방문, JARAMILLO 외무장관에 동 사태관련, 유엔안보리에서의 콜롬비아 정부의 협조에 감사하고 계속 지원을 요청함.

(대사 안영철-국장)

국기국 1차보 미주국 중아국 안기부 대책반 그러니 통상국 차관

PAGE 1

90.08.22 09:36 WG

외신 1과 통제관

0109

갈

주 파 뉴 대 사 관

파뉴(정) 20210 - 146 1990. 8. 21

수 신 : 장 관

참 조 : 아주국장, 아중동국장, 통상국장

제 목 : 이라크의 쿠웨이트 침공에 대한 주재국 정부입장

1. 이라크의 쿠웨이트 침공에 대한 주재국 정부입장을 표명한 Circular Note 사본을 송부하오니 업무에 참고하시기 바랍니다.

2. 주재국 정부는 이라크의 군사행동을 평화공존, 불간섭, 분쟁의 평화적 해결이라는 유엔헌장의 원칙들에 위배되는 행위라고 비난하면서 쿠웨이트의 주권 회복을 위한 유엔의 조치들을 지지한다고 발표하였음을 첨언합니다.

첨 부 : 동 Note 사본. 1부. 끝.

주 파 푸 아 뉴 기 니 대 사

46588

0110

(File number)

Note No ......363/90..................................

The Department of Foreign Affairs presents its compliments to all Diplomatic and Consular Missions accredited to the Independent State of Papua New Guinea and with regard to Iraq's invasion of Kuwait has the honour to state the position of the Government of Papua New Guinea.

The Government of Papua New Guinea abhors the aggression by Iraq directed at its smaller neighbour and fellow Arab state of Kuwait.

The Government of Papua New Guinea strongly condemns the Iraqi action, which contravenes the basic principles of peaceful co-existence, non-interference and settlement of disputes through peaceful means as stipulated in the Charter of the United Nations.

Papua New Guinea will support initiatives of the United Nations aimed at expediting the process of peace between Iraq and Kuwait and the restoration of Kuwait's sovereignty and intergraty.

The Department further has the honour to attach a copy of a Press Release by the then Acting Prime Minister, Hon. Ted Diro, M.P.

The Department of Foreign Affairs avails itself of this opportunity to renew to all the Diplomatic and Consular Missions accredited to the Independent State of Papua New Guinea the assurances of its highest consideration.

Department of Foreign Affairs

WAIGANI

12 August 1990

0111

PRESS RELEASE

PAPUA NEW GUINEA TO SUPPORT INTERNATIONAL INITIATIVES
TO SECURE WITHDRAWAL OF INVADING IRAQI TROOPS FROM KUWAIT

Papua New Guinea does not support settlement of disputes through armed agression.

Commenting on the Iraqi invasion of Kuwait yesterday, Acting Prime Minister, Hon. Ted Diro stated today that Papua New Guinea believes in the principles of peaceful co-existence, non-interference and settlement of disputes through peaceful means in accordance with the principle of the United Nations Charter.

"I am saddened that a developing country has opted to resort to armed agression to settle disputes with another developing and a much smaller country."

Mr. Diro said that he hoped other leading Arab States together with all other peace loving nations of the world will, persuade Iraqi to unconditionally withdraw its forces. He said the Middle east is already a very volatile region and the Iraqi Invasion adds further tension as well as real danger for peace and stability within the Persian Gulf including the world at large.

0112

"Papua New Guinea will support all efforts, especially through the United Nations to secure the withdrawal of Iraqi troops for a negotiated settlement to the dispute between the two Arab States".

Acting Prime Minister said that it is also in Papua New Guinea's national economic interest that peace and harmony is re-established between the feauding oil-rich-countries of Iraq and Kuwait.

In that regard he called upon the world super-powers to play a constructive role in resolving the current crises through internationally recognised means.

The Acting Prime Minister has instructed the Papua New Guinea's Permanent Representative to the United Nations to provide a briefing on the developments in Kuwait as well as proposed actions that the United Nations may take.

Iolkino

3/8/90

0113

관리 번호	90-1212

외 무 부

종 별 :

번 호 : NZW-0210 일 시 : 90 0822 1500

수 신 : 장관(중근동,아동,통일)

발 신 : 주 뉴질랜드 대사

제 목 : 주재국의 대 이라크 제재조치

1990.12.31.에 예고문에 의거 일반문서로 재분류 됨

대:AM-0143,0144,0145,0146

1.8.20 주재국 정부는 주유엔 쿠웨이트 대사의 대이라크 경제제재 조치의 실행을 위한 다국적군 지원 요청을 검토한 결과, 주재국은 ANDOVER 공군기 2 대와 20 명 정도로 구성되는 민간 의료진을 사우디로 파견할 것을 UN 에 제의했다고 발표하였음.

2. 주재국 정부는 이라크의 쿠웨이트 침공과 관련, 이라크의 침략행위를 비난하고, 철군을 촉구하는 한편, 8.7 유엔 안보리 결의 661 호에 따라 8.10 이라크와 쿠웨이트에 대한 교역 중단등의 경제제재 조치를 취한바 있음.

3. 주재국 정부는 대 이라크 경제제재 조치 실시 이후 미국의 군대 파견과 부시 미 대통령의 요청에 따라 영국, 불란서 등의 서방 국가들이 군사력을 지원하고, 호주정부도 8.10 2 척의 해군 구축함을 페르시아 만으로 파견키로 결정함에 따라 주재국의 군사력 파견 문제를 검토해 왔으나, PALMER 주재국 수상은 주재국의 군사 개입은 유엔의 결정에 따르며 뉴질랜드의 독자적인 군사개입은 어렵다는 입장을 표명해 왔음.

4. 주재국은 제한된 군사력으로 유엔의 결의가 있다 하더라도 중동사태 개입은 상징적 수준에 머물것으로 보이나, 호주를 비롯한 여타 서방국가와는 달리 부시 미대통령이 주재국의 지원을 요청하지 않고 있으므로, 유엔 안보리의 결의에 따른 군사력 지원 방안을 선택한 것으로 보이며 상기 뉴측 제의는 유엔 회원국에 대한 군사력 지원을 촉구하는 유엔 안보리 결의가 통과 되어야 실행 가능하게 될것임.

5. 부시 미대통령이 주재국에 대해 협조 요청을 않고 있는것은 주재국의 비핵정책으로 사실상 ANZUS 동맹 체재가 붕괴된 이후 미.뉴 양국간에 불편한 관계가 지속되어 왔고, 미 정부가 정치 외교 분야에서 주재국과 협력하는것을 회피하는 정책에 기인하는 것으로 판단됨.

중아국 대책반	장관	차관	1차보	2차보	아주국	통상국	청와대	안기부

PAGE 1

90.08.22 13:26

외신 2과 통제관 EZ

0114

6. 한편, 주재국은 자국내 석유 수요의 55-60% 를 자급하고 있고, 나머지 수요량의 주요 공급지는 사우디와 UAE 인 관계로 석유 도입에는 큰 지장이 없으나, 교역 중단등의 경제제재 조치로 연간 4 천-5 천만 미불의 수출 손실(주로 낙농제품)이 예상되고 있음.

(대사 서경석-국장)

예고:90.12.31 까지

PAGE 2

0115

7h

외 무 부

종 별 :

번 호 : PAW-0680 일 시 : 90 0822 1630

수 신 : 장 관 (중근동,아서)

발 신 : 주 파 대사

제 목 : 중동사태관련 주재국 동향

연 PAW-666

1. 최근 중동사태관련 주재국정부는 주재국의 교민 안전철수및 원유확보를 위해아래와 같은 조치를 취하기로 8.21(화) 결정한바 참고바람

가. 조사단 파견

수상 특별보좌관을 단장으로 2명의 상원의원, 관계부처 고위관리 2-3명으로 구성된 조사단을 이락, 요르단, 사우디에 파견, 실정조사및 관련국 정부와 주재국 교민안전 철수 교섭

나. 교민 철수를 위한 특별예산 250만불 내정

다. 교민수송용 항공기 특파및 인근 항구로부터의 철수 대비책 강우

라.

-철수교민에 대한 재정지원

-정착금 6,000루피 (300불정도)지원

-교민 휴대차량및 가재도구에 비관세

마. 주 요르단, 사우디 터어키 주재공관 인원증강

바. 경유지 국가와 철수교민의 차량 휴대 통과허용

사. 안정적 원유공급 확보를 위해 사우디, 카타르, U.A.E. 등에 교섭단 파견

아. 수상 특별보좌관및 외무, 국방, 공보, 해외교민차관들로 중동사태 특별대책반 구성.끝.

(대사 전순규-국장)

중아국 1차보 아주국 정문국 안기부 대책반 미주국 통상국 2차보

PAGE 1

90.08.23 00:25 FC

외신 1과 통제관

0116

원 본

외 무 부

종 별 :

번 호 : SPW-0486 일 시 : 90 0822 1430

수 신 : 장 관 (중근동 구이 정일 기정)

발 신 : 주 스페인 대사

제 목 : 주재국의 대이락 제재조치

1. 주재국 정부는 서구연합이 대이락 봉쇄 조치결의에 따라 8.21. 프리키트함 1척과 코르벳함 2척으로 구성된 함대를 8.26-27 기간중 분쟁지역에 파견키로 결정하였음.

2. 한편 프리키트함 SANTA MARIA 호는 호르무즈해협인근 오만 해역에 코르벳함 DESCUBIERTA 호 및 CAZADORA 호 2척은 홍해 근처에 배치할 것으로 알려지고 있음.

3. 주재국은 당초 대이락 군사제재 조치 참여는 가능한 기피코자하는 반응이였으며, 불란서, 서독등 여타 주요 서구연합제국의 결의에 결국 동조케 될것으로 사료됨.

(대사-국장)

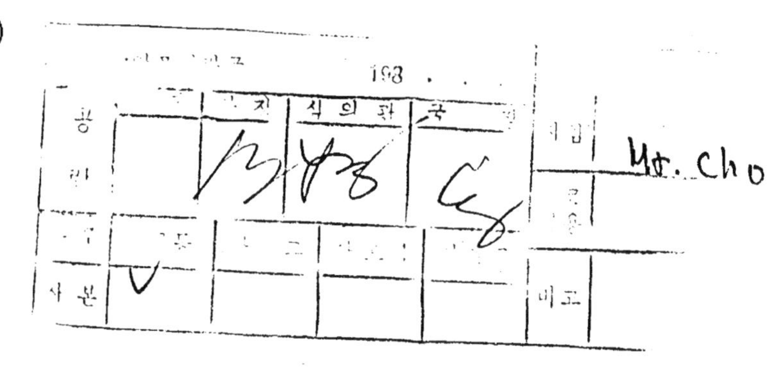

중아국 1차보 구주국 정문국 안기부 미주국 통상국 2차보 대책반

PAGE 1 90.08.23 00:37 FC

외신 1과 통제관

0117

외 무 부

종 별 :

번 호 : TUW-0567 일 시 : 90 0822 1830

수 신 : 장 관 (중근동, 구이)

발 신 : 주 터 대사

제 목 : 걸프사태

자료응신: 제47호

1. 8.21. 주재국 대통령 대변인은 OZAL 대통령이 동일 안카라주재 JAWARD 이라크대사를 대통령궁으로 초치, SADDAM 이라크 대통령앞 구두멧세지 ('ON THE SITUATION OF FOREIGNERS IN KUWAIT AND IRAQ') 전달을 요청했음을 발표했는바, 이에는 이라크 당국의 이라크및 쿠웨이트 체류외국인 억류가 가져올 중대한 결과를 경고하는 내용이 포함된 것으로 알려짐

2. 터키인은 현재 쿠웨이트에 약 2,500명, 이라크에 약 4,000명이 있는바, 이들은 대부분 건설진출인력이며, 지금까지 이들에 대한 이라크당국의 활동제한 조치는 없는것으로 알려지고 있음.

(대사 김내성-국장)

중아국 1차보 구주국 정문국 안기부

PAGE 1 90.08.23 01:04 FC

외신 1과 통제관

0118

원 본

외 무 부

종 별 :

번 호 : YGW-0409 일 시 : 90 0822 1840

수 신 : 장관(통일,동구이,중근동,국연,기정동문)

발 신 : 주 유고대사

제 목 : 대이락 경제제재 참여

1.유엔주재 PEJIC 주재국대사는 8.20 유엔헌장 제 50조를 원용, 유엔 안보리의대이락 경제 제재조치 참여로 인해 심각한 문제점에 직면하게 될 국가들과 유엔안보 이사회가 특별협의를 가져 주도록 정식 요청하였음. 동요청에 대해 안보리 의장은 일부 개발 도상국으로 부터도 유사한 문제점 제기가 있었음을 밝히고 신속한 조치를 약속한것으로 알려짐

2.참고로, 유고는 현재 이락에서 50억불 규모의 건설공사에 근로자 10,000여명이 일하고 있고 대이락 채권이 20억불에 달하고 있는바 이중 6억 여불을 금년말까지 원유로 상환받도록 되어 있는것으로 파악됨. 끝

(대사 신두병-국장)

통상국 1차보 2차보 구주국 중아국 국기국 정문국 안기부 미주국 대책반

PAGE 1 90.08.23 06:26 DA

외신 1과 통제관

0119

世界 各國, 機構의 對 이라크 軍事, 經濟制裁 現況

(90.8.23 現在)

	구 분	조 치 내 용
각국별 대이라크 군사행동	미 국	▲ 지상군 3만5천명, 항모 승선 3만5천명, 공수중인 공정대 4만명등 11만명 사우디 파병 ▲ 항모 4, 전함 1, 잠수함등 50여척 파견 ▲ 전투기 100, AWACS 5, 스텔스 22등 항공기 450대 ▲ 10월말까지 20만-25만명 파병예정
	소 련	▲ 구축함 1, 보급함 1, 자국선 방위위해 파견 ▲ 유엔 승인하면 해상봉쇄 참가
	영 국	▲ 구축함 1, 프리깃함 2 파견 ▲ 전투기 24대 파견 ▲ 병력 1,700명 사우디 파병
	프랑스	▲ 항모 1척 파견 ▲ 함정 6척에 병력 3,500명 탑재 ▲ 지상군 공정대 파견
	캐나다	▲ 구축함 2, 보급함 1 파견
	서 독	▲ 소해정 4, 보급함 1척 파견 ▲ 미군에 기지 제공
	호 주	▲ 프리깃함 2, 보급함 1척 파견
	벨기에	▲ 소해정 2, 보급함 1척 파견
	덴마크	▲ 유엔 승인하면 해상봉쇄 참가
	네덜란드	▲ 프리깃함 2척 파견
	사우디 아라비아	▲ 전병력 6만5천700명 동원
	이집트	▲ 아랍연합군 소속으로 병력 3,000명 파병
	시리아	▲ 아랍연합군 소속으로 병력 2,000명 파병
	터 키	▲ 이라크 국경에 공군기 전개 ▲ 미군에 기지 제공
	모로코	▲ 아랍군으로 병력 1,200명 파병
	파키스탄	▲ 병력 5,000명 사우디 파병
	방글라데시	▲ 병력 1,200명 사우디 파병

-41-

0120

구 분	조 치 내 용
유 엔	▲ 결의안 660호 : 이라크군 즉각 무조건 철수 ▲ 결의안 661호 : 대이라크 포괄적 제재조치 - 이라크 . 쿠웨이트와 전면적 교역금지 ▲ 결의안 662호 : 쿠웨이트와 병합무효 ▲ 결의안 664호 : 외국인 철수허용 결의
나 토	▲ 이라크의 터키 침공시 방어 결의
아랍연맹	▲ 소속 12개국 사우디에 아랍군 파견 찬성 (총 21개국)
유럽공동체	▲ 이라크와의 모든 경제 . 군사협정 중지 결의 ▲ 이라크 . 쿠웨이트 자산 동결 조치
경제제재 참 가 국	미, 영, 불, 캐나다, 일본, 노르웨이, 스위스, 벨기에, 덴마크, 이탈리아, 룩셈부르크, 네덜란드, 스페인, 서독, 아일랜드, 그리스, 포르투칼, 싱가포르, 한국, 홍콩, 인도네시아

관리 번호	90-1228

외 무 부

종 별 :

번 호 : BMW-0517 일 시 : 90 0824 1620

수 신 : 장관(중근동,아서,국방부)

발 신 : 주 미얀마 대사

제 목 : 이라크,쿠웨이트 사태에 관한 주재국 반응

연:BMW-0466

1. 주재국 "우옹조" 외무차관은 8.23 당지의 한 외교단 모임에서 주재국 정부는 연호와 같이 이라크, 쿠웨이트 사태에 관하여 공식입장은 발표하지 않을 것이나 UN 안보리의 대이라크 제재 결의안은 존중할 것이라고 언급 하였음.

2. 한편 동 차관은 만일 이라크가 주재국 정부에 쌀 수출을 거론해올 경우 어떻게 하겠느냐는 질문에 대하여 인도적인 상품교역은 구체적으로 문제가 제기될 경우 신중히 검토하겠으나, 주재국과 이라크의 현재 교역 현황(극소량)에 비추어 그와 같은 요청은 없을 것이라고 답변했음.

(대사 김항경-국장)

예고:90.12.31 까지

1990.12.31. 에 예고문에 의거 일반문서로 재분류 됨

중아국 차관 1차보 2차보 아주국 통상국 정문국 청와대 안기부
국방부 대책반

PAGE 1

90.08.24 22:08 0122
외신 2과 통제관 DO

관리번호	90-531

1 원 본 72

외 무 부

종 별 :

번 호 : FRW-1540　　　　일 시 : 90 0824 1630

수 신 : 장관(통일)

발 신 : 주 불 대사

제 목 : 대이라크 경제제재

대:WECM-0020

연:FRW-1472,1460

연호 주재국의 자산동결 조치관련, 상세 내용(경제. 재무성령) 아래 보고함.

1. 대주재국 "부자"에는 모든 형태의 자산, 특히 아래 사항이 포함됨.

-신용기관에 대한 예치

-유가증권

-직접 부자

-부동산및 그에 귀속되는 권리

1990.12.31.에 예고문에 의거 일반문서로 재분류 됨 72

2. "이라크(쿠웨이트)로 부터의" 부자라 함은 아래 내용을 의미함.

-이라크(쿠웨이트) 국적 소지자나 동 지역에 거주하는 자연인에 의한 부자

-이라크(쿠웨이트)에 본점을 둔 법인에 의한 부자

-하기 경제주체가 자산(CAPITAL) 또는 의결권의 50 프로 이상을 소유하는 법인에 의한 부자

. 이라크(쿠웨이트) 국적을 가지거나 동 지역에 거주하는 자연인

. 이라크(쿠웨이트)에 소재하는 공공기관

. 이라크(쿠웨이트) 국자 자체

3. 자산동결 조치의 예외(경제. 재무성 사전 승인 불필요)

-통상적인 환전(MANUAL EXCHANGE)

-신용기관에 대한 모든 형태의 예치

-100 만 프랑 한도내에서의 모든 형태의 인출.끝.

(대사 노영찬-국장)

예고:90.12.31. 일반

통상국 대책반	장관	차관	1차보	2차보	구주국	중아국	청와대	안기부

PAGE 1　　　　90.08.25 00:42 0123

외신 2과 통제관 DO

외 무 부

종 별 :

번 호 : DEW-0357 일 시 : 90 0824 1400

수 신 : 장 관(중근동,구이,정일)

발 신 : 주 덴마크 대사

제 목 : 이라크 사태 (자료응신 제 16 호)

1. ELLEMANN-JENSEN 주재국 외무장관은 8.22 의회외무위원회에서 유엔이 대이라크 봉쇄시행결의안을 채택하는 경우 덴마크는 이에 직접참여할 준비가 되어있다고 말한바, 주재국 언론은외상이 해군파견 가능성을 시사 했다고 보도함.

2. 외상은 또한 이라크 및 쿠웨이트에 억류되어있는 EC 국민들을 이라크가 자국의 공격에대한 방패로 이용하는 경우 이에 가담한 이라크개인은 국제법 위반으로 뉘른베르크 재판과같은 국제 전범 재판에 회부되어야 할 것이라고말함. 끝.

(대사 장선섭-국장)

중아국 구주국 정문국 안기부 통상국 대책반 1차보 2차보 미주국

PAGE 1 90.08.24 23:04 CT

외신 1과 통제관

0124

기안

외 무 부

종 별 :

번 호 : SLW-0618 일 시 : 90 0824 1200

수 신 : 장관(아프일,정일)

발 신 : 주 세네갈대사

제 목 : 중동사태에 대한 세네갈 태도

연: SLW-617

1. 세네갈 SEYDINA OUMAR SY 외무장관은 당지일간 LE SOLEIL 지 8.24자 단독회견기에서세네갈은 중동사태와 관련 유엔안전보장이사회의 결의에 따를것이라고 밝혔음.

2. 동장관은 이어 이라크의 쿠웨이트 침입을비난하고 쿠웨이트의 주권과 국왕을지지하며쿠웨이트주재 세네갈대사관을 이라크요청대로철수하지 않을것이라고 밝혔음.

3. 동장관의 회견기사 파편송부위계임.

(대사 유종현-국장)

중아국 정문국 대책반 통상국 2차보 1차보 안기부 미주국

PAGE 1 90.08.24 23:12 CT

외신 1과 통제관

0125

74

주 호 주 대 사 관

호주(경) 2065-369　　　　　　　　1990. 8. 24.

수신　장관(사본: 상공부 통상진흥국장)

참조　통상국장

제목　호주정부의 대 이라크및 쿠웨이트 수출입 금지조치 통보

주재국 관세청으로 부터 "대 이라크 및 쿠웨이트 금수조치에 관한 UN 안전보장이사회의 결의"를 지지하는 호주정부의 방침에 따라 90년8월9일 부터 호주정부의 사전 승인을 득하지 않은 대 이라크 및 쿠웨이트 수출.입을 금지한다는 통보가 있어 별첨과 같이 호주에 소재한 아국 상사 및 관련기관에 조치하였음을 알리오니 업무에 참고하기 바랍니다.

별 첨 : 대업계 조치공문 사본 1부.　　끝.

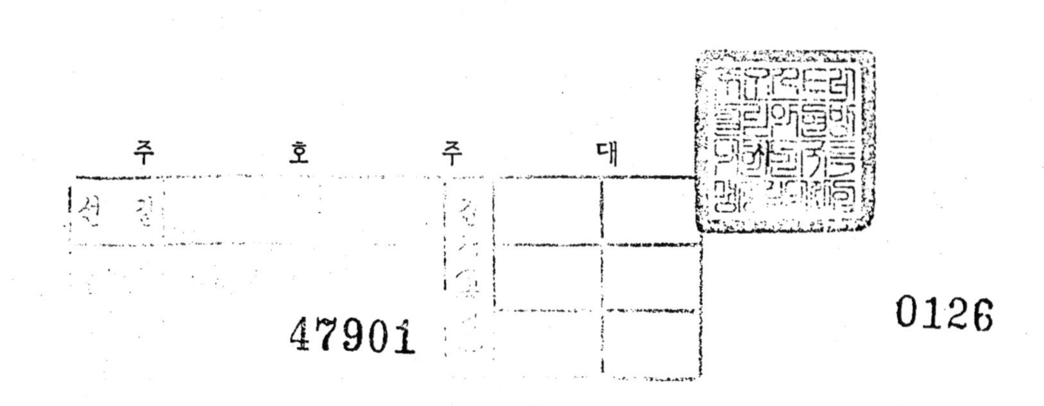

0126

주 호 주 대 사 관

호주(경) 2065- 4 1990. 8. 13.

수신 수신처참조

발신 주 호주 대사

제목 호주정부의 대 이라크 및 쿠웨이트 금수(禁輸) 조치 통보

주재국 관세청은 "대이라크 및 쿠웨이트 금수(禁輸) 조치에 관한 U.N 안전보장이사회의 결의"를 지지하는 호주 정부의 방침에 따라 90년 8월 9일부터 정부의 사전 승인을 득하지 않은 대 이라크 및 쿠웨이트 수출.입을 금지한다는 내용을 별첨과 같이 당관에 통보해 왔는바, 귀 업무에 참고하기 바랍니다.

별 첨 : 관련 공문사본 1부. 끝.

주 호 주 대 사

수신처 : (주)금성사, (주)금호, (주)동아실업, 대성탄좌(주), 대일섬유공업(주), (주)대우, (주)대한항공, (주)럭키금성, 범양상선(주), 삼성물산(주), 삼성중공업, (주)선경, (주)쌍용, 연성산업, 제일모직, 제일은행, 포항제철 한국관광공사, 한국전력공사, 한국타이어(주), 한일은행, 한진해운, 현대상선(주 현대종합상사(주), 효성물산(주), 흥아타이어(주), 해태유업, 동인석재, 환은 호주금융회사, 삼성전자(주), KOTRA(멜본), KOTRA(시드니)

0127

AUSTRALIAN CUSTOMS SERVICE

Australian Customs Notice

No. 90/108

AUSTRALIAN SANCTIONS AGAINST IRAQ AND KUWAIT

The Government has announced that Australia will support the United Nations Security Council Resolution to introduce trade embargoes against Iraq and Kuwait. (News Release dated 7 August 1990 attached).

On Wednesday 8 August 1990 Customs (Prohibited Imports) and (Prohibited Exports) Regulations were amended to give effect to the trade embargoes as follows:

. prohibit the importation into Australia of

- any goods from Iraq or Kuwait, or
- any goods from a country other than Iraq or Kuwait which are of Iraqi or Kuwaiti origin, or
- any goods which the Minister certifies that he or she has reasonable grounds for believing are from Iraq or Kuwait or are of Iraqi or Kuwaiti origin,

unless the permission in writing of the Minister for Foreign Affairs and Trade or an authorised person to import the goods is produced to a Collector.

. prohibit the exportation from Australia of

- any goods to Iraq or Kuwait, or
- any goods which are of Iraqi or Kuwaiti origin, or
- any goods which the Minister certifies that he or she has reasonable grounds for believing are of Iraqi or Kuwaiti origin, or which the Minister certifies that he or she has reasonable grounds for believing are destined ultimately for Iraq or Kuwait.

unless permission to export the goods has been granted in writing by the Minister for Foreign Affairs and Trade or an authorised person and the permission is produced to a Collector.

0128

The new regulations, Statutory Rules 264 and 265 of 1990, were published in Commonwealth of Australia Special Gazette No.S.226 on 8 August 1990.

All enquiries should be directed to the Department of Foreign Affairs and Trade in Canberra.

(F I Kelly)
Comptroller-General

9 August 1990

(Import/Export Control - C90/06011)

0129

MINISTER FOR FOREIGN AFFAIRS AND TRADE

NEWS RELEASE

No. M135 Date: 7 AUGUST 1990 Attachment to ACN 90/108

UNITED NATIONS SANCTIONS AGAINST IRAQ

The Attorney-General and Acting Minister for Foreign Affairs and Trade, Michael Duffy, said today that Australia supported fully the decision by the United Nations Security Council earlier today to impose comprehensive mandatory sanctions against Iraq and Kuwait. The sanctions will remain in place until Iraq complies with the Security Council's demand for the immediate and unconditional withdrawal of Iraqi forces from Kuwait.

Mr Duffy said Australia would implement the Security Council's sanctions immediately. He noted that several of the UN measures had been anticipated by the Australian Government in his statement on 6 August concerning Australian sanctions against Iraq. Mr Duffy said the UN sanctions prohibited

- the import into Australia of all commodities and products originating in Iraq or Kuwait
- any activities by Australians or in Australia which would promote the export of commodities or products from Iraq or Kuwait
- transfer of funds to Iraq or Kuwait for the purpose of such activity
- the sale or supply by Australians or from Australia of any commodities or products other than those intended strictly for medical purposes and, in humanitarian circumstances, foodstuffs to Iraq or Kuwait
- any activities by Australians to promote sale or supply of such commodities or products to Iraq or Kuwait
- the movement out of Australia of Iraqi and Kuwaiti assets currently held in Australia.

Officials of several Government Departments met in Canberra today to arrange implementation of UN sanctions, Mr Duffy said.

"Implementing these sanctions will have serious implications for Australia, but the Government believes that we and the international community have a duty to respond in this way to Iraq's invasion of Kuwait", he said.

Mr Duffy added that Australia expected all countries to share equally the burden of implementing sanctions against Iraq.

0130

Inquiries concerning the effects of the trade sanctions on Australian trade with the Middle East should be directed to the Department of Foreign Affairs and Trade.

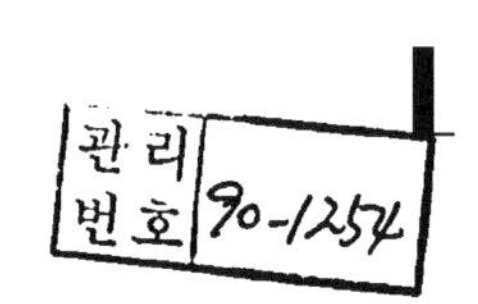

74

주 칠 레 대 사 관

칠레(정) 20730 - 41　　　　　　　　　　　　　　　　　1990. 8. 24.

수 신 : 장 관

참 조 : 중동아프리카국장, 통상국장, 미주국장

제 목 : 이라크 - 쿠웨이트 사태 관련 주재국 정부 입장

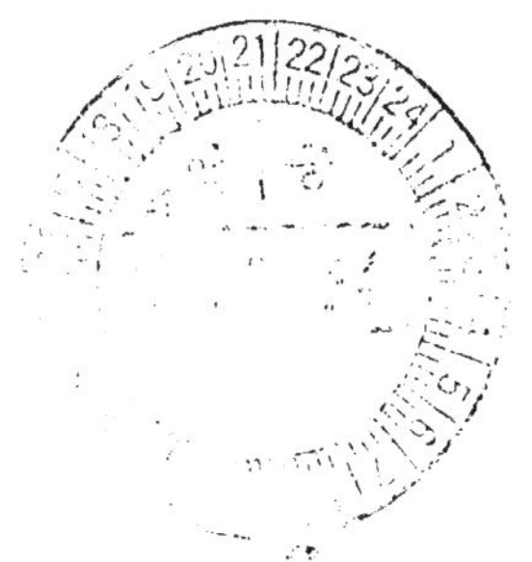

연 : CSW - 0379

연호, 이라크 - 쿠웨이트 사태 관련, 유엔 안보리 결의 661호에 대한 지지표명 등을 내용으로 하는 주재국 정부 성명 (8. 8 자) 전문을 별첨 송부합니다.

첨 부 : 상기 성명문 각 1부. 끝.

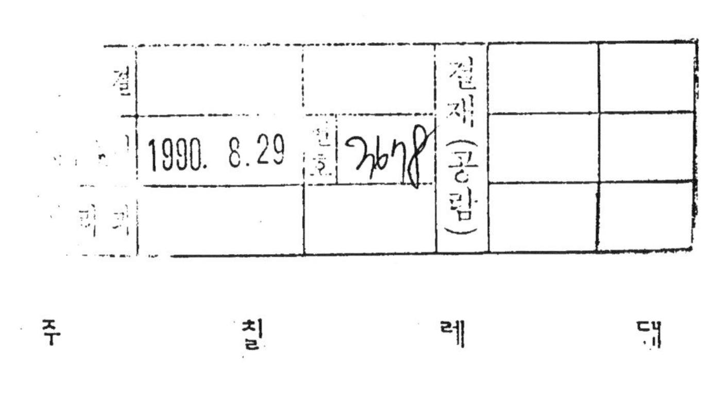

접			결재(공람)		
	1990. 8.29	번호 3678			
처리과					

주 칠 레 대

0131

D E C L A R A C I O N

MEDIANTE COMUNICADO DIFUNDIDO EL DIA 2 DE AGOSTO, EL GOBIERNO DE CHILE EXPUSO SUS PUNTOS DE VISTA RESPECTO A LA INVASION DE KUWAIT POR FUERZAS MILITARES DE IRAK.

EL GOBIERNO DE CHILE HA SEGUIDO ATENTAMENTE EL DESARROLLO DE LOS ACONTECIMIENTOS EN ESA REGION Y HA ENTREGADO SU PERMANENTE RESPALDO A LOS ESFUERZOS DE LA ORANIZACION DE LAS NACIONES UNIDAS, DESTINADOS A PROCURAR UNA SOLUCION A LA DIFICIL SITUACION PRODUCIDA.

CONSECUENTE CON LO ANTERIOR, LAS AUTORIDADES CHILENAS PRESTAN SU MAS DECIDIDO APOYO A LA RESOLUCION 661 (1990), ADOPTADA POR EL CONSEJO DE SEGURIDAD DE LAS NACIONES UNIDAS, CON FECHA 6 DE AGOSTO EN CURSO.

DICHA RESOLUCION, ENCAMINADA A RESGUARDAR PRINCIPIOS DE DERECHO INTERNACIONAL CONSAGRADOS POR LA CARTA DE LAS NACIONES UNIDAS Y A LOS QUE CHILE TRADICIONALMENTE HA ADHERIDO, INTERPRETA PLENAMENTE LOS SENTIMIENTOS DEL GOBIERNO CON RELACION A ESTA DELICADA MATERIA. EN CUMPLIMIENTO DE ELLA, SE HA PROCEDIDO A ELABORAR UN DECRETO SUPREMO MEDIANTE EL CUAL EL GOBIERNO PONE EN VIGENCIA INTERNA LAS MEDIDAS ACORDADAS POR EL CONSEJO DE SEGURIDAD, INCLUYENDO LA PROHIBICION DE LA VENTA O SUMINISTRO DE ARMAS Y CUALQUIER OTRO TIPO DE EQUIPO MILITAR A IRAK Y KUWAIT.

EL GOBIERNO DE CHILE REITERA SU ANHELO DE QUE SE PONGA FIN A LA OCUPACION Y SE RESTABLEZCAN LA SOBERANIA, INDEPENDENCIA E INTEGRIDAD TERRITORIAL DE KUWAIT, EN APLICACION DE CLARAS NORMAS DE CONVENIENCIA PACIFICA Y CIVILIZADA ENTRE LAS NACIONES.

SANTIAGO, 08 de Agosto de 1990.

0132

원 본

외 무 부

종 별 :

번 호 : SGW-0537 일 시 : 90 0825 1200

수 신 : 장 관(통이,중동,아동,정일,기정)

발 신 : 주 싱가폴 대사

제 목 : 싱가폴의 대이락 제재조치(자료응신 제52호)

1. 싱가폴 외무부는 8.24.자 성명을 통해 유엔안보리의 8.6.자 대이락 경제제재 조치 결정에따라 이락및 이락 점령 쿠웨이트와의 경제활동을 금지한다고 발표함. 금번싱가폴 조치는 이락과의 통상, 화물운송, 금융등 경제거래 전반에 걸치는 포괄적인성격의 것으로서 통상금지 조치의 경우 유엔안보리가 제재조치를 부과한 8.6. 이후이락 및 쿠웨이트를 출발한 모든 상품에 적용되며 싱가폴로부터 이락으로의 화물선적은 금 8.25. 부터 효력을 발생토록 되었음.

2. 또한 이번 조치는 위반에대한 벌칙도 포함하고 있는바, 통상금지를 위반한 경우 최고 12개월징역 또는 5천미불 이하의 벌금을 부과하고 있음.

3. 당지 기업인, 무역인들은 이번조치의 싱가폴 경제에 대한 충격이 크지 않으므로 별반 우려할 일이 못된다는 반응을 보인 것으로 보도되었음.

4. 싱가폴의 대이락 및 쿠웨이트 수출입규모(89년)는 아래와 같으며, 총액 기준으로 싱가폴 전체교역액의 1 퍼센트 미만임.

가. 이락

- 수출: 11.4 백만미불
- 수입: 1.2 백만미불

나. 쿠웨이트

- 수출: 99 백만미불
- 수입: 624 백만미불. 끝.

(대사-국장)

통상국 1차보 2차보 아주국 중아국 정문국 안기부 대책반

0133

PAGE 1 90.08.25 18:36 CG

외신 1과 통제관

관리 번호	90-1244

외 무 부

종 별 :

번 호 : YGW-0426 일 시 : 90 0828 1800

수 신 : 장관(동구이,국연,통일,정일,기정동문)

발 신 : 주 유고 대사

제 목 : 걸프사태 관련 유고 동향

1. LONCAR 외상은 8.27(월) 주재국을 방문중인 SAMAL MAJID FARAG 이락특사에게 이락 군대의 쿠웨이트 철군및 쿠웨이트의 주권및 영토고권의 회복이 현 걸프사태 해결의 선결조건이라고 강조하였음

2. 주재국 언론은 FARAG 이락특사의 당지 방문은 주재국이 비동맹 회의 의장국으로서 지위를 활용하여 걸프위기의 더이상의 ESCALATION 을 방지하기 위한 조치를 취해주도록 요청하기 위한것이라고 풀이하고 있음

3. 연이나 LONCAR 외상은 동특사와의 회담시 유고정부는 걸프사태에 관한 유엔안보리의 각종 결의를 지지한다는 입장을 다시한번 이락측에 밝혔음. (주재국은 이미 당지를 방문한바 있는 불란서및 쿠웨이트 정부의 특사에 대해서도 같은 입장을 천명한바 있음)

4. 한편 주재국 정부는 유엔안보리의 경제제재 결의안의 이행이 주재국에 중대한 경제적 영향을 초래하고 있다는 이유를 들어 유엔주재 대사를 통하여 유엔안보리와의 협의를 요청한바 있으며, 또한 "GROUP OF 24"및 EC 등과도 외교경로를 통한 협의를 병행하고 있음

5. 주재국은 이락의 쿠웨이트 점령을 인정하지 않고 있는만큼 이락의 폐쇄요구에도 불구하고 쿠웨이트 주재 대사관을 계속 잔류시키고 있음

6. 한편 이락 및 쿠웨이트에는 약 6 천여명의 주재국 노동자들이 있으며 현재까지 약 2 천여명이 귀국하였음. 끝

(대사 신두병-국장)

예고: 90.12.31 까지

1990.12.31. 에 예고문에 의거 일반문서로 재분류 됨

구주국 장관 차관 1차보 2차보 국기국 통상국 정문국 청와대 안기부 대책반

PAGE 1

90.08.29 05:43 0134

외신 2과 통제관 EZ

원 본

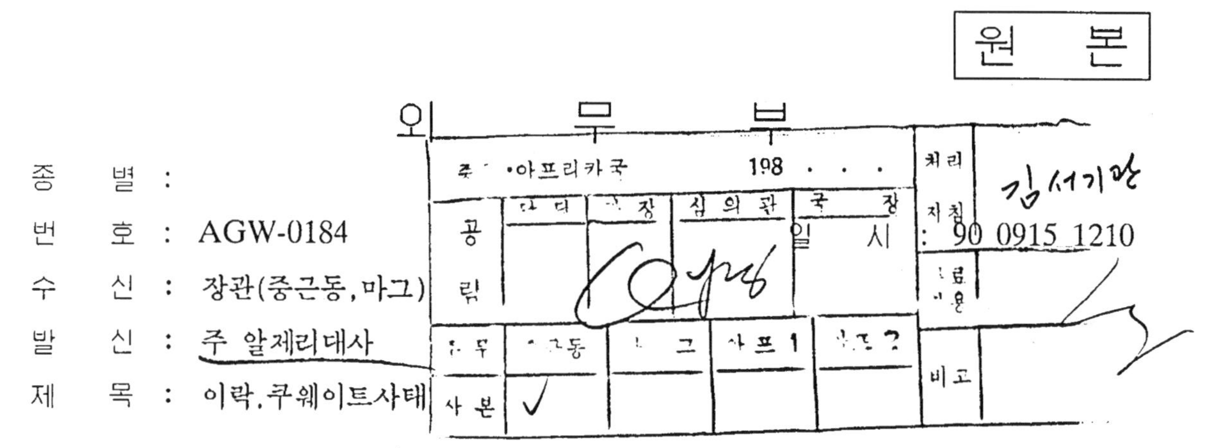
외 무 부

종 별 :

번 호 : AGW-0184 일 시 : 90 0915 1210

수 신 : 장관(중근동,마그)

발 신 : 주 알제리대사

제 목 : 이락.쿠웨이트사태

주재국 GHOZALI 외무장관은 표제사태에 관련,안보리결의661호에대한 알제리정부의공식입장을유엔사무총장에게 공한으로 통보하였는바, 요지아래보고함.

1.알제리정부 는 모든분쟁의 외부개입 또는 군사적방법에 의해 해결되어서는 안된다는 기본외교정 책에 따라 금번이락의 쿠웨이트침략은 수락할수 없는입장이나, 동문제의 해결이 아랍권내의교섭을 통해 해결되는것이 바람직하다는 입장임.

2.알제리정부는 유엔헌장 및 국제법원칙과 규정을 존중해야 한다는데 이의가 없으나 금번 안보리결의 661과 관련, 아래두가지사항을 지적하고자함.

가.안보리는 처음으로 단합과 단호한 의지로 골프HU기에 신속하고 효과적인 조치를 취하였는바, 이스라엘의 1967아랍점령와 1982 골란병합및 레바논침략시에는 이러한조치가 따르지 못하였으며 유엔은 모든 유엔헌장및 국제법위반시 상응한 반응을 보여주어야할것임.

나.알제리는 안보리결의 661의 3항이 이락및 쿠웨이트국민을 기아로 몰아넣기 위한 목표가 아니므로 의약품과 식량공급은 제외되는것으로 간주함.

3.알제리정부는 국제공동체 특히 안보리가 팔레스타인 영토및 여타 아랍점령지역과 관련 채택한결의의 단호한 적용을 기대하며, 이락.쿠웨이트사태 관련국 책임자들은 전쟁을 지양하고 외교적방법을 통해 문제해결토록 최대의 온건과 자제를발휘토록 촉구함.

(대사 -국장)

중아국 마그. 경제국 청와대 안기부 대책반

0135

PAGE 1 90.09.16 20:36 CT

외신 1과 통제관

정 리 보 존 문 서 목 록					
기록물종류	일반공문서철	등록번호	2020120215	등록일자	2020-12-28
분류번호	772	국가코드	XF	보존기간	영구
명 칭	걸프사태, 1990-91. 전12권				
생 산 과	북미1과/중동1과	생산년도	1990~1991	담당그룹	
권 차 명	V.5 이라크의 6개국과의 단교, 1991.2.6				
내용목차					

0001

관리 번호	91-1417

	분류번호	보존기간

발 신 전 보

번 호 : WMEM-0018 910207 1608 BX 종별 :

수 신 : 주 수신처 참조 대사.총영사

발 신 : 장 관 (중근동)

제 목 : 이라크의 미, 영등 6개국과의 단교

: WUS -0493 WUK -0236
WFR -0241 WIT -0146
WGE -0197 WJA -0531
WSV -0379

이라크 외무부의 2.6. 미국, 영국, 불란서, 이태리, 사우디, 이집트 6개국과의 단교 발표와 관련 주재국 정부의 반응과 동 단교 조치의 배경 의도, 여타 나라에로의 확대 가능성등에 관한 귀주재국 각계의 분석, 전망을 수집 귀견과 함께 보고 바람. 끝.

(중동아국장 이 해 순)

수신처 : 전 중동지역 공관장, 주미국, 영국, 불란서, 이태리, 독일, 일본 소련 대사

예 고 : 1991.6.30. 일반

1991.6.30.에 예고문에 의거 일반문서로 재분류됨

보 안 통 제	기

앙 고 재	91년 2월 7일	중근동과	기안자 성 명		과 장		국 장		차 관	장 관
					기		전결			

외신과통제

0002

관리번호	91-1426

원 본

외 무 부

종 별 :

번 호 : FRW-0466 일 시 : 91 0207 1600

수 신 : 장관(중근동,구일,미북,정일)

발 신 : 주 불 대사

제 목 : 걸프전(이락의 대 6개국 단교)(자료응신 30호)

대:WFR-0241

1. 외무성 KOETSCHET 중동부국장에 의하면, 이락의 대주재국 단교를 상금 공식 통보받은바는 없으나, 금 2.7. 오전 당지 HACHIMI 이락 대사가, 동 단교사실을 발표하는 회견을 가졌으므로 단교를 사실상 확인하였으며, 이에 따른 이락측 공식조치(통보, 대사관 폐쇄와 직원철수 및 이익보호국 지정등)가 추후 있을것으로 안다고 말함.

2.HACHIMI 대사는 상기 회견을 통해, 이락의 파괴와 국민살상을 목표로 공격중인 국가와 더이상 외교관계를 유지할 이유가 없다고 언급함.

3. 분석(외무성, 언론등)

가. 현재 단교 6 개국과 이락간 상호 외교관을 철수 또는 추방시킨 상황이므로 실질적인 면에서는 이미 단교 효과가 있었으나, 금번 이락측의 조치로 이를공식화하는 상징적인 의미가 있음.

나. 금번 단교 대상국중 다국적군에 파병한 시리아가 제외된 것은 양국간 80년 이후 실질적인 외교관계가 없었기 때문인 것으로 보임.

다. 동 단교조치는 이락이 현단계에서 정전 또는 종전을 위한 모든 중재안을 거부하고 지상전에 몰두하겠다는 결의를 보인것으로 해석되므로, 주재국, 이란, 소련 및 일부 회교국을 중심으로한 중재 노력이 당분간 위축될 것으로 전망됨.

라. 주재국은 그간 단교 6 국중 유일하게 이락 대사와 직원 2 명을 잔류시켜, 이들과 최소한의 대화 차널을 유지하고 있었으나, 금번 단교조치로 동 대화창구가 없어질 것이므로, 향후 주 UN 이락대사가 서방의 유일한 대화창구 역할을담당할 가능성이 있는것으로 보고있음.

마. 이락의 단교조치 확대 여부에 관해 확실한 전망을 하기는 어려우나, 지상전이

중아국	장관	차관	1차보	2차보	미주국	구주국	정문국	청와대
총리실	안기부							

0003

PAGE 1 91.02.08 01:27

외신 2과 통제관 CA

본격화되어 전쟁이 종반기에 들어가면 지상전부군을 파견, 이락과 정면 대치하는 국가와의 추가 단교 가능성이 있을것으로 보임.

3. 당관 의견

-아국의 다국적군 지원은 의료단과 수송기등에 국한되고 있고 다국적군 대열에도 정식 포함되어 있지 않으므로, 향후 지상군을 파견, 이락에 직접적인 적대행위를 하지 않는한, 이락과의 관계 약화 또는 단교등은 없을것으로 사료됨.

4. 본건 관련사항, 파악되는 대로 추보할 것임.끝.

(대사 노영찬-국장)

예고:91.6.30. 일반

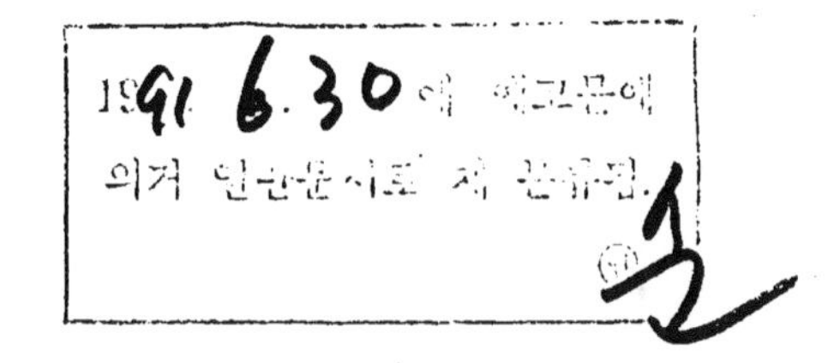

PAGE 2

0004

관리 번호	91-1424

원 본

외 무 부

종 별 :

번 호 : AGW-0090 일 시 : 91 0207 1600

수 신 : 장 관(중근동,기정)

발 신 : 주알제리대사

제 목 : 이라크의 6개국 단교

대:WMEM-0018

1. 이라크의 대 6 개국 단교에 대하여 상금 주재국의 공식반응은 없으나, 불. 애급과의 단교로 인해 불란서의 전쟁 중재가 봉쇄됨으로서 주재국의 중재 운신폭이 커졌고 전후 아랍 새판도 협상시 보다 유리한 입장에 설것이며 특히 국내문제에 있어서는 사우디의 정치자금을 받아온 구국이스람전선(FIS)의 자금경색등효과가 있을 것임으로 주재국으로서는 동조치를 환영하고 있는것으로 관측됨.

2. 주불 이락대사는 피침국이 침략국에 대하여 일방적 외교단절을하는것은 당연하다고 언명한 바 있으며, 단교조치 저의는 국내적으로 이락국민의 전의를 결속하고 아랍세계에서 저변 확대되고 있는 광범한 이락지지 이스람세력을 의식,사우디와 애급을 미국과 서구에 준하는 적으로 이단시화 함으로서 이들 반서구이스람세력을 이락지지 세력으로 결집시키려는데 있는 것으로 분석됨.(대사 한석진-국장)

예고:91.6.30(일반)

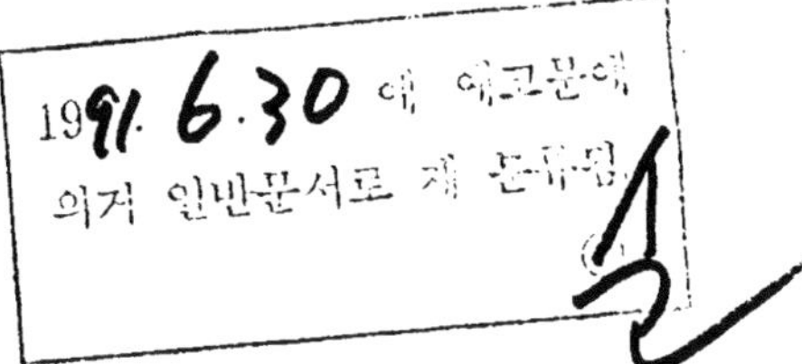
1991.6.30 에 예고문에 의거 일반문서로 재 분류됨

중아국 2차보 안기부

PAGE 1

91.02.08 03:25 0005

외신 2과 통제관 CA

관리번호	91-1418

원 본

외 무 부

종 별 :

번 호 : ITW-0214 일 시 : 91 0207 1805

수 신 : 장관(중근동,구일)

발 신 : 주 이태리 대사

제 목 : 이라크의 6개국 단교

대:WIT-0146

1. 대호 관련 주재국 언론에서도 이라크 통신사 INA 를 인용 이라크 정부가동 6 개국과 단교하기로 결정하였다고 보도한바, 주재국 외무성측에서는 아직 이에 대한 사실 여부가 확인되지 않고 있으며 이라크측으로 부터 공식 통보를 받은바도 없다고 하면서 논평을 유보함.

2. 외무성의 한 관계관은 이라크정부가 서방국가의 여론을 중시하고 있음에비추어 동 추이를 더두고 보아야 알것 같다고 하는바, 이라크측의 공식입장이 확인되는대로 대호 관련 추보하겠음. 끝

(대사 김석규-국장)

예고:일반 91.12.31.

검 토 필(1991. 6. 30.)

중아국 2차보 구주국

PAGE 1

91.02.08 03:43 0006

외신 2과 통제관 CA

원 본

암호수신

외 무 부

종 별 :

번 호 : MOW-0071 일 시 : 91 0207 1830

수 신 : 장관(중근동,마그,대책본부,미북,정일)

발 신 : 주 모로코 대사

제 목 : 페만전쟁과 모로코(자료응신 제17호)

대 WMEM-0018

1. 대호 이락의 단교 발표와 관련 주재국 정부 당국은 공식적인 언급을 하지않고 있음. 당지 외교단에서는 이락의 조치에 대하여 다음과같은 분석을 하고 있음.

(1)-금번 조치는 아랍국민들에 대하여 이락이 미 제국주의에 견결히 항거하고 있음을 표시하므로서 아랍인들의 지지를 끌어들이려는 의도

(2)-종전시에도 후세인 정권이 살아남을경우 전후 처리문제에 ''복교'' 라는 카드를 활용, 미국 주도하의 중동질서 재편에 쐐기를 박고자하는 의도. 즉 복교 교섭시 유리한 위치를 차지하고자 함

(3)-미국은 이락의 단교 조치를 미리 예상하여 단교 발표아 동시에 주이락 스위스 대사관을 이익대표부로 지명함.

2. 걸프전쟁과 모로코의 입장(종합)

-주재국 정부의 기본입장은 일반국민들의 의중과는 달리 전후 연합국이 중동질서를 재편할것이라는 계산하에 미국에 대하여는 일체 언급하지 않고 ''이락의 쿠웨이트 철수'' 를 강조하므로서 미국의 입장을 간접적으로 지지(2.2 국왕의대 국민연설)

-한편 주재국 야당연합 대표들은 2.6 당지 주재 유엔안보리 상임이사국 5 개국 대사를 예방하여 모로코 국민들의 이락 지지 입장을 전달하였음. 이에대한 당해 대사들의 반응은 다음과같음.

중국:전쟁으로인한 인명과 재산의 파괴는 안되며 중국은 정의와 평화의 실현을 지지하고 있음.

소련: 소련은 연합국의 전쟁 행위가 유엔결의의 범위를 벗어나서는 안되며 아랍국민의 인명 손상과 재산 파괴는 용납할수 없으며 아랍인들과 유대를 함께함.

미국, 프랑스, 영국:언급 없음

중아국	장관	차관	1차보	2차보	미주국	중아국	정문국	청와대
안기부								

PAGE 1 91.02.08 05:34 0007

외신 2과 통제관 CH

-한편, 걸프전으로 주재국의 재정수지 적자가 350 만불에 달하여 이번달부터 석유, 담배, 주류의 값을 평균 7 프로 인상 조치하였으며 경제상황의 악화로 2.2 MOULAY 정무장관이 리비아를 방문, 경제 원조를 청한것으로 알려지고 있음.

끝.

(대사이종업-국장)

관리 번호	91-1418

원 본

외 무 부

종 별 :

번 호 : UKW-0359 일 시 : 91 0207 1800

수 신 : 장관(중근동,구일,미북)

발 신 : 주 영 대사

제 목 : 영.이락 단교

대: WUK-0238

대호 금 2.7. 외무성 관계관에 의하면, 당지주재 이락 대사대리가 아직 본국으로 부터 아무런 훈령을 받지않았다고 하므로 현재 영 외무성으로서는 이락으로 부터의 공식입장 전달을 기다리고 있는 상태라고 함을 우선 보고함. 끝

(대사 오재희-국장)

예고: 91.6.30 일반

1991.6.30 에 예고문에 의거 일반문서로 재 분류됨.

중아국 장관 차관 1차보 2차보 미주국 구주국 안기부

PAGE 1

91.02.08 05:58

외신 2과 통제관 CH

0009

관리번호	91-1421

원 본

외 무 부

종 별 : 지 급

번 호 : USW-0654 일 시 : 91 0207 1739

수 신 : 장관(중근동,미북)

발 신 : 주 미 대사

제 목 : 이라크의 대미 단교 보도

대:WUS-0493

1. 대호 관련, 금 2.7. 당관 임성남 2 등 서기관이 국무부 이란-이락과 JOSEPH MCGHEE 부과장으로부터 확인한바에 따르면, 미국을 포함하는 6 개국과의 대호 단교 발표는 이락 관영 통신에 의해 보도되었을뿐 상금 이락측이 주미 이락 대사관등을 통해 여사한 결정을 공식적으로 통보해 오지 않은 상황이라함.

2. 이러한 상황하에서, 미측으로서는 동보도에 관한 논평등을 통해 공식적 반응을 보일 계획은 상금 없다하며, 동부과장의 사견이기는 하나, 이락측의 여사한 단교조치 보도가 사실이라면 동조치를 통해 이락측은 여타 아랍권 국가들도 유사한 조치를 취하도록 유도코자 하였을것으로 보인다 함.(대사 박동진-국장)

예고:91.12.31 일반

검 토 필(1991.6.30.)

중아국	장관	차관	1차보	2차보	미주국	정문국	청와대	총리실
안기부								

PAGE 1 91.02.08 09:12 0010

외신 2과 통제관 BN

관리번호	91-1420

원 본

외 무 부

종 별 :

번 호 : JAW-0665 일 시 : 91 0208 2126

수 신 : 장관(중근동,아일,정일)

발 신 : 주 일 대사(일정)

제 목 : 이라크의 미.영등 6개국과의 단교

대 : WJA-0531

대호 다국적 6 개국에 대한 이라크의 단교조치 관련, 금 2.8. 당관 강대현 서기관이 일외무성 중근동 2 과 수에마츠 수석사무관을 접촉, 청취한 단교조치의 의도, 향후 전망등을 하기 보고함.

1. 단교조치의 의미 및 의도

0 이라크의 동 조치는 실제적이기 보다는 상징적, 정치적 의미를 가지는 것으로 봄. 즉 단교조치의 대상이된 국가들의 대부분이 이미 바그다드 주재 공관을 철수한 상태에서 기정사실을 법적으로 추인한 조치로 봄.

- 또한 대상을 6 개 국가로 특정한 것은 금번 걸프전쟁의 대립구도가 "이라크대 세계 (또는 다국적군)" 가 아니라 "이라크대 특정국가"라는 것을 인상지우기 위한 선전적 의미도 포함한 것으로 봄.

0 걸프전에 군대를 파견한 국가는 28 개국이나 특히 6 개국만을 선택한 것은 이라크군에 직접공격을 가하고 있는 국가를 기준으로 한 것으로 관찰함.

- 에집트가 포함된 것은 아직 이라크군과 교전하고 있지는 않으나, 아랍국가임에도 불구하고 쿠웨이트 해방을 위한 지상전에의 참가를 공언하고 있기 때문으로 보여짐.

- 따라서 상기 6 개국 이외의 여타 국가들이 다국적군 및 아랍연합국 군대에 참가하고 있는것은 미국 및 사우디등에 압력에 따른 불가피한 선택으로 간주하는 한편 실제공격을 하지 않고 있기 때문인것으로 봄.

0 이라크의 이러한 조치는 6 개국 중심의 다국적군과 철저히 항전하겠다는 전의를 일단 내외에 과시하기 위한 것으로 보여짐.

- 한편 여타 아랍제국에 여사한 조치를 취하도록 요청한 것은 실제 단교를 요구했다기 보다는 반미여론의 조성과 이라크의 전의에 대한 동조 및 지지 확보를

중아국	장관	차관	1차보	2차보	아주국	정문국	청와대	안기부

PAGE 1 91.02.08 22:13 0011

외신 2과 통제관 CF

노린것으로 관찰됨.

2. 향후 전망

0 금번 단교조치가 상징적 의미가 강함을 감안하면 진행중인 전부자체에 영향을 줄 큰 의미를 지니는 것으로는 보여지지 않음.

0 또한 동 조치는 이라크가 아랍의 대의에 역행하는 일부의 불순한 특정국가와 항전하고 있다는 인상을 주기 위한 선전적 의미가 강하다는 점에서 단교조치가 향후 여타 국가에로 확대될 가능성은 당면 적은 것으로 봄.

0 일본의로서는 금번 걸프전 관련, 총 130 억불 상당의 재정지원 및 경협방침을 표명하고 있음에 따라 향후 전쟁진행과정에서 이라크의 대일 외교적 보복조치 가능성은 완전 배제할수 만은 없다고 보나, 당장 상기와 여사한 조치가 있을것으로는 보지 않음.

0 그러나 장기적으로는 금번 단교조치에 따라 걸프전의 아랍내 해결전망은 더 어려워진 것으로 보며, 종전후에도 반아랍제국과의 대립은 더 심해지게 된 것으로 봄.끝

(대사 이원경-국장)

예고:91.6.30. 일반

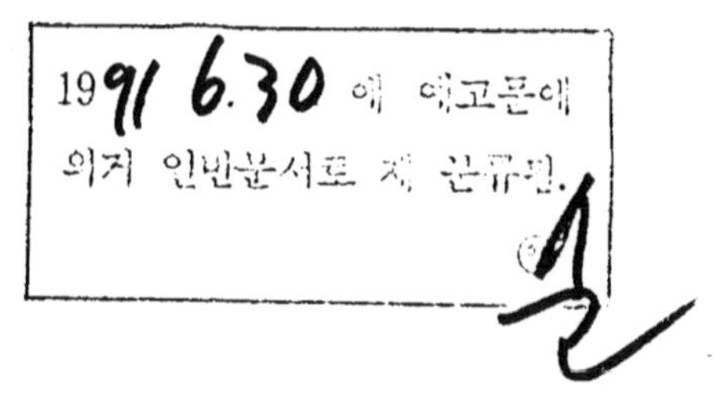

PAGE 2

0012

관리 번호	91-1422

원 본

외 무 부

종 별 : 지 급

번 호 : YMW-0117 일 시 : 91 0208 1300

수 신 : 장 관(중근동,기정)

발 신 : 주 예멘 대사

제 목 : 이라크의 단교 조치 반응

대:WMEM-0018

1. 대호, 이라크 단교 조치에 대한 주재국 반응은 다음과 같음.

가. 언론 반응: 단교 조치에 대해서 논평없이 사실 보도함.

나. 주재국 외무성 비공식 반응: 다국적군의 이락 공격이 유엔 결의안의 당초 목적을 무시, 선량 시민에 대한 무차별 공습을 감행하여 이락의 국가적 괴멸을 기도하고 있기때문에 당연한 조치임.그러나 예멘은 현 상황에서 미.영등 6 개국 대해서 단교를 고려하지 않고 있음.

다. 외교가의 반응:

(1). 외교 단장 주최 2.7. 긴급 회의에 참석한 공관장들의 견해를 종합하면 대체적으로 이라크 단교 조치를 지지하기 위한 구체적인 움직임은 감지 할수 없었으나 걸프전의 상황 전개에 따라서는 터키, 시리아, 서독등 수개국에 대해 단교 대상을 확대할 가능성이 있는것으로 보임.

(2). 상기 회의에 참석한 외무성 의전장 GAZEM 은 최근의 일부 공관에 대한 테러 사건(에짚트, 일본, 터키, 프랑스 및 이탈리아)과 관련 주재국 공안 당국은 범인 18 명을 전원 체포하였으며 현재까지의 조사 결과에 의하면 동 사건은 배후 관계 없는 범행이라고 해명함. 동 의전장은 또한 SALEH 대통령의 2.7 중 동 테러 사건을 규탄하고 주재국내 외국 공관 및 외국인에 대한 신변안전 대책을 강화하고 있다는 내용의 성명을 발표하고 동 사건에 대해 근일중 IRIYANI 외무장관의 보다 구체적인 해명이 있을것이라고 언급함.

3. 당관 의견:

가. 주재국내의 일부 서방측 대사관 기습 사건에 대한 주재국 정부의 반응으로 보아 주재국 정부로서는 국제적으로 더 이상 고립되기를 원치않으며 걸프 전쟁이 1

중아국 장관 차관 1차보 2차보 청와대 안기부

91.02.08 20:19

외신 2과 통제관 CF

0013

개월이내에 종식될경우 전후 중동 지역 평화 협상에서의 예멘의 역활을 고려, 이라크의 단교 조치를 추종하지 않을것으로 분석됨.

나. 그러나 걸프전이 장기화될경우, 이라크측의 단교 대상 확대와 더불어 주재국을 비롯한 일부 아랍국의 연대 표시로서 미.영국등에 대한 단교 추종가능성도 예상됨. 끝.

(대사 류 지호-장관)

예고:91.12.31. 일반

PAGE 2

0014

관리번호	91-1427

원 본

외 무 부

종 별 :

번 호 : BHW-0105 일 시 : 91 0209 1400

수 신 : 장관(중근동)

발 신 : 주 바레인 대사

제 목 : 이라크의 단교 반응

대:WMEM-00181

이라크의 일부 적대국가 단교조치에 대한 주재국 외무당국및 외교단의 견해는 다음과 같이 요약됨

가. 정치적 효과를 의도한 것임. 외교적 득실은 실제적으로 없음.

나. 단교범위의 확대여부와 대상국가도 사담 훗세인이 정치적으로 득이 된다고 판단하는가 여부에 따라 결정될 것이므로 예측키 어려움.

2. 당관도 상기와 같은 견해이며, 단교범위가 확대되는 경우, 그 대상은 사담 훗세인이 아랍권의 반서방 분위기 고조에 도움이 될것이라고 보는지 여부로 결정될것으로 봄.끝.

(대사 우문기-국장)

예고:91.6.30 일반

1991.6.30.에 예고문에 의거 일반문서로 재 분류됨

중아국 장관 차관 1차보 2차보 미주국 청와대 총리실 안기부

PAGE 1 91.02.09 21:54 0015

외신 2과 통제관 CW

원 본

암호수신

외 무 부

종 별 :

번 호 : CAW-0221 일 시 : 91 0209 1635

수 신 : 장관(중근동,마그,정일)

발 신 : 주 카이로 총영사

제 목 : 주이집트 이락공관원 퇴거

(자료응신 제 51 호)

대:WMEM-0018

2.8. 당지 언론보도에 의하면, 주재국 외무부는 이락정부의 대주재 외교단절(사우디, 미, 영, 불, 스페인과함께) 조치(2.6)에 관해 아무런 논평없이 당지 주재 이락공관원과 그 가족들에게 퇴거(2.7)를 요청했으며, 대호관련 추보위계임.끝.

(총영사 박동순-국장)

중아국 장관 차관 1차보 2차보 미주국 중아국 정문국 청와대
총리실 안기부

PAGE 1

91.02.09 23:49 0016

외신 2과 통제관 CW

관리 번호	91-1028

원 본

외 무 부

종 별 : 지 급

번 호 : SBW-0439 일 시 : 91 0210 1400

수 신 : 장관(중근동,국방부,기정)

발 신 : 주 사우디 대사

제 목 : 이라크의 단교조치

대:WMEM-18

1. 대호관련, 금 2.9 당관 백기문 참사관이 주재국 외무부 아랍담당 과장을접촉파악한 내용 아래보고함

-사우디는 이라크가 사우디에대해 모든 취할수있는 조치를 취할것으로 예상하고 있으며, 금번 대사우디 단교조치도 이러한 예상의 하나로 볼수있음

-이라크가 금번 단교를 발표한 6 개국가는 이라크에대한 공격에 가장 적극적으로 참여하고있는 국가들로서, 당장 더이상의 단교조치는 없을것으로 보이나,이라크가 그동안 취한 행동에 비추어볼때 동가능성을 완전히 배제할수는 없음

-동단교조치는 아랍국가와 다국적군 참여국가와의 이간을 특히 목표로 한것으로 보임

2. 당관 견해로는 금번 이라크가 걸프지역에 병력을 파견한 국가중 주요국가를 선별, 단교를 단행한것으로 보아, 당장 여타국가에 대한 단교조치는 없을것으로 보임, 그러나 추가 단교조치가 있을경우 당대상국가는 시리아, 카타르 및 터키등이 될것으로 관측됨, 또한 걸프사태 이후 사우디와의 관계가 악화된 요르단, 예멘등 친이라크 국가의 앞으로의 움직임이 주목됨, 특히 요르단은 최근 다국적군의 이라크에 대한 공습을 비난하면서 그동안의 중립적인 입장에서 벗어나 이라크에 동조하는 입장을 취하고 있는바, 여타국가의 이런한 입장변화는 앞으로서구 특히 미국 및 사우디와의 관계에 영향을 미칠것으로 보임

(대사 주병국-국장)

검 토 필 (1991.6.30.)

중아국 장관 차관 1차보 2차보 청와대 안기부 국방부

PAGE 1 91.02.10 22:24 0017

외신 2과 통제관 FI

관리번호	91-1414

원 본

외 무 부

종 별 :

번 호 : MTW-0046　　　　　　　　일 시 : 91 0209 1600

수 신 : 장관(중근동)

발 신 : 주 모리타니 대사대리

제 목 : 이라크의 단교조치

대:WMEM-0018

1. 당지외교가및 주재국반응

대호관련 본직이 당지 미, 불, 이집트대사등 주요국대사및 주재국 외무차관을 접촉한바, 이라크가 단교선언한 6 개국가가 이미 대부분 바그다드로부터 공관을 철수하였고, 또한 이들 6 개국 주재 이락대사관들도 이미 상당수인원이 감축된 상태이므로 금번 이락의 단교조치가 별다른 영향을 미치지 않을것이라는 것이지배적인 의견임.

2. 당관견해

이라크가 6 개국과 단교를 선언한것은 1 차적으로는 미국, 영국등이 테러 위험등을 이유로 자국내 아라크대사관의 인원을 상당부분 철수토록 조치한데에 대한 보복조치로 분석됨. 또한 걸프전에 직접참여하고있는 4 개 서방국가들과 단교를 한것은 금번 걸프전쟁을 아랍대 서방세력간의 대립구도로 유도하려는 의도가 있는것으로 보이며, 특히 아랍국가들중 걸프전 이전부터 친서방정책을 펴온 이집트와 사우디를 단교대상에 포함시킴으로서 이들 양국을 아랍세계에 서방동조국으로 더욱 부각시켜 이들 양국정부를 고립 내지 내부적 봉기에의해 전복되도록유도하는 일방 여타 아랍국도 자국조치에 동조토록하려는 저의도 있는것으로 보임. 또한 연합국중의 주요아랍국인 시리아를 포함시키지 않은것은 궁극적으로 시리아가 금번전쟁에서 이스라엘의 참전에 따른 확전시 이락편으로 가담하는 가능성을 남겨두려는 의도로 보임. 따라서 이락이 단교대상을 아국포함 모든 연합국 지원국으로 확대할 가능성은 크지않을것으로 분석됨.

3. 주재국에대한 영향

주재국이 친이락성향을 띄고있으나, 주재국정부가 페만사태발발 직후 당지

중아국 장관 차관 1차보 2차보 정문국 청와대 안기부

PAGE 1　　　　　　　　91.02.11 07:26 0018

외신 2과 통제관 BW

쿠웨이트대사관을 폐쇄시킬것이라는 소문도 있었으나 쿠웨이트대사관이 걸프전발발이후인 지금까지 전과 다름없이 유지되고 있는것으로보아 주재국정부가 이라크와 유사한 조치를 취할 가능성은 당분간은 없을 것으로 판단됨. 끝.

(대사대리 김원철-국장)

예고:91.6.30 일반

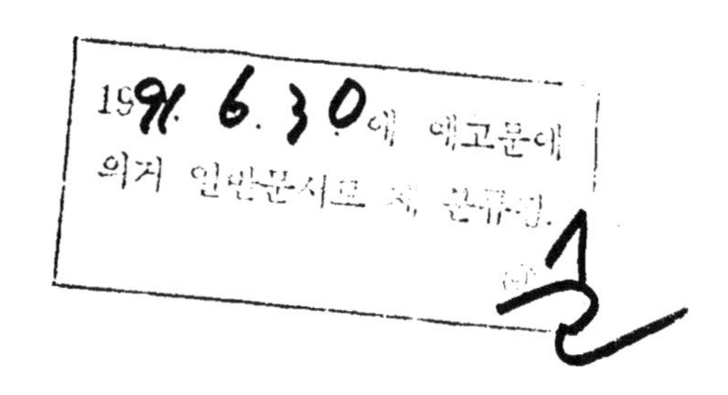

0019

관리 번호	91-140P

원 본

외 무 부

종 별 : 지 급

번 호 : OMW-0039 일 시 : 90 0211 1350

수 신 : 장관(중근동)

발 신 : 주 오만 대사

제 목 : 이라크의 단교조치

대:WMEM-0018

1. 이라크의 단교조치관련, 주재국정부의 공식반응은 발표된바 없으며, 다만언론이 단순사실 보도함.

2. 주재국 TIMES OF OMAN 지 부편집장은 동조치에 대한 배경설명이 없어 의도가 분명치 않으나, 아랍국가는 물론 단교조치 해당국내에서의 다국적군 집중 공습등에 대한 국제적 비난분위기를 조성하는 한편 국내적으로 국민들의 항전의지를 고취시키기 위한것으로 분석된다는 의견을 피력함.

3. 당관 견해로는 금번의 단교조치가 상기이외에도 UN 결의안에 의한 다국적군이라는 명분을 약화시키고 동개별국가들의 대이라크 적대전쟁으로 표출부각시키기 위한 의도도 포함된것으로 분석되며, 단교조치 확대 가능성은 현이라크의고립상황을 감안, 희박한 것으로 사료됨. 끝

(대사 강종원-국장)

예고:91.6.30. 일반

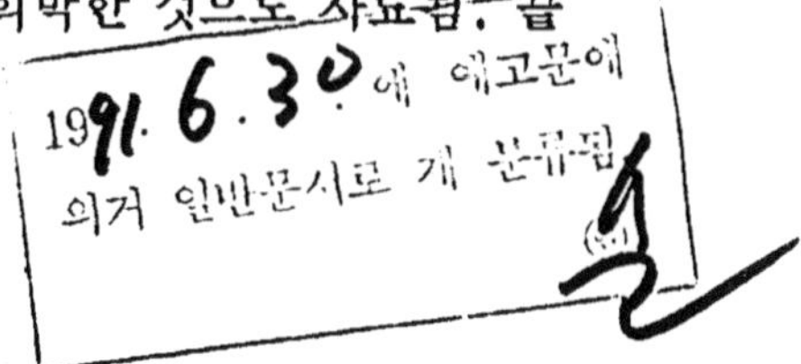

중아국

PAGE 1 91.02.11 20:15
외신 2과 통제관 EE 0020

관리번호	91-1408

원 본

외 무 부

종 별 :

번 호 : AEW-0123 일 시 : 91 0211 1300

수 신 : 장관(중근동,정일,기정)

발 신 : 주 UAE 대사

제 목 : 이라크의 6개국 단교(자료응신13호)

대:WMEM-0018

1. 대호, 이락의 단교조치와 관련, 주재국은 이라크의 쿠웨이트 침공이후 주이라크 주재국 외교관들을 본국으로 철수시킨바 있으며, 외무부에 확인한바에 의하면, 걸프사태이후 인원을 철수시켜 축소 운영하여 왔던 당지 이라크대사관 잔류직원(6 명, 두바이총영사관 2 명포함)들도 수일전 자발적으로 출국하였다함.

2. 연이나, 동이라크 외교관들의 출국은 주재국정부의 권고에 의한 출국이었다고 알려지고있음.

3. 한편, 주재국은 당지 이라크, 요르단, 팔레스타인, 예멘등 이라크에 동조하고있는 국가들의 국민들에 대하여 추방등 직접적조치는 취하고 있지는 않으나, 정부및 공공기관에 취업중 계약이 만료될시 연장을 기피하는등 동국민들에 대하여 불이익을 주는 조치등은 부분적으로 취하고 있음을 보고함. 끝.

(대사 박종기-국장)

예고:91.12.31 일반 검 토 필 (1991. 6. 30.)

중아국 장관 차관 1차보 2차보 정무국 청와대 안기부

PAGE 1 91.02.11 20:32 0021

외신 2과 통제관 CH

관리번호	91-1404

원 본

외 무 부

종 별 :

번 호 : QTW-0055　　　　일 시 : 91 0211 1744

수 신 : 장관(중근동)

발 신 : 주 카타르 대사

제 목 : 이라크의 6개국과의 단교

대:WMEM-0018

1.2.10 현재 대호건에 관하여 주재국 당국의 공식 반응은 없으나 외무성간부, 언론계 및 주재 각국 대사들의 여론을 종합하면, 이라크의 금번단교 조치가 미, 영, 불 및 이태리 등 서방국과 사우디, 이집트 등 아랍국에 한정되고 있고 시리아, 모로코 및 파키스탄 등 아랍연합군 참전국과 터키가 포함되지 않은 것으로 보아 다음과 같은 의미가 있는 것으로 보임.

0 서방 강대국을 상대로한 항전 결의 과시

0 이슬람 성전의 명분 견지

0 바트당 및 이슬람 시아파에 대한 배려

0 이라크 외교관을 추방한 반이라크계 아랍국가에 대한 경고

2. ------ 동조치는 다분히 친 이라크계 아라국가들의 추종을 기대한 DEMONSTRATION 효과를 노렸으나 실패한 것으로 보이며 , 당분간 단교대상이확대될 가능성은 희박한 것으로 관측되고 있음.

끝

(대사 유내형-국장)

예고:91.6.30 일반

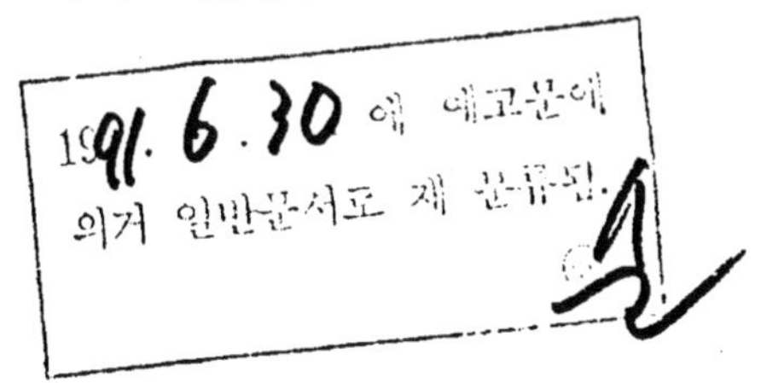

중아국　장관　차관　1차보　2차보　안기부

PAGE 1　　　　91.02.12 06:52

외신 2과 통제관 CH　0022

관리 번호	91-1415

원 본

외 무 부

종 별 : 지 급

번 호 : ITW-0233 일 시 : 91 0211 1935

수 신 : 장관(중근동,구일,정일,기정,국방부)

발 신 : 주 이태리 대사

제 목 : 이라크의 대주재국 단교통보(자응 91-20)

연:ITW-0214

대:WIT-0146

1. 대호 이라크의 6 개국 단교조치 관련 당관 문병록 참사관은 금 2.11. 외무성 중동담당관 FRANCHETTI 참사관과 접촉한 바 동인의 발언내용을 아래 보고함.

0 이태리 주재 AL BASRI 이라크대사는 2.8. 외무성을 방문 이태리와 단교할것을 공식 통보하였음.

0 이에 대해 이태리 정부측의 공식입장은 단지 "TAKE NOTE" 하는 것이며, 당일 외무성측은 동대사에게 전쟁포로로 억류중인 이태리 조종사의 신변안전 문제에 우려를 표명하고, 전쟁 포로에 관한 국제협상을 준수할 것을 촉구하였음.

0 이라크 대사등 외교관은 조만간 출국 예정이며 당분간 1 명의 외교관과 고용원 몇명이 대사관에 잔류할 것임.

0 이라크측은 쿠바를 이익 보호국으로 선정할 것임.

0 이라크는 이태리외에도 미국, 영국, 불란서, 이집트, 사우디에 대하여서도 외교단전을 통보한 것으로 암.

0 이태리는 이라크와 외교관계를 유지하면서 전쟁을 조속히 종료시키기위해끝까지 외교적인 협상을 전개코저 하였는 바 이라크측 조치에 실망을 금할수 없음.

금번 조치는 어제 사담후세인이 밝힌바 계속적인 부쟁선언의 일환으로 보며금후 평화적 해결방안 모색은 더욱 어렵게 되었음.

명일 베오그라드에서 개최예정인 비동맹회의에도 낙관적이지 못함.

이라크측은 전쟁종식을 위한 대화는 하지 않겠다는 의도인 것으로 보임.

0 이태리 정부는 이라크내 이익보호국 선정을 검토중에 있음.

0 금번 단교조치가 타국가에도 확대될 것인지는 예측할수 없으나 현재로선

중아국 장관 차관 1차보 2차보 구주국 정문국 청와대 안기부
국방부

PAGE 1

91.02.12 07:13 0023
외신 2과 통제관 FE

그가능성은 희박한 것으로 봄.

2. 상기 조치 관련 주재국 언론은 사실보도 이외에 별다른 반응을 보이지 않고 있는바, 여타 외무성 관계관의 반응은 다음과 같음.

0 NELLI FERROCI EC 정무담당과장

- 지난주 정무총국장회의 (브랏셀)시 EC 의장국은 EC 일부국가를 포함한 이라크의 단교조치 보도에 대한 대응방안을 협의할 것을 제의한바 있음.

- 그러나 당사국인 이태리, 영국, 불란서간 협의결과 EC 입장에서 공동입장을 취할 필요가 없을 뿐만 아니라 이에 대한 REACTION 을 취할 필요도 없으며 이라크정부와 계속적인 대화 체널을 유지하는 것이 바람직하다는데 의견일치를 보았음.

- 특히 전쟁포로 문제가 있으므로 이라크측과의 대화유지는 더욱 바람직한 것이었음.

- 이태리 정부는 금번 단교조치를 TAKE NOTE 할 것이며, 가까운 시일내에 외교관계가 회복 되기를 희망함.

- 금번 단교 조치가 타국가로 확대될 것인지 여부는 예측하기 어려우나 이라크가 이미 국제적으로 고립되어 있음로 이를 더 확대 시킬것으로는 보지 않음.

- 금번조치 및 걸프전쟁에 관하여서는 2.19. EPC 외무장관 회의에서 보다 구체적으로 토의 될것임.

- EPC 는 걸프지역의 안보문제, PLO/ 이스라엘문제등 중동문제, 아랍. 마그레브지역국가와 유럽 국가간의 반목 해소위한 대화 문제등 해결을 위해 협의를 계속할 것이며 이태리 정부는 동문제 해결방안의 일환으로 지중해/중동 안보협력회의(CSCM) 개최를 EC 회의에 제의하였음.

동회의개최문제는 이미 스페인, 불란서, 폴투갈과 공동 추진하기로 합의를 보았으나 이를 어떻게 조직, 추진할 것인지가 문제임.

동회의 개최에 대한 국제적인 관심이 증대되고 있음.

0 STARACE 유엔및 국제기구과장

- 금번 단교조치에 놀라움을 금할수 없음.

- 아랍국가및 여타 회교국가는 유엔의 역할에 부정적이므로 걸프전쟁해결을위한 유엔의 중재 역할을 기대하기 어려움.

- 이라크의 단교조치는 여타 참전 아랍국가 와의 관계도 있으므로 타국가로확대되지는 않을 것으로 봄.

PAGE 2

0024

3. 이태리 정부는 이란 이라크 전쟁중에도 양국간에 외교관계가 있었음에 비추어 걸프전쟁중에도 이라크와의 외교관계유지가 긴요함을 천명해온바 있는 바, 금번 단교조치에 즉각적인 대응조치없이 의연히 받아들이고 있음. 끝

(대사 김석규-국장)

예고:91.12.31. 일반

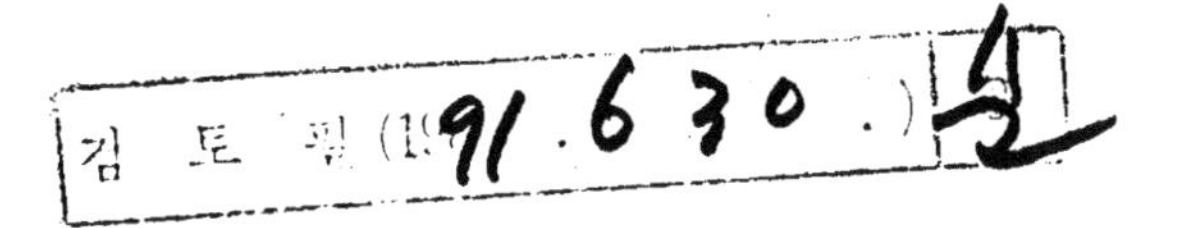

PAGE 3

0025

관리번호	91-1416

원 본

외 무 부

종 별 :

번 호 : UKW-0391　　　　일 시 : 91 0211 1830

수 신 : 장관(중근동,구일,미북,기정)

발 신 : 주 영 대사

제 목 : 영,이락 단교

대: WUK-0238

연: UKW-0359

대호관련, 금 2.11(월) 외무성 걸프 비상대책반 소속 S. COLLIS 담당관의 당관 황서기관에 대한 언급 요지 아래 보고함

1. 지난 2.8(금) 주영 이락대사대리가 외무성을 방문, 이락의 대영 단교를 공식 통보하였음

2. 이락측은 곧 이익보호국 지정관련, 구체적 제의를 해올 것으로 예상됨. 외무성은 동 제의에 따라 대응 조치를 검토하게 될 것임

3. 동 단교조치의 진의는 확실하지 않으나 전쟁발발후 양국관계는 사실상 외교관계 단절 상태와 비슷한 관계였으므로 큰 의미는 없다고 봄

4. 이락의 단교조치가 걸프사태 관련 영국의 입장에 어떠한 변화를 줄 수 있을 것으로 생각지 않음. 끝

(대사 오재희-국장)

예고: 91.6.30 일반

1991.6.30에 예고문에 의거 일반문서로 재 분류됨

중아국　장관　차관　1차보　2차보　미주국　구주국　안기부

PAGE 1　　　　91.02.12　07:14 0026

외신 2과　통제관 BW

관리번호	91-13PP

원 본

외 무 부

종 별 : 지 급

번 호 : USW-0719 일 시 : 91 0212 1806

수 신 : 장관(중동1,미북)

발 신 : 주 미 대사

제 목 : 이락의 대미 단교

대:WUS-0493

연:USW-0654

1. 연호 관련, 국무부 이란-이락과에서 당관에 알려온바에 따르면, 주미 이락대사관측이 2.9 국무부에 대미 단교 결정을 공식 통보하여 왔다함

2. 국무부측이 파악하기로는, 대호 단교 국가중 사우디를 제외한 5 개국에 대해 이락측이 단교 결정을 공식 통보한것으로 알고있다하며, 사우디의 경우는 사우디 정부가 자국 주재 이락대사관원을 이미 전원 추방하였기 때문에 이락측이별도의 공식 통보 조치를 취할 방법이 없었을것으로 본다 함.

3. 현재 주미 이락 대사관측은 이익 대표부 (PROTECTING POWER)를 물색하기 위해 노력중이라 하며, 주불 이락대사관의 경우는 큐바를 이익 대표국으로 기지정하였다 함.

4. 또한 상금 미측으로서도 이락측의 여사한 단교 조치가 확대될 가능성에 대해서는 별다른 정보를 입수치 못하고 있다 함.

(대사 박동진-국장)

예고:91.12.31 일반

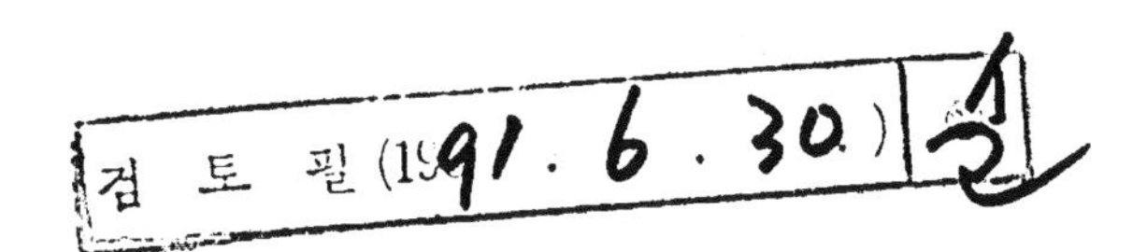

미주국 장관 차관 1차보 2차보 중아국 청와대 안기부

PAGE 1 91.02.13 08:51 0027

외신 2과 통제관 FE

관리 번호	91-1314

원 본

외 무 부

종 별 :

번 호 : CAW-0240 일 시 : 91 0213 1705

수 신 : 장관(중근동,정일)

발 신 : 주 카이로 총영사

제 목 : 이라크의 미.영등 6개국과 단교

(자료응신 제 57 호)

대:WMEM-0018

연:CAW-0221

대호건 주재국 외무부 외교단등 각계 의견종합 하기와 같이 보고함.

1. 주재국반응

주재국은 주이락 이집트공관원과 그 가족이 개전(1.17)전에 완전철수한 고로 연호 되거 명령이상 별도 조치는 취한바 없음.

2. 단교의도

주요 반이락 연합국에 대한 아랍및 ISLAM 권내 이락동조 대중들의 적개심 고취, 특히 이집트와 사우디를 서방세계 앞잡이로 규정 아랍과 ISLAM 권에서 이간시키기 위한 심리전에 불과함.

3. 확대가능성

SADDAM HUSSEIN 은 걸프전을 군사면보다 정치면에 촛점을 맞추고 있음에 비춰 단교 확대조치는 스스로 고립화를 심화시키는 결과를 초래하게 됨으로 필요이상 확대는 되지 않을것으로 관측됨. 끝.

(총영사 박동순-국장)

예고:91.6.30. 일반

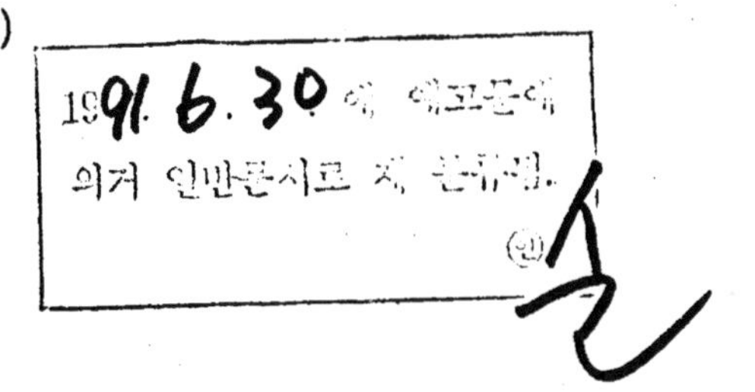
1991.6.30.에 예고문에 의거 일반문서로 재 분류됨.

중아국 안기부	장관	차관	1차보	2차보	미주국	정문국	청와대	총리실

PAGE 1 91.02.14 02:25 0028

외신 2과 통제관 DO

정 리 보 존 문 서 목 록					
기록물종류	일반공문서철	등록번호	2020120216	등록일자	2020-12-28
분류번호	772	국가코드	XF	보존기간	영구
명 칭	걸프사태, 1990-91. 전12권				
생 산 과	북미1과/중동1과	생산년도	1990~1991	담당그룹	
권 차 명	V.6 다국적 군대 파견, 1990-91				
내용목차	* 각국의 유엔평화유지군/유엔감시단(UNIKOM) 파견 포함				

0001

원 본

외 무 부

종 별 :

번 호 : UKW-1720 일 시 : 90 0712 1900

수 신 : 장관(중근동,구일,미북)

발 신 : 주영대사

제 목 : 걸프사태

연: UKW-1685

1. 영국정부는 사우디의 미군을 지원하기 위한탱크부대 기타 지상군의 파병과 해.공군의 추가파병을 검토하고 있는 것으로 9.11.(화) 보도됨

2.미측이 지난 월요일 나토 회원국의 가일층의협력을 촉구한데 이어 관계 각료들은 대처수상주재하에 9.11 회합을 갖고 대책을 협의했으며,미측과도 군사적 소요에관해 협의를 진행시키고있는 것으로 알려짐

3.당지 보도에 의하면 현재 걸프지역 주재 영국의해.공군 병력은 3,000 명에 달하는 바,영국정부는 약 4,000 명의 기갑여단과 100대이상의 탱크 및 약 4,000 명의 지원부대의 파병등제반 추가 파병 방안을 검토하고 있다 함.끝

(대사 오재희-국장)

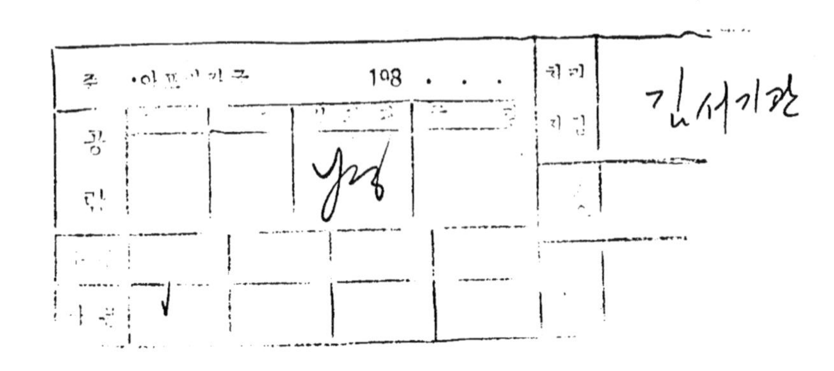

중아국 미주국 구주국

0002

PAGE 1

90.09.13 06:45 CT

외신 1과 통제관

중동지역 외국군 배치 현황

국 별	배 치 내 역
미 국	- 사우디 10만명등 걸프일대 지상군 20만명 배치 (MI 탱크 100대) - 4개 전단 (항모 3척 포함 총 48척) - 최신예 Stealth 전폭기 22대, F-15 48대, F-16 및 A-10 72대, AWACS 5대등 약 150대 동원 * 기타 F-111 전폭기 14대 터키 배치, B-52 폭격기 50대 디에고가르시아 배치
영 국	- 전함 3척등 총 7척 - Jaguar 전폭기 1개 대대, Tornado 전투기 2개 대대등 40대
프랑스 (다국적군 불참)	- 항모 Clemenceau등 7척 - 전투기 40대 - 1개 공수 중대 UAE 파견
소 련 (다국적군 불참)	- 구축함 1척등 2척
서 독	- 소해정 5척 동 지중해 파견
카 나 다	- 함정 3척
화 란	- 프리깃함 2척
호 주	- 프리깃함 2척등 3척
아랍연합군	- 이집트, 모로코, 시리아등 - 이집트 4천명, 모로코 1,200명, 시리아 2,000명 지상군 사우디 파견 - 방글라데쉬, 파키스탄 파병 약속

0003

중동지역 외국군 배치현황

8.21 현재

I. 미 국

1. 해군 배치 상황

o 페르샤만 :

- Lasalle 전함. 순양함 2척, 구축함, 프리킷 5척, 병원선 2척

o 지중해 :

- 항모 Saratoga호 배치

. Wisconsin호 등 전함 5척이 호위, Tomahawk 크루즈 미사일 32개, 상륙정 5척 등 장비

- 항모 kennedy 항진중

. 전함 5척 및 보조선 2척

o 홍 해 :

- 항모 Eisenhower호 및 함대 배치

. 구축함 2척등 전함 5척이 호위

o 아라비아해 :

- 항모 independence호 호르무즈 입구에 배치

. 전함 6척 호위

o 제7함대 소속 수륙양용함 5척(상륙특공대 4,440명 탑승) 사우디 해역에 파견

* 4개 항모 선단의 해군병력 : 3만5천

0004

2. 대사우디 파병 내역

ㅇ 총 파병 병력수 : 약5만명

* 페르시아만 일대 배치 미군 병력 : 20만여명(?)

* 4만5천여명의 해병 이동중

ㅇ 파병 내역

- 제1해병 사단(캘리포니아)

- 제7해병 여단

- 제3해병 비행단

- 101 공정사단(켄터키) 중 일부

. 공격용, 대전차 헬리콥터 등 장비

- 24기계화 보병사단(죠지아) 중 일부

. 탱크, 전자, 155mm포, 연발 로켓트포 등 장비

- 82 공정사단(노스 캐롤라이나) 중 일부

. TOW 대전차 미사일 등 장비

- 11 방공여단(텍사스) 중 일부

- 최신예 F-15F전투기(노스 캐롤라이나)

- F-15 전투기(버지니아) 48대 이상

- F-16 공격용 전투기 및 A-10 전차 공격기(사우드 캐롤라이나) 72대

- Stealth 전폭기 22대 파견

- AWACS 5대 추가 파견(기존 5대와 합류)

- 기타 C-130 수송기, 급유기 등

- MI탱크 100대

ㅇ 병력 수송을 위해 Eastern Airlines 등 민간 항공사에 동원령

0005

3. U.A.E 파병 내역

o C130기 5대로 바틴 공군기지에 수송개시(8.20)

4. 기 타

o F-111 전폭기 14대 터키 인시르리크에 배치

- 이라크 국경에서 680Km

o B-52 폭격기 50대, 인도양 디에고 가르시아에 배치

o 사우디에 F-15 전투기 40대 인도

Ⅱ. NATO 국가

1. 영국

o Tornado F-3 전투기 12대 사우디 파견

o Jaguar 공격용 전투기 12대 파견

o 전투기 호위 SAM 미사일 파견

o 구축함 1척, 프리깃 2척, 지원선박 걸프로 파견

- NIMROD(조기 경보기), 급유기등이 지원 출동

o 소해정 3척 동지중해로 항진중

o 지원병력 1,000명(지상군 없음)

2. 프랑스(다국적군 불참)

o 항모 Clemenceau 파견(순향함등 6척이 호위)

o 지원병력 3,200명, 전투기 40대

o 필요시 걸프국가에 물자.기술 지원 예정

3. 터키(다국적군 불참)

o F-16, 병력, Rapier 대공 미사일등 전진 배치

0006

4. 기타 NATO 국가

o 이태리 : 미 공군의 영공통과 허용. 수일내 다국적군 참가여부 결정

o 카나다 : 함정 3척 파견

o 서 독 : 소해정 4-5척 동지중해 파견 예정

o 덴마크 : 여타국의 걸프 파병으로 인한 NATO 지역 방위 부담 인수.
상업선박이 다국적군의 보급선으로 사용되는 것 허가

o 벨지움 : 함대 파견 결정

o 화 란 : 프리킷 2척 파견 예정

o 그리스, 스페인, 포르투갈 : 미군에 기지 제공

Ⅲ. 기타 국가

1. 아랍 연합군

o 파병국 : 이집트, 모로코, 오만, 시리아(파키스탄 파병 결정)

- 총병력 10,000명 예상

. 이집트군 3,000명

2. 쏘련(다국적군 불참)

o 전함 1척, 대잠함 1척 걸프 파견

o UN에 의한 군사행동이 결정될 경우 참여 고려(8.9. 외무부 성명)

3. 이스라엘

o 공군에 경계령. 대공미사일등 요르단 접경지로 이동

o 이라크군이 요르단 진입하면 이라크 공격(8.7. 국방장관 발표)

0007

4. 기타

- o 일 본 : 소해정, 병원선 파견 및 재정지원 검토중
- o 호 주 : 프리킷 2척, 유조선 1척 파견
- o 파키스탄 : 사우디 파병 결정
- o 이 란 : 이라크의 즉각.무조건 철수 요구(8.11. 국가안보회의 성명)
- o 인도네시아 : UN 요청시 사우디에 파병 용의 표명(8.18)

※ 쿠웨이트내 이라크군

- 현재 약14만 추정(6개 대통령 경호사 정예부대 포함)

0008

관리번호	90/1505

원 본

외 무 부

종 별 :

번 호 : BHW-0183　　　　일 시 : 90 0828 1300

수 신 : 장관(중근동,정일)

발 신 : 주 바레인 대사

제 목 : 쿠웨이트 사태(자료응신 제42호)

연:BHW-0167

1. 파키스탄의 SAHABZADA YAQUB 외무장관은 작 8.27. 걸프 순방의 일환으로 주재국을 방문, 금번 사태와 관련한 파키스탄의 대 GCC 지지입장을 재확인하고, ISA 국왕, MUBARAK 외무장관등과 양국 협력 방안등에 관하여 협의한 수 동일 U.A.E. 향발하였음.

2. 한편, 영국은 연호 주재국측의 요청에 따라 TORNADO 전투기 12 대를 당지에 배치 완료한 것으로 파악되고 있음.

3. 현재 주재국의 분위기는 표면상으로는 별다른 동요없이 평시 질서가 유지되고 있으며, 시내의 숙박업소 등에는 쿠웨이트 피난민들과 사복 차림의 미군들이 많이 목도되고 있음.

(대사 우문기-국장)

예고:90.12.31 일반

중아국　장관　차관　1차보　2차보　정문국　청와대　안기부　대책반

PAGE 1　　90.08.28 20:25

외신 2과 통제관 EZ

0009

공 란

공 란

공　　　란

공 란

관리번호	90/1571

원 본

외 무 부

종 별 :

번 호 : FRW-1583 일 시 : 90 0830 1850

수 신 : 장관(중근동,구일,정일,사본:국방부)

발 신 : 주 불 대사

제 목 : 이라크사태(자료응신 93호)

표제사태 관련 주재국이 홍해및 쿠웨이트 연안에 배치한 군사력 내용을 하기 보고함.

1. 총병력 8,900 명

-해군 4,000

-육군 3,900

-공군 800

-기타 200

2. 전부선단(총 9 척)

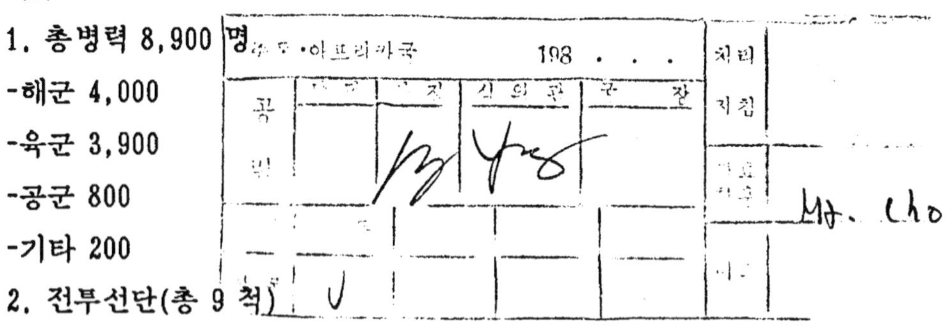

-DURANCE(보급선)

.150 명 승선

-CLEMENCEAU(항공모함)

.1,700 명 탑승

. 헬기 40 대(정찰용 GAZELLE 30 대 포함)

.SUPER-PUMA 전부수송기 10 여대 탑재

-COLBERT(미사일 발사선)

.561 명 탑승

.MASURCA 및 EXOCET 미사일 무장

-VAR(유류 보급선)

.160 명 탑승

.40 미리포 적재

-MONTCALM(대잠함)

.220 명탑승

중아국 장관 차관 1차보 2차보 구주국 정문국 청와대 안기부
국방부 대책반

0014

PAGE 1 90.08.31 03:09

외신 2과 통제관 CW

.EXOCET 해대해 미사일, CROTALE 해대공 미사일,100 미리포, LYNX 헬기등으로 무장

-DUPLEIX(대잠함)

.220 명 탑승

.EXOCET 및 CROTALE 미사일 탑재

-BORY(호위선)

.172 명 탑승

.EXOCET 대함정 미사일 적재

-PROTET(호위선)

.172 명 탑승

.EXOCET 무장

-DUCUING(통보함)

.105 명 탑승

.EXOCET 대함정 미사일 적재.끝.

(대사 노영찬-국장)

예고:90.12.31. 까지

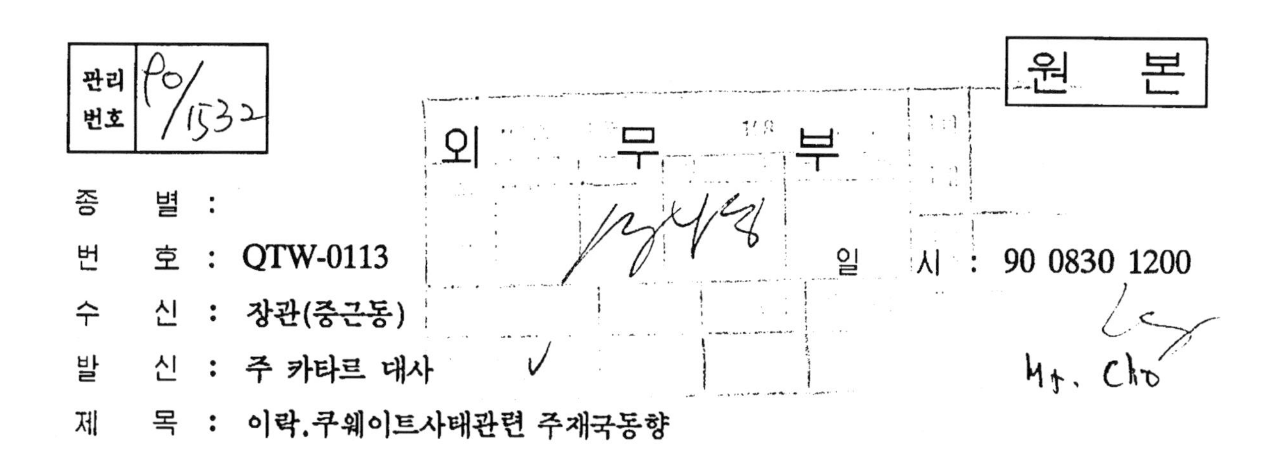

연: QTW-0112

1. 연호 보고와 같이 8.29 15:30 경부터 당지 DOHA 공항에 미공군 F-16 전투기 24 대 및 DC-10 형 수송기 1 대와 1 개대대 (SQUADRON) 규모의 병력이 도착하였음. 추가로 불란서군 병력도 도착 예정이라고 하나 미확인임.

2. 현재 당지에는 약 400 명의 쿠웨이트인이 체류중인바 주재국 국왕은 실형인 SH.MOHAMED BIN HAMAD AL-THANI (전 문교장관) 으로하여금 쿠웨이트난민 에대한 적극적인 구호 대책을 실시하고 있으며 주재국 정부 부담으로 이들에 대한숙식, 자녀교육등 제반 편의를 제공하고 있음. 당지 신문 보도에 의하면 이들 쿠웨이트 난민들은 UAE 등 다른지역의 난민들과 함께 이락군에 대항할 무장단체의조직을 추진중이라함.

(대사 유내형-국장)

예고 :90.12.31 일반

중아국	차관	1차보	2차보	청와대	안기부	대책반

0016

PAGE 1

90.08.30 19:14

외신 2과 통제관 BT

관리 번호	90/115P

원 본

외 무 부

종 별 :

번 호 : AEW-0258 일 시 : 90 0903 1300

수 신 : 장관(중근동,기협,정일)

발 신 : 주 UAE 대사

제 목 : 이라크-쿠웨이트 사태(14)(자료응신 19호)

연: AEW-0257

1. 주재국 MOHAMMED 국방장관은 9.2. 연호 주재국을 방문중인 HURD 영국 외무장관과 회담을 하였음.

2. 동인은 회담후 기자회견에서 아랍및 다국적군과 함께 GCC 군들이 사우디HAFR AL BATIN 지역에 주둔하고 있으며 UAE 는 필요시 UAE 군을 증파할 계획이라고 함.

3. 또한 동인은 팔레스타인 문제가 이라크-쿠웨이트 사태로 인하여 국제적 무관심속에 소홀히 다루어져서는 안됨을 강조하고 아랍은 팔레스타인의 권리를 결코 포기하지 않을 것임을 밝혔음.

(대사 박종기-국장)

예고:90.12.31 일반

개시기관

중아국 차관 1차보 2차보 경제국 정문국 청와대 안기부 대책반

PAGE 1 90.09.03 19:02

외신 2과 통제관 BT

0017

관리번호	90/1562

원 본

외 무 부

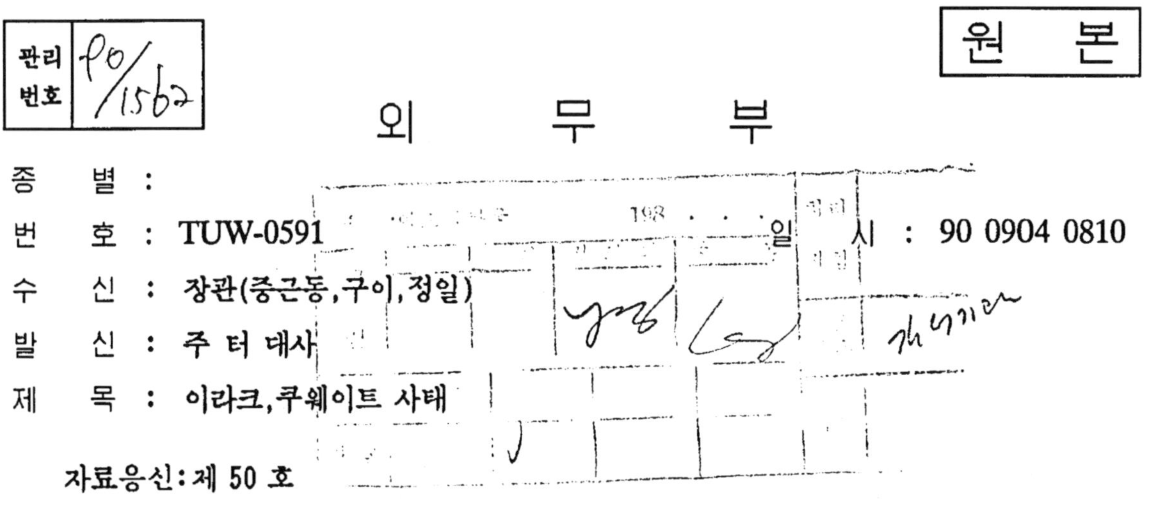

종 별 :

번 호 : TUW-0591 일 시 : 90 0904 0810

수 신 : 장관(중근동,구이,정일)

발 신 : 주 터 대사

제 목 : 이라크,쿠웨이트 사태

자료응신:제 50 호

표제에 관련된 주재국내 동향을 아래 보고함.

1. 터키군의 외국 파견권 요청

-OZAL 대통령은 9.1 정기국회 개원식에서 걸프사태와 관련 터키군의 외국 파견권및 외국군의 터키 주둔권을 포괄적으로 다시 대통령에게 위임. 긴급사태 발전에 신속히 대응함이 타당하다는 의사를 표명 하였음 (8.12. 터키국회는 터키가 침공을 받았을때 한하여 상기 권한을 위임한바 있음)

-동문제는 9.5 개최되는 각료회의에서 협의되어 국회에 재요청할것이라고 하며 국회토의시 이를 반대하는 야당측과 논란이 있을것이 예상됨.

-주재국 언론은 약 5,000 명 터키군의 다국적군 파견 가능성을 계속 보도하고 있음.

2. 터키, 이라크 각료급 회담개최

-5.29 터.이라크 국경지대인 HABUR 에서 이라크측의 요청으로 ISIN CELEBI 터키 국무장관과 이라크의 석유장관간의 회담이 개최되었음.

-이라크는 동회담에서 터키에게 의약품과 유아용 식품을 공급하여 줄것을 요청하였으며, 터키는 유엔안보리 제재결의 내용을 참작 동문제를 검토중인것으로 보임.

(대사 김내성-국장)

예고:90.12.31. 까지

중아국	차관	1차보	2차보	구주국	정문국	청와대	안기부	대책반

PAGE 1

90.09.04 17:34 0018

외신 2과 통제관 BT

관리 번호	90/2034

원 본

외 무 부

종 별 :

번 호 : FRW-1607　　　　일 시 : 90 0904 1800

수 신 : 장관(중근동,구일,정일,사본:국방)

발 신 : 주 불 대사

제 목 : 이라크 사태(자료응신제95호)

1. 9.3 주재국 외무성은 이라크의 억류자 석방중단 술책을 비난하는 한편, ROLAND DUMAS 외상은 주재국 국영 TV ATENNE 2 와의 인터뷰에서 걸프사태는 초기의 대응단계 및 외교 협상 결렬 단계를 거쳐 제 3 단계에 접어들고 있다고 분석하면서, 불투명한 평화 해결의 기회가 조만간 무력행사로 악화될 가능성도 배제할수 없다고 밝히고, 현재 해상 봉쇄 상태는 만족스러우나, 필요시 UN 주도하에 육로 및 항공에도 확대해야 할것이며, 동 문제가 오는 9.9 헬싱키 미.소 정상회담에서 거론되기를 희망함.

또한 불란서가 현지에 14 개 함대를 주둔 미국에 이어 2 번째의 군사력 파견국임을 상기 시켰음.

2. 미테랑 대통령은 9.3 자 후세인 요르단 왕과의 회담에서 요르단 체재 쿠웨이트 난민 구호를 위해 EC 국가의 300 만 ECU 에 이어, 4 백만 프랑을 불란서가 별도 지원할것임을 밝혔음.

3. 또한 미테랑 대통령은 9.3 자 각료회의에서 걸프사태의 경제적인 영향에지체없이 대처하기 위해, 에너지 절약, 성장 지속, 소득불균형 해소 노력 지속, 경제난 타개를 위한 노력 분담등 기본 방침을 수립하였으며 석유가 인상으로인한 투자 활동 위축을 최대한 줄이기 위해 재투자 소득세 인하, 부동산 소득세인상, 부유세 증액등이 가능한 조치가 오는 9.12 각료회의에서 결정될것으로 보임.

4. 한편 EC 제국은 쿠웨이트 주재 공관의 어려운 현지 실정을 감안, 곧 철수할것이라하며, 동 철수가 쿠웨이트에 대한 이라크의 주권을 인정하는것이 아니라는 입장을 강조하고 있음. 끝

(대사 노영찬-국장)

예고:90.12.31 까지

중아국　장관　차관　1차보　2차보　구주국　정문국　청와대　안기부
국방부　대책반

PAGE 1　　　　90.09.05　06:43　0019

외신 2과　통제관 CW

원 본

외 무 부

종 별 :

번 호 : NRW-0551 일 시 : 90 0904 1610

수 신 : 장 관(중근동,구이,기정동문)

발 신 : 주 노르웨이 대사

제 목 : 중동사태

주재국은 8.31.해안경비정 1척을 걸프지역에 파견하기로 결정하였음.동경비정은덴막이 파견한 코르빗함 (CORVETTE) 의 지원역활을 담당하며 전쟁이 발생하는 경우 직접군 사행동에 참여하지 않을것이라함.주재국은 미국으로부터 재정지원을 요청 받고 있으나 이를 거절하기로 한것으로 알려짐.한편 주재국은 이락, 쿠웨이트로부터 탈출하는 사람들의 구호목적으로 이미 200만크나를 적십자사에 제공한데 이어 1,200만크로나를 추가 제공하기로 결정하였음

(대사 김정훈-국장)

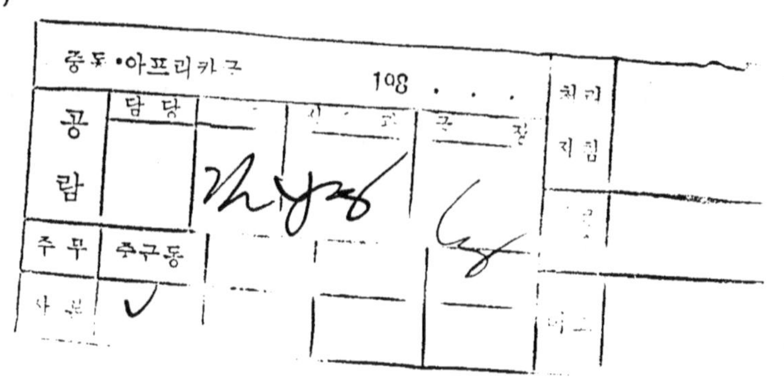

중아국 2차보 미주국 구주국 통상국 정문국 안기부 대책반

1차보

PAGE 1 90.09.05 10:32 WG

외신 1과 통제관 0020

관리번호	90/1173

원 본

외 무 부

종 별 :

번 호 : AEW-0262 일 시 : 90 0905 1400

수 신 : 장관(중근동,기협,정일)

발 신 : 주 UAE 대사

제 목 : 이라크-쿠웨이트 사태(15)(자료응신 20호)

연:AEW-0258

1. 주재국 외무부는 9.4. 아랍방위협정및 CAIRO 아랍 정상회담 결의에 의거, 애급, 모로코, 시리아군의 주재국 파병을 받아 들였음을 공식으로 발표함.

2. 한편, 주재국 ZAYED 대통령은 9.4.RASHID 외무담당 국무장관을 특사로 임명, 이란 RAFSANJANI 대통령에게 친서를 전달함.

3. 주재국은 이라크-쿠웨이트 사태에 이은 확전에 대비, 외교적으로는 이란과 선린우호관계 증진을 모색하여 이라크의 주재국 안보위협에 대처하고, 군사적으로는 미.영등 서방으로 하여금 공군과 해군을 주둔케하고 지상군은 아랍 연합군을 주둔케하여 주재국 안보의 대미 서방의존에 대한 리비아등 여타 아랍의 비난을 회피코자 하는것으로 관측됨. 끝.

(대사 박종기-국장)

예고:90.12.31 일반

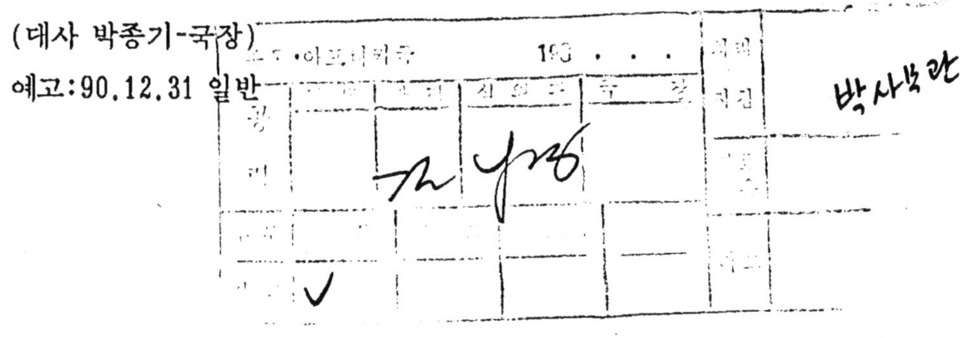

중아국 대책반 장관 차관 1차보 2차보 경제국 정문국 청와대 안기부

PAGE 1

90.09.05 19:19

외신 2과 통제관 EZ

0021

원 본

외 무 부

종 별 : 지 급

번 호 : FNW-0268 일 시 : 90 0909 2100

수 신 : 장 관(중근동,미북,동구일,구이,정일,기정동문)

발 신 : 주 핀랜드 대사

제 목 : 미.소 정상회담

중근동

1.표제회의가 당지에서 9.9(일) 10:00부터 7시간 계속 되었으며, 동 회의결과발표된 공동성명 요지는 아래와 같음.

가.미.소 양국은 이락의 침략이 용납될수 없다는 믿음에서 단결함.

나.미.소 양국은 다시한번 이락의 쿠웨이트로 부터의 무조건 철수, 쿠웨이트 합법정부의 회복, 이락 및 쿠웨이트에 있는 모든 인질의 석방을 촉구함.

다.유엔 안보리 결의의 완전한 이행 및 90.8.2. 이전의 쿠웨이트로의 원상회복에 못미치는 어떠한 조치도 수락할수 없음.

라.미.소 양국은 유엔안보리 결의 661호가 인도적 상황하에서 이락 및 쿠웨이트로의 식량의 반입을 허용함을 인정함.

마.미.소 양국은 동 위기의 평화적 해결을 희망하나 현재의 조치가 위기를 종식시키지 못할경우, 유엔헌장에 따라 추가조치를 검토할 것임.

2.미.소 양국 대통령은 9.9 17:40 부터 약 1시간동안 공동 기자회견을 가졌는바, 동 기자회견시 주요내용 아래 보고함 (당관 이순천 참사관, 동기자회견 참석)

가.군사적 OPTION 의 토의 여부

양국정상은 동 위기를 정치적으로 해결코자 함 군사적 행동문제는 토의하지도않았으며, 미.소 양국의 단결로 정치적 해결이 가능하다고 생각함.

나.소련에 대한 경제원조 문제

부시대통령은 소련의 개혁정책이 성공하기를 바라며, 현재 민간레벨에서 긴밀한협력이 이루어지고 있다고 하였으나 구체적 경제지원 문제는 COMMIT 하지 않음.

다.이락에서의 소련군사 고문단 철수문제

고르바초프 대통령은 이들 기술자들이 계약에 따라 일하고 있으며, 아직 계약기간이 끝나지 않았으나 고문단들의 숫자가 감소하고 있다고 말하고, 철수문제에

중아국	장관	차관	1차보	2차보	미주국	구주국	구주국	정문국
안기부	총장국	대책반						

김서기관

PAGE 1

90.09.10 06:02 DA

외신 1과 통제관

0022

대하여는 확답을 피함.

부쉬 대통령은 소련 군사고문단 철수문제에 대하여는 답변을 유보하고, 다만이 문제가 중요한 IRRITANT 는 아니라고 말하고 이미 그 숫자가 줄고 있다고 한고르바초프 발언에 주목함.

라.소련의 미.이락간의 중재문제

부쉬대통령은 후세인 이락 대통령이 미.소간 및 미국과 다른 우방국을 DIVIDE 할 수 없다고 말하였으나 소련측에 중재역을 중지할 것을 요청하지는 않았다고 말함.

마.소련군의 다국적군 참여문제

부쉬 대통령은 미국이 소련측에 다국적군에의 참여를 요청하지 않았으며, 다국적군에는 이미 23개국 군대가 참여하고 있다고 말함.

바.기타

1)고르바초프 대통령은 미.소의 단결 및 DECISIVENESS, RESPONSIBILITY, POLITICAL FAITH 가 동위기를 해결하는데 중요하다고 주장함.

2)부쉬 대통령은 아랍국 및 아랍연맹 국가들에게 감사한다고 말하고, 동문제는후세인 대 미국간의 대립이 아니라 후세인대 미국 및 대다수 아랍국가간의 대결임을 강조함.

3.분석.평가

동회담은 당초 5시간으로 예정 되었으나 7시간으로 연장되었고, 소련 군사고문단 문제에 대하여 미.소 양국이 이견을 보이고 있으며, 조속한 시일내에 양국 정상이 다시 만날 것이라는 예상에 비추어 볼때 동회담이 기대보다는 성과가 없었던 것으로 관측됨.

4.부쉬 대통령은 회담후 금일 19:50 당지를 출발 하였으며, 고르바초프 대통령은 당초 9.10 오전출발 예정을 앞당경 금일 20:15분 당지를 출발함.

5.공동성명 전문 별전 타전함. 끝

(대사 최상진-차관)

관리번호 90/1211

원 본

외 무 부

종 별 :

번 호 : AEW-0266

일 시 : 90 0910 1400

수 신 : 장관(중근동,기협,정일)

발 신 : 주 UAE 대사

제 목 : 이라크-쿠웨이트 사태(17)(자료응신 22호)

김서기관

1. 당지주재 사우디대사는 9.10. 소직을 예방, 아래 사항 언급함.

가. 현사태관련 사우디의 군사적 필요성보다는 한. 사우디 전통적 우호관계에 비추어 상징적인 의미에서 소규모의 한국군 파병이 요망됨

나. 사우디 외무장관은 카이로 아랍연맹회의 참석후 모스크바를 방문, 양국 수교에 합의 예정임

2. 참고로 동인은 금번사태 관련 이라크에 협조적인 팔레스타인및 요르단인들이 GCC 각국들로부터 추방등 불이익을 받게될 것이라고 첨언하였음을 보고함. 끝.

(대사 박종기-국장)

예고:90.12.31 일반

중아국 차관 1차보 2차보 경제국 정문국 청와대 안기부 대책반

PAGE 1

90.09.10 19:41 0024

외신 2과 통제관 DO

원 본

외 무 부

종 별 :

번 호 : DEW-0385 일 시 : 90 0911 1700

수 신 : 장 관(중근동,구이,기정)

발 신 : 주 덴마크 대사

제 목 : 걸프만 사태

1. 9.11. 당지 언론보도에 의하면 주재국 최대 선박회사 MAEESK 사가 미국의 군수물자를 걸프만으로 무료 수송할 것을 제의했으며 이를 위해 동사는 미국과 걸프만 사이의 항로에 콘테이너선 2척을 정기적으로 운항 시킬것으로 알려짐. 9.10.브뤼셀 NATO 긴급회의에 참석한 ELLEMANN- JENSEN 외무장관도 이를 확인함.

2. ELLEMANN- JENSEN 장관은 또한 미국이 NATO 회원국 들에게 지상군 파견을요청하고 있는데 대해 주재국은 이미 다른 방법으로 기여해 왔으며 지상군을 파견할 입장이 아니라고 말함. 끝.

(대사 장선섭-국장)

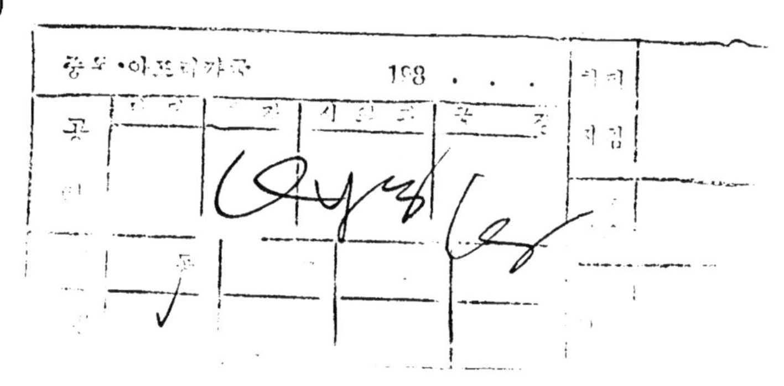

중아국 1차보 구주국 정문국 안기부 대책반 미주국 통상국

PAGE 1

90.09.12 06:01 DA

외신 1과 통제관

0025

관리번호	90/1612

원 본

외 무 부

김서기관

종 별 :

번 호 : BHW-0208 일 시 : 90 0912 1200

수 신 : 장관(중근동,정일)

발 신 : 주 바레인 대사

제 목 : 쿠웨이트사태(자료응신제49호)

연:BHW-203

1. 연호, 서방 해군 지휘관회의는 작 8.11. 이틀간의 일정을 마치고 폐회되었는바, 미 해군 대변인은 참가국들은 유엔의 대 이라크 해상봉쇄의 효과 극대화를 위해 걸프만내 순시해역을 각국별 담당해역으로 세분화하는 기본원칙에 합의하였다고 발표함.

2. 또한, 금 8.12. 부터 중동 순방을 시작한 POWELL 미 합참의장은 금번 순방중 당지에서 걸프지역내 다국적 해군 지휘관 회의를 주재, 각국별 책임순시해역을 구체적으로 지정하는 문제및 통신망 조정문제등에 대해 협의할 예정인 것으로 전해지고 있음.

3. 한편, MUBARAK 외무장관은 카이로 아랍연맹 긴급 외무장관회의 참석후, 작 8.11. 밤 귀국하였음. 끝.

(대사 우문기-국장)

예고:90.12.31 일반

중아국 차관 1차보 2차보 정문국 청와대 안기부 대책반

PAGE 1

90.09.12 21:02 0026

외신 2과 통제관 DG

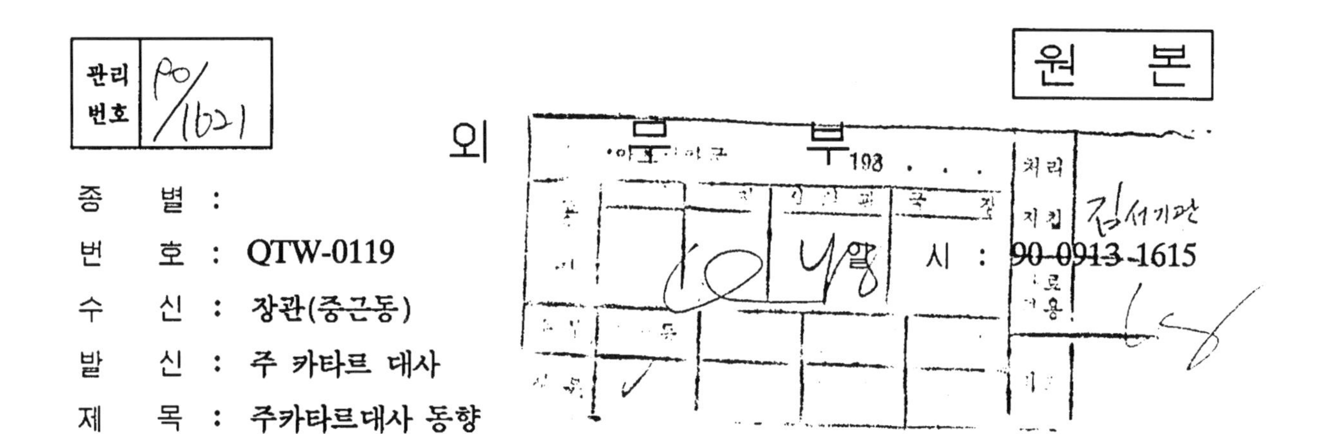
관리번호 90/1621

원 본

외 무 부

종 별 :

번 호 : QTW-0119 일 시 : 90 0913 1615

수 신 : 장관(중근동)

발 신 : 주 카타르 대사

제 목 : 주카타르대사 동향

1. 당지주재 ANWAR SABHRI ABDULRAZAK 이라크대사는 9.13. 11:00-11:30 간 본직을 내방하여 쿠웨이트사태와 관련한 자국의 입장을 설명하고 지지를 요청하였는바 면담요지 아래와 같음.

2. 설명요지

0 금번사태는 아랍민족간의 문제이며 아랍국가간의 노력으로 해결되어야할 문제로서 미국의 개입은 부당하며 이라크는 걸프권 6 개국을 제외한 대다수아랍국가의 지지를 받고있음.

0 쿠웨이트가 8.4 경 동국내에 미군병력을 진주시킬 계획을 갖고 있다는 정보가 있었기때문에 이라크는 방어적 개념에서 쿠웨이트에 병력을 진주시켰던것임.

0 (이라크 및 쿠웨이트는 아국의 이익을 위하여도 중요한국가들이므로 유엔안보리결의에 따라 평화적인 해결책이 모색되기를희망한다는 본직발언에 대해) 쿠웨이트에는 사태발발전 약 12 만의 이라크인이 거주하고 있었으며 역사적으로도 이라크에 귀속되어야할 명분이 있음. 그리고 8.3-4 에 JEDDAH 에서 축소된 아랍정상회담(이라크, 사우디, 이집트, 욜단, 쿠웨이트)을 개최하여 평화적해결책을 모색코저 시도하였으나 사우디가 미국의 압력으로 동회담에응하지 않음으로서 아랍권내에서의 평화적 해결기회를 일실하였고 미군의 진주로 사태가 악화됨.

0 현재 이라크는 미국과의 대결을 위해 600 만대군을 동원중에 있으며 최신무기와 실전으로 단련된 용맹성으로 미군을 압도 할것이므로 미군의 군사적 모험 가능성 없음.

0 따라서한국도 이라크와의 관계를 고려하여 미국의 압력에 굴하거나 야합하지 말것을 희망함. 동대사는 본국훈령에 의거 상기내용을 설명케되었다함.

3. 분석: 동대사는 아국이외에 아랍각국과 일본, 중국, 소련대사를 순방 본국정부

중아국 차관 1차보 2차보 정문국 청와대 안기부 대책반

PAGE 1 90.09.14 01:21 0027

외신 2과 통제관 DO

훈령을 설명한다고 하는바 이는 이라크가 국제사회에서 고립을 면하고 각국의 대이라크 제재동조 내지 지원을 견제하기위한 활동의 일환으로 보임.

4. 동면담중 본직은 이라크정부가 아국의 주쿠웨이트공관원 4 명의 출국허가를 지연시키고 있는 사실 을 지적하고 조속한 출국조치 희망한바 본국에 보고 하겠다고 답변하였음을 첨기함.

(대사 유내형-국장)

예고:90.12.31 일반

PAGE 2

0028

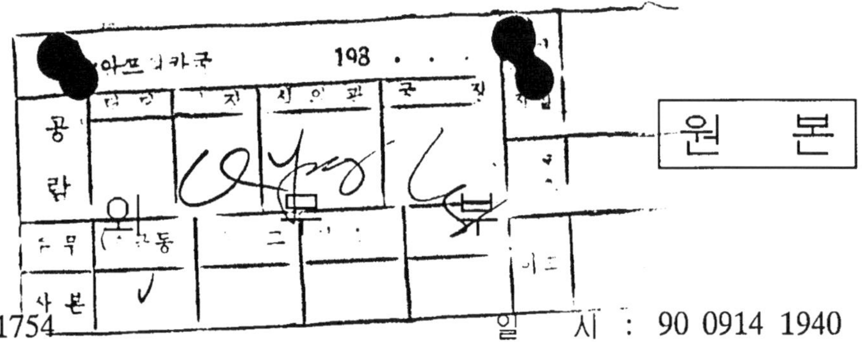

원 본

종 별 :

번 호 : UKW-1754 일 시 : 90 0914 1940

수 신 : 장관(중근동,미북,구일,기정동문)

발 신 : 주영대사

제 목 : 걸프사태(영국 지상군 파병)

연: UKW-1720

1. 영국정부는 금 9.14.(금) 서독에 현재 주둔하고있는 제7 기갑여단등 지상병력을 걸프에 파견하기로 결정함. 이에따라 동 여단의 120 대의 탱크(CHALLENGER), 기타 소요장비와 지원병력을 포함한 약 8,000 명의 병력이 파견되고, 15대의 토네이도(TORNADOES) 기로 구성된 1개 비행중대가 추가 파견될 것임

2. TOM KING 국방상은 금일 오전 관계각료회의가 끝난후, 2차대전 이후 최대의 지상군해외 파병 결정을 발표하면서, 이락이 쿠웨이트로부터 철수하지 않으면 군사적대응이 불가피할 것임을 강조하고, 이락에 의한 더 이상의 침략을 방지하는 동시에경제제재 외에도 다른 대응책이있음을 사담 후세인에게 인식시키는데 금번 파병 목적이 있다고 언급함

3.영국 정부는 금번 지상군 파병을 결정하는데있어서 미측과의 긴밀한 협의하에소요장비,파병규모등을 검토하였으며, 사우디측과도 소요비용 문제에 관해서 협의를진행 시켜온 것으로 보도됨. KING 국방상은 금번 추가파병으로 영국의 대 걸프 파병에 의한 경비는종래의 1일 1백만 파운드에서 1 일 2백만파운드로 증가될 것이라고 밝힘.

4.한편 금번 파병이 브르크등 항구를 떠나 지중해를 거쳐 걸프지역에 도착하는데약 5,6주가 소요될 것으로 보도되고있음.끝

(대사 오재희-국장)

중아국 1차보 미주국 구주국 정문국 안기부 통상국 대책반 2차보

PAGE 1

90.09.15 06:21 CG

외신 1과 통제관

0029

외 무 부

종 별 :

번 호 : USW-4194 일 시 : 90 0914 1940

수 신 : 장 관(미북,중근동,아일,구일)

발 신 : 주 미 대사

제 목 : 부쉬 대통령 기자 회견

연: USW(F)-2232

금 9.14 백악관에서 실시된 부쉬 대통령기자 회견 내용중, 걸프 사태 관련 주요언급 요지하기 보고함 (기자 회견 내용 전문 별첨 송부)

1. 걸프 사태 관련 일본측의 추가 지원 결정에 대해 사의 표함 (동건 관련, 작일밤 가이후 수상과 통화시 개인적으로도 사의를 표한바 있음)

또한 금일 오전 영국 대처 수상도 영국측이 1개기갑 여단 및 헬리콥터, 항공기등을 사우디에 추가파견키로 결정하였다고 본이에게 전화로 알려왔음.

2. 이라크군의 쿠웨이트 주재 불란서 대사 관저 침입사건 관련, 폴란드 방문중인 미테랑 대통령과 방금 전화 통화를 하였는바, 무력 사용에 의한 보복 조치등 구체적 대응 방안을 협의친 않았으나 미국으로서는 이 문제와 관련한 프랑스측 입장을 적극 지지함.

3. 미군의 사우디 파병은 사우디 정부의 요청에 따라 이루어진것인바, 이들 미군병력은 이들의 사우디내주둔이 더 이상 필요치 않거나 원치 않게되는 경우 (AS SOONAS THEY ARE NO LONGER NEEDED OR WANTED) 즉시철수할것임.

(대사 박동진-국장)

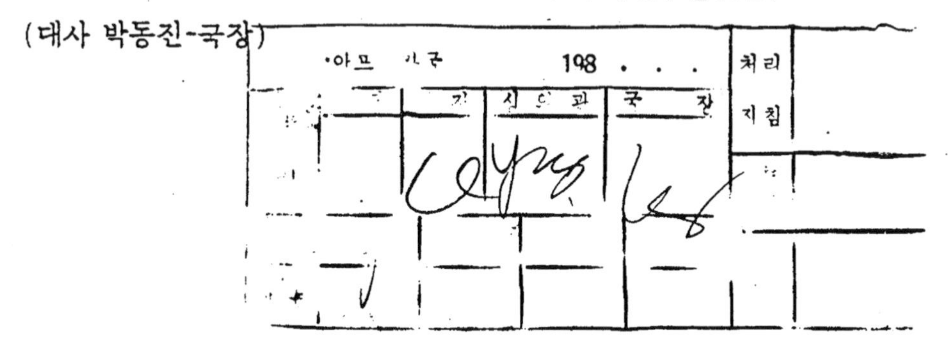

미주국 1차보 아주국 구주국 중아국 정문국 안기부 통상국 대책반

PAGE 1 90.09.15 09:33 WG

외신 1과 통제관 0030

원 본

암호수신

외 무 부

종 별 :

번 호 : FRW-1703 일 시 : 90 0915 1030

수 신 : 장관(중근동,구일,정일,사본:국방부)

발 신 : 주 불 대사

제 목 : 이라크사태(자료응신 제103호)

1. 주재국 국방성에 의하면, 걸프만 파견 불란서군 유지비는 매월 3,000 만불(MIRAGE 2000 전투기 1 대가격 상당)이 소요된다 함.

2. 9.15. 자 르몽드지는 현재 이라크와 쿠웨이트에 거주하는 외국인 200 만명중 불란서는 400 명(이라크에 300, 쿠웨이트에 100), 한국은 447 명(436 명 및13 명) 이라고 보도함. 끝.

(대사 노영찬-국장)

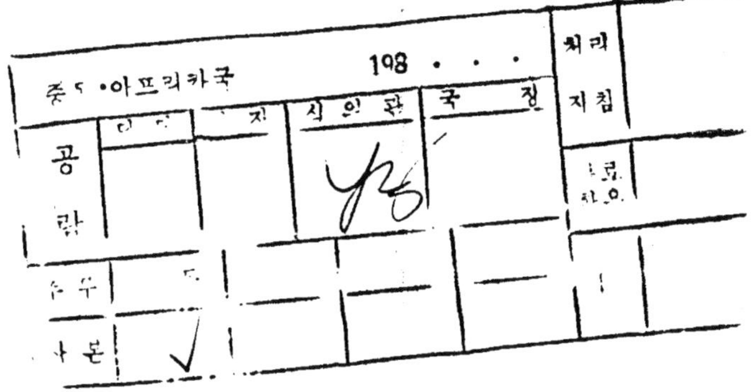

중아국	장관	차관	1차보	2차보	구주국	정문국	청와대	안기부
국방부	대책반							

PAGE 1

90.09.15 18:27 0031

외신 2과 통제관 EZ

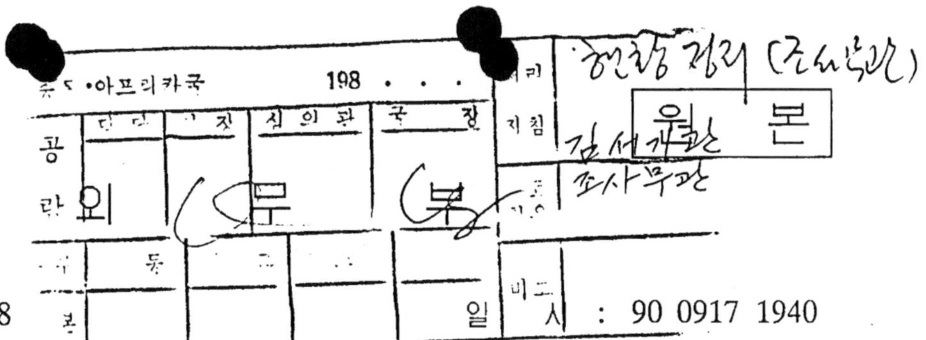

종 별 :

번 호 : ITW-1128 일 시 : 90 0917 1940

수 신 : 장 관 (중근동,구일,기정,국방부)

발 신 : 주 이태리 대사

제 목 : 걸프사태 관련 주재국 조치(자응 90-82)

연: ITW-1105

주재국은 9.14.및 9.16. 양일에 걸쳐 이라크에 대한 아래 추가적인 군사및 제재조치를 취하기로 발표한바 동내용 보고함.

1. 군사조치

0 9.14. 주재국 정부는 8대의 폭격기와 1대의 순양함을 추가로 파견키로 결정하고 의회에 동의를 요청함.

0 동결정은 베이커 국무장관의 방이에 앞서결정된 것으로서 그간의 미측의 요청에 부응하기 위한 조치로 보이는바, 베이커 국무장관은 금번 방문시 이태리 정부의 동조치에 사의를 표하는 한편 육군의 파병도 요청한 것으로 알려짐.

0 이태리 정부의 공군전투기 해외파견을 2차대전후 처음있는 일인바, 주재국 국방장관은 동추가조치의 일차적인 목적은 기존 파견 함대의 보호에 있다고 언급함.

0 한편 안드레오띠 수상은 베이커 장관 면담시 걸프사태의 평화적인 협상을 통한 해결의 중요성을 거듭 강조하면서 대이라크 경제봉쇄를 준수하지 않는 국가에 대한 경제 제재 조치를 취할것을 제의함.

2. 이태리 주재 이라크 대사관 무관 출국 조치

0 이라크측의 쿠웨이트 주재 불란서등 4국 공관난입 사건에 대한 상응조치로서 이태리 외무성은 9.16. 이태리 주재 이라크 대사관 무관단 7명을 10일이내에 출국할것을 통보함.

0 여타 이라크 외교관에 대하여는 로마시내로 부터 30키로미터 로 여행을 제한함.

0 데 미켈리스 외상은 동조치는 이라크의 서방대사관 공격에 대한 경고로서 본보기가 될것이며 EC 의 단합을 입증하는 강력한 증표라고 언급하고 금일 브럿셀에서 개최 되는 EC각료회의에서 보다 강력한 조치가 취해질 것이라고 밝힘.끝

중아국 1차보 구주국 정문국 안기부 미주국 통상국 대책반

PAGE 1 90.09.18 10:10 WG

외신 1과 통제관 0032

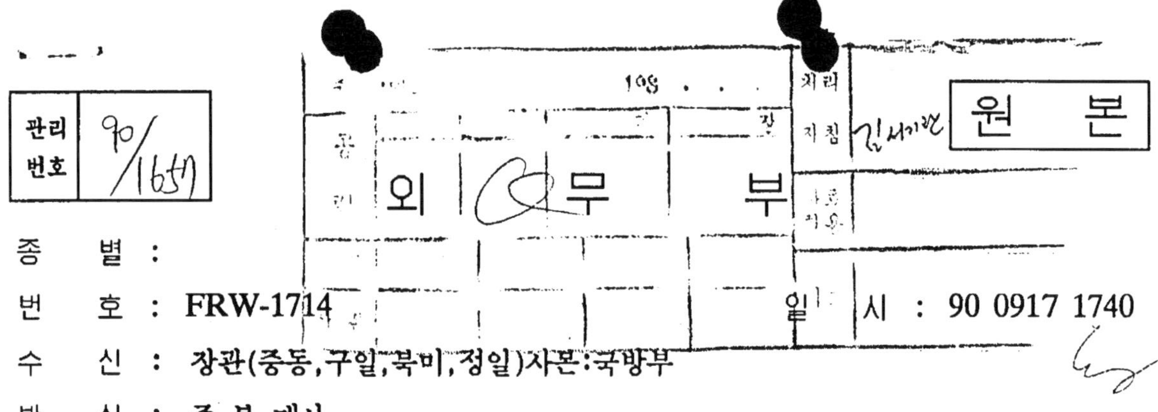

종 별 :

번 호 : FRW-1714 일 시 : 90 0917 1740

수 신 : 장관(중동,구일,북미,정일)사본:국방부

발 신 : 주 불 대사

제 목 : 이라크군 불대사관저 납입에 대한 주재국 대응(자료응신104호)

1. 9.14 이라크군의 쿠웨이트 주재 불대사관저 난입 사건과 관련, 주재국은 9.15 미테랑 대통령 주재하에 긴급 관계각료회의를 갖고, 하기 요지의 대이라크 대응조치를 취하기로 결정하였음.

가. 외교적조치

0 긴급 유엔 안보리 소집 요구

- 불요청에 다라 9.16 개최된 유엔 안보리는 이라크군의 쿠웨이트 주재 외국 외교공관 침입 비난 결의안을 채택

- 주재국은 유엔이 기 결의한 대이라크 EMBARGO 의 성공을 위하여, EMBARGO 를 준수하지 않는 국가 및 기업체에 대한 제재 방안과 동 EMBARGO 를 항공까지 확대하는 방한을 모색하도록 안보리측에 요청

0 불 주재 이라크 무관 및 정보요원 추방

- 주재국은 불 주재 이라크 무관 및 간첩 행위 혐의가 있는 정보 요원과 26 명의 공군 연수 요원등 총 40 여명을 즉각 추방키로 결정, 1 차로 9.15 밤 무관을 비롯한 29 명을 추방함.

0 이라크 대사관 직원에 대한 파리이외 지역 여행자유 제한

나. 군사적 조치

0 사우디내 불 군사력을 증강, 하기 3 개 연대로 구성된 특전여단과 30 여대의 전부가를 추가 파견키로 결정(총 4,000 명 규모의 군사력으로써 DAGUET 작전이라고 명명됨)

- 1 개 전부헬기 연대(전부헬기 48 대), 1 개 기갑연대(AMX-10 장갑차 48 대) 및 1 개 보병 연대(대전차포 및 MISTRAL 대공미사일 장비 포함)

0 상기조치로 중동 배치 불군사력은 총 13,000 명으로 증강

중아국 장관 차관 1차보 2차보 미주국 구주국 정문국 청와대
안기부 국방부

PAGE 1 90.09.18 02:56 0033
외신 2과 통제관 DO

2. 주재국 대응 조치에 대한 각국 반응

- 미국: 적절하고도 정당한 조치라고 평가

- 사우디: 사우디 방문중인 CHEVENEMENT 국방상에게 FAHD 국왕은 사우디내 불 군사력 추가 파견 조치에 대해 사의를 표하고, 이는 정당하고도 단호한 결정이라고 평함.

- 이스라엘: ARAFAT PLO 의장의 8 월초 방불 접수등으로 불측에 대해 다소 회의적 입장을 가졌던 이스라엘은 금번 사태로 불측의 대이라크 자세가 강경해지고, 사우디내 불 군사력이 증강해 지는데 대해 내심 만족하고 있음.

- EC: 9.17 브라셀에서 개최되는 EC 각료회의에서 표제문제를 협의하고, 불측 대응조치와 같은 외교적 대응 조치를 공동으로 취할것으로 예상됨.

- 주재국 우파 야당: CHIRAC RPR 당수와 GISCARD UDF 당수 공히 금번 조치를 환영, 전폭지지를 표명함.

3. 주재국내 분석 및 평가

가. 이라크 심리전

0 이라크군의 쿠웨이트주재 외교 공관 침입은 후세인 이라크 대통령의 하기 목적하에 심리전의 일환으로써 고의적으로 도발한 일종의 우회전략(STRATEGIE DE CONTOURNEMENT) 행위로 평가됨.

- 주재국을 위시한 일부 서방 제국들의 반격 가능성 시험과 서구 정치 지도자 및 국민 여론의 결단력 측정

- 서구 제국 국민여론 호도와 국가정책의 일관성 와해 효과

0 이라크는 향후 상기 심리전의 일환으로 팔레스탄인 과격파를 이용한 사우디 주둔 서방 군사력에 대한 공격과 대이라크 밀교역을 거부하는 서방기업체에 대한 테러 행위를 감행할여지가 있는것으로 관측됨.

0 이라크는 특히 과거 자국과 긴밀한 유대관계에 있던 불란서가 대이라크 강경 노선을 취하고 있는 미.영측에 적극 가담하는것을 억제하기 위한 전려 밴 @으로 아프리카내에 소요사태를 도발, 새로운 전선을 형성할 기도가 있는것으로도 보이는바, 이경우 친 이라크 노선을 취하고 있는 수단 및 모리타니를 사주하여 불이해관계가 긴밀한 챠드및 세네갈내에 각각 소요 사태를 도발, 불측의 관심을 분산시키고자 꾀할 가능성이 있는것으로 분석됨

나. 주재국 입장

PAGE 2

0034

0 미테랑 대통령은 9.15 긴급각료회의 직후 가진 기자회결을 통해 유엔 테두리 내에서의 EMBARGO 강화를 재촉구함으로써, 무력충돌은 가급적 피하는하는 한편, 강경 노선의 미.영측과 아랍제국간 중재자로서의 불의 독자적 노선을 견지하려는 주재국의 기본입장을 재확인함.

- 미테랑 대통령은 특히 향후 이라크측이 불란서내 테러행위를 감행할경우, 이를 개전사유로 간주, 군사적 대응조치를 취하는데 불명한 답변을 회피하고 새로운 사태발생시 응분의 대응조치를 검토, 결정하겠다고 언급함으로써 금번 조치가 미.영측에 밀착하는것이 아닌 독자적인 조치임을 강조함.

0 미테랑 대통령은 일부 국가 및 기업체가 유엔의 대이라크 EMBARGO 결의안을 준수하지 않고 있다고 지적하고, 동국가 및 기업체에 대한 제재조치와 항공까지의 EMBARGO 확대가 필요하다고 역설함으로써, 대이라크 EMBARGO 조치를 성공시키기 위한국제적 여론을 환기시킴.

- 상금 주재국을 위시한 서구내 250 여기업체가 그리스 및 키프러스 선주들을 통해 이라크와 밀교역을 하고 있는것으로 추정

- 레바논및 키프러스내 5,000 여기업체가 육로 및 해상편으로 이라크와 밀교역중인것으로 추정

- 리비아, 예멘, 알제리 및 요르단은 항공편(특히 이라크항공사)을 통하여 대이락 밀교역을 수행중인것으로 간주(특히 15 대의 이라크 수송기가 바그다드-예멘간 매일 운행중인것으로 추정). 끝

(대사노영찬-국장)

예고:90.12.31 까지

주 영 대 사 관

UKW (F) - 0330　　　　DATE: 00917 1200

수 신 : 장 관 (중근동, 미북, 구안)

제 목 : 걸프사태

배부	장관실	차관실	一차보	二차보	기획실	의전장	아주국	미주국	구주국	중아국	국기국	경제국	통상국	정문국	영교국	총무과	감사관	공보관	외연원	청와대	총리실	안기부
	/	/	/	/			/	/	/				/							/		/

THE TIMES (90.9.15자)

THE HEAVY BRIGADE

The decision to send a British armoured brigade to the Gulf, confirmed by Tom King yesterday, is both practical and symbolic. The Iraqi army, fourth largest in the world, has a massive tank force. Three thousand of these tanks, mostly Soviet-made T-55s and T-72s, are believed to be either in Kuwait or on the southern Iraqi border.

While air power affects the balance in any tactical calculation and could in the end be decisive in the Gulf, recent wars suggest that armies without tanks cannot beat those with them. In the old military adage: the only way to stop a tank is with another tank. Meanwhile, American military planners have come to realise that, if chemical weapons are used, British protection and training are probably the best in the field. The British deployment is militarily valuable in confronting Saddam Hussein.

The other purpose of Britain's tanks is politically symbolic. Ships and aircraft play their part in any tactical balance but they lack the psychological potency of ground forces. Throughout the cold war, the United States' willingness to station troops in Europe underlined its commitment to Europe's defence. Washington is understandably edgy about its allies' willingness to support the Gulf operation other than with money and perhaps a semi-detached flotilla. The government's decision should suppress any doubt about Britain's readiness to share the burden.

Yesterday's report in *The Times* suggesting that any action in the Gulf was unlikely for two months should now concentrate military minds on command and control. Commanders in Saudi Arabia have been vague about precisely how the multinational force will be led if and when war breaks out. The American defence secretary has been assiduously explaining to American television viewers that any interference with the chain of command that runs from the President to the commander in the field would amount to a breach of the constitution. This presumably leaves other national contingents broadly subordinate to the more numerous American forces, yet able to act independently in self-defence if attacked.

That is both opaque and overpossessive. If America wants other nations to stump up for the cost of the leadership exercised by Washington, its own political and military leaders will have to be more ready to share strategic decision-making than they now appear ready to do. This should not be impossible: joint commands have operated successfully before, not least in the second world war, Korea and latterly, Nato.

Beyond that, the laborious despatch of troops to the Gulf suggests that rapid deployment is still an art in its infancy. "The real story of the operation is that it has taken us too long to get there," said an American soldier last week. The generals could reply that they have been asked to fight the first post-cold-war conflict before they have finished with the cold war itself. Yet they are lucky to have had so much time. The lengthy deployment was only made possible by an international determination to give sanctions a chance to work, and an opponent cautious enough not to try to invade Saudi Arabia while American and other forces were thin on the ground. Faced with a tighter schedule or a rasher opponent, the various armies ranged against Saddam would have faced a stark choice between the rapid deployment of inadequate armour or no deployment at all.

The British army has a rapid reaction force of 1,000 men and light armour which could have been in Bahrain in three days. The present armoured brigade will take a month to assemble. The Americans had light tanks on the ground quickly but are still waiting for the modern M1A1s which are thought necessary to counter the T-72s. The traditional military delight in high-technology weapons has neglected the less glamorous and more robust equipment which is more versatile and easier to transport.

Meanwhile, cold war planning has crowded out all other ideas and designs. The Gulf shows that what was good enough to fight the Soviet army is not necessarily good enough to crush anything else. Procurement policies will have to take account of mobility and terrain in places far removed from any war in Central Europe.

0036

BRITAIN

2-1

90.9.15(土)
The Times 9면

Armoured brigade follows a proud desert tradition

By STAFF REPORTERS

THE sending of the 7th Armoured Brigade to the Gulf will be the largest single deployment of British armour overseas since the second world war. The brigade won battle honours in some of the most bitter tank battles in the Western Desert during the North Africa campaign, for which it gained the name the "Desert Rats".

Preparations for the despatch of the brigade from its base in Soltau, Germany, began last night, although it was not expected to be ready for combat before November. A reconnaissance group is expected to fly to Saudi Arabia in the next few days and logistical support units are likely to be sent as soon as possible to be ready for the later arrival of the tanks and artillery.

Equipment will have to be modified for use in the region. Vehicles will be painted in desert colours and fitted with sand filters. One problem the Challenger crews may to face is that their tanks have no proper no air-conditioning. It is hoped that by the time the vehicles are operational the weather in the region will be similar to that in Britain in recent months

Enquiries have already been made about the availability of suitable shipping, which will be chartered for the three-week voyage to the Gulf via the Suez Canal. Channel and North Sea ferries could begin the task within ten days, the General Council of British Shipping said last night, although no shipping companies were thought to have been approached yet by the Ministry of Defence.

Jim Buckley, the deputy director-general of the council, estimated that five or six roll-on roll-off ferries, of from 9,000 to 18,000 gross registered tonnage, would be needed to transport 120 Challenger battle tanks, each weighing 60 tonnes.

The Ministry of Defence declined last night to give any further details about the logistics of the deployment. It also refused to speculate on the final cost, although it was thought likely to exceed figures given yesterday by Tom King, the defence secretary.

The arrival of the brigade in Saudi Arabia will provide the Americans with an independent, self-supporting tank and artillery force at a crucial time in the military build-up. Last night General Norman Schwarzkopf, the commander-in-chief of the American forces in Saudi Arabia, said: "Desert Shield is a multinational operation and we are very pleased to have the British troops deployed."

The decision by the government to send a full armoured brigade and to reject the option of deploying a depleted force to save money, means that the British unit will be given its own geographical position in the allied line-up in Saudi Arabia. It is likely to be deployed in the Eastern province. The tanks will be dug in, in defensive positions, probably in an arc facing towards the Kuwaiti border but at least 100 miles away.

Only the US will have a greater military strength in the region. At present the United Kingdom has 2,800 men in the Gulf and 36 combat aircraft. The US has 145,000 men, 500 tanks, 600 combat aircraft and 250 artillery units. Other allied forces total 55,000 men, 180 tanks, 380 combat aircraft and 80 artillery units.

By comparison the Iraqi order of battle numbers a million men, with 150,000 in Kuwait. It has 5,500 tanks, 700 aircraft and 4,000 artillery units. Of these, 1,500 tanks, 200 aircraft and 700 artillery units are in Kuwait.

Although the US mission is still a defensive one, the sending of British armour underlines the fact that London and Washington are prepared to go on the offensive if the sanctions against Iraq fail.

The current 7th Armoured Brigade has inherited the famous emblem, proud desert fighting record and tradition of its wartime equivalent. Its "Red Rat" emblem is said to have been inspired by a signaller's pet jerboa rat, known as the desert rat, during the campaign in the Western Desert. According to legend, the divisional commander saw it and said that the rat should become the regiment's emblem because "we must learn to live as he does, the hard way in the desert".

In the North Africa campaign the brigade, which was formed in 1938, played a big part in the defeat of Italian forces in Libya and in May 1941 opposed the Afrika Korps commanded by Rommel. It took part in operations Battleaxe and Crusader, which involved some of the most bitter tank battles in the Western Desert.

0037

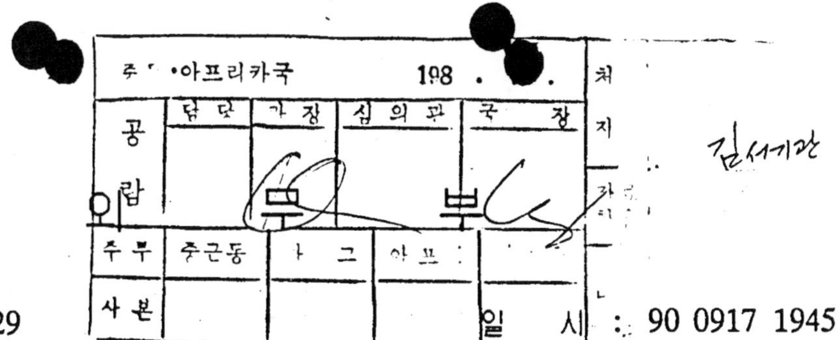

종 별 :

번 호 : ITW-1129 일 시 : 90 0917 1945

수 신 : 장 관(구일,동구1,중근동,기정,국방부)

발 신 : 주 이태리 대사

제 목 : 주재국 외상방소(자응 90-83)

주재국 데미켈리스 외상은 EC 의장국 자격으로 9.14-15.간 소련을 방문 고르바쵸브, 세바르나제 외상과 면담 걸프사태를 중심으로한 국제문제와 양자관계를 협의한바 주요내용 아래보고함.

1. 국제문제

0 걸프문제

- 이라크에 대한 유엔 결의의 준수, 인질의 조속한 석방 촉구와 보다 광범한 대이라크제 재조치의 필요성에 인식을 같이함.

- 이를 위한 소. EC 공동선언문을 채택하기로 합의함.

(외무성 관계관에 의하면 동선언문은 소련측의 제의로서 소측이 안을 작성하였으며 양측간 합의되는대로 9월중 서명예정이라함.)

0 유럽안보문제 협의

0 지중해 안보문제협의

- 데 미켈리스 외상은 헬싱키 협정 형태의 지중해 안보회의 개최 필요성을 주장하였으며 소측은 이에 관심을 표명함.

2. 양자관계

0 이.소간 우호협력조약 체결에 원칙적인 합의

0 소련의 경제 개혁 지원을 위한 25억불 상당의 상업차관 공여에 원칙적인 합의

0 안드리오띠 수상의 소련 공식 방문협의

0 고르바쵸브 대통령의 이태리방문 협의 (고르바대통령은 이태리의 국제상 'FIUGGI 상'의 90년도 수상자로 선정되었는바 동수상을 위해 연내 방이 예정임.).끝

(대사 김석규-국장)

구주국 1차보 구주국 중아국 안기부 국방부

PAGE 1 90.09.18 09:26 WG

외신 1과 통제관 0038

각국의 대 이라크 군사 제재 동참 현황

(파병 결정 포함)

11.23　　90. 9. 17.
중 근 동 과

국가　　군별	총병력수	함　정	함공기
북 미 (2)			
미　국	155,000	48 척	150 대
카 나 다	450	3 척	
구 주 (11)			
영　국	30,000 ~~6,000~~	7 척	40 대
불 란 서	(13,000 +6250([illegible])	14 척	100 대
서　독		5 척	
이 대 리		5 척	
화　란		2 척	
스 페 인		3 척	
벨 기 에		3 척	
희　랍		1 척	
폴 투 갈		1 척	
티　키	자국내기지 사용허용	함정 파견 검토중	
덴 마 크		민간 수송선	
중 동 (8)			니제르 520명 파병 11.22
이 집 트	19,000		
모 로 코	1,200		
시 리 아	15,000		
GCC 5개국	10,000		
아 주 (5)			
호　주		3 척	
일　본		민간 수송선	민간 수송기
방글라데쉬	5,000(예정)		
파 키 스 탄	5,000 +3000 (12월 말까지)		
인　니	지상군 파병 용의 표명		

0039

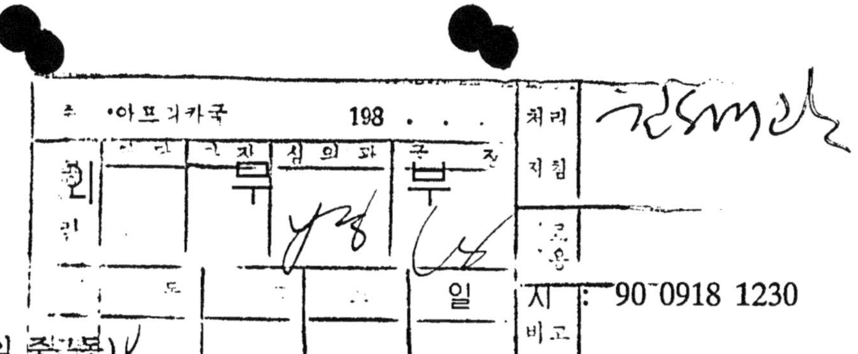

종 별 :

번 호 : FRW-1717 일 시 : 90 0918 1230

수 신 : 장관(구일,정일,중동)

발 신 : 주 불 대사

제 목 : 불.독 정상회담(자료응신 제104호)

연:FRW-1695,1696

뮌헨개최 제 56 차 불.독 정상회담(9.17-18) 관련사항 우선 아래 보고함.

1. 양국정상은 걸프사태 관련, EC 주재 이라크공관 무관 추방조치를 지지하는 한편, 콜 수상이 동서독 통일이 유럽통합으로 이어지기를 희망한데 이어, 양국 정상은 10 월말 로마개최 구주 정상회의에서 구주경제. 금융 통합을 촉진키로결정하였으며, 독일은 동독 부자 유치를 위해 불란서 업체에 독일업체와 동일한 혜택 부여를 제의할 것이라는바, 양국의 대외. 군사정책 및 유럽통합등을 내용으로 하는 공동선언이 뮌헨회담 종료후 발표될 것이라함.

2. 동 회담에서, 현재 걸프사태를 계기로 UEO 회의 테두리에서 유럽방위를 주도하려는 불란서와는 달리 독일은 미묘한 방위문제보다는 정치.경제문제에 주로 언급하면서, 특히 지난 독.소 우호조약 체결과 관련한 불란서의 의구심 해소를 위한 노력에 주력하고 유럽통합에 대한 불.독의 주도적인 역할을 강조하였는바, 관련사항은 아래와 같음.

-양국 군사관계는 이제 상호 평등 원칙하에 다루어져야 하며, 불군의 베를린 주둔 연장 합의이외에도 5 만여명의 독일 주둔군 유지를 위한 협의가 관건임.

-독일로서는 불 3 개사단중 1 개사단만 잔류하기를 희망하고 있으며, 불측으로서도 영국, 미국과 같이 50 프로 감축이 불가피할 것임.

3. 한편, 동 회담전에 겐셔 외상의 유럽 5 대신문과의 인터뷰 내용과 르몽드지 논평을 아래 요약보고함.

가.1,700 만 인구를 흡수한 독일은 정치.경제적 비중을 강국으로서가 아니라, 유럽건설및 유엔강화에 있어 모범적 역할을 할것임.

유럽통합은 대서양을 벗어나서는 안됨. 통독에 이어 2.2 총선이후, UN

구주국 장관 차관 1차보 2차보 중아국 정문국 청와대 안기부

PAGE 1 90.09.19 00:21 0040

외신 2과 통제관 CW

테두리내에서 독일군을 동우할수 있도록 헌법수정 절차를 밟을 것인바, 2/3 찬성을 위해 야당지지를 포함, 긍정적인 방향으로 진전되고 있음.

나. 이에대해 르몽드지는, 독일이 걸프사태에 있어 지원금 지출을 꺼려온 반면, 상당한 대쏘 재정지원금 공여로 쏘련과의 관계를 강화하고 있음에 비추어,독일의 유럽결속 주장을 액면 그대로 받아 들이기 어려운 것으로 논평하고 있음.

4. 또한, 독일 정계에서는 통독이후, 구주의회 의석 추가배분 요구가 점증하고 있는바, 이에대한 해결책 도색등으로 4 대국및 기타국과의 관계를 위요한 EC 구도내 변화가 예상된다 함. 끝.

(대사 노영찬-국장)

관리번호	90/2033

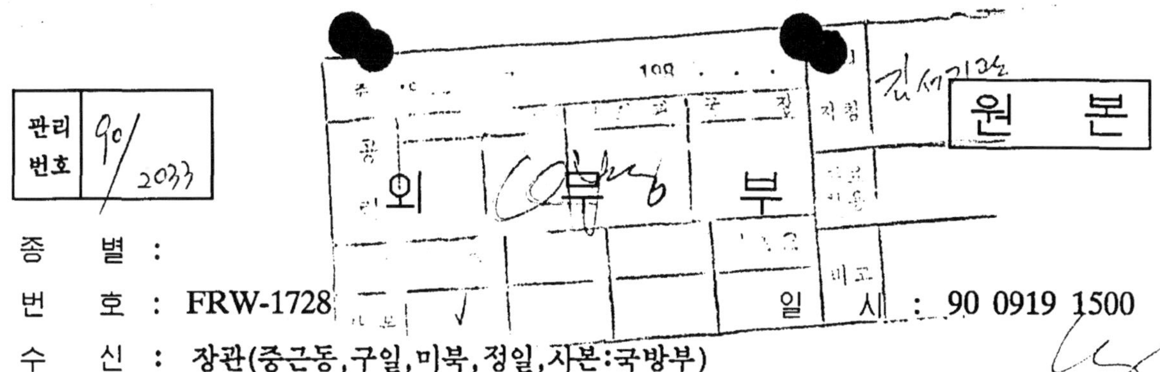

종 별 :

번 호 : FRW-1728 일 시 : 90 0919 1500

수 신 : 장관(중근동,구일,미북,정일,자본:국방부)

발 신 : 주 불 대사

제 목 : 이라크사태 관련,서구연맹 외상,국방상 회담(자응106호)

연:FRW-1725

1. 서구연맹(U.E.O.)은 걸프사태 관련, 미국을 의식, 서국제국의 독자적 위상을 높이려는 의도하에 걸프지역에서의 회원국간 군사적 협력및 조정업무를 협의코자 9.18. 오후 당지에서 외상및 국방상 회담을 개최한바,9 개 회원국이 합의한 내용 아래 보고함.

-유엔이 결의한 대이라크 EMBARGO 조치를 항로 봉쇄까지 확장토록 유엔 안보리측에 요청키로 결정한 동시, 동 EMBARGO 를 준수치 않고있는 국가에 대한 제재조치를 희망함.

-걸프지역내 회원국 육. 공군력의 새로운 주둔 방식과 동 군사력의 상호보완 운영및 임무조정등에 합의함.

2.U.E.O. 9 개 회원국중 현재 6 개국이 걸프지역에 해군력을 파견한 바 있으며, 특히 불.영 2 개국은 육군력도 사우디에 파견하였으며, 화란도 조만간 F-16 전투기 18 대를 터키에 파견할 예정으로 알려져있음.

3. 상기 회담시, 회원국들은 다국적 군사력이 배치되어 있는 걸프지역에서 자국정부 지휘하에 있는 각국 군사력이 실질적으로 미국측의 작전조정하에 놓일수 밖에 없음(특히 미공군력및 정보망에 의존)을 인정하면서도, 서구제국의 독자적 위상을 높이기 위해 군사작전 과정에서 미측과 종속관계가 아닌 협력. 보완관계를 설정하기 위한 방안모색이 주로 논의되었던 것으로 알려짐.끝.

(대사 노영찬-국장)

예고:90.12.31. 까지

중아국 미주국 구주국 정문국 국방부 대책반

PAGE 1 90.09.20 01:27 0042

외신 2과 통제관 CF

외 무 부

종 별 :

번 호 : HOW-0386 일 시 : 90 0919 1700

수 신 : 장관(구일,중근동,정일)

발 신 : 주 화란 대사

제 목 : 대 이락 제재 조치 (자료응신 제 90-80호)

1. 주재국 외무 및 국방장관은 주재국 의회에대한 서한을 통해 유엔 안보리에서민간항공기 이락출입 금지를 결의할 경우 18대의 F-16전부기로 구성된 주재국 공군편대를 터키에 배치할 준비가 되어 있다고 밝혔음.

2. 상기 입장은 주재국 루버스 수상에 의해 9.17 재확인된 바, 이는 미국의 지상군 파견 요청에대한 주재국 정부 입장을 밝힌 것으로 보여지며, 주재국은 이미 FRIGATE 함 2척을 걸프지역에 파견한 바 있음.

(대사 최상섭-국장)

중동•아프리카국		198 . . .		처리 지침	김 서기관
공람	담당	과 장	심의관	국 장	자료 활용

구주국 중아국 정문국 안기부

PAGE 1

0043

90.09.20 05:13 CG

외신 1과 통제관

관리 번호	90/2032

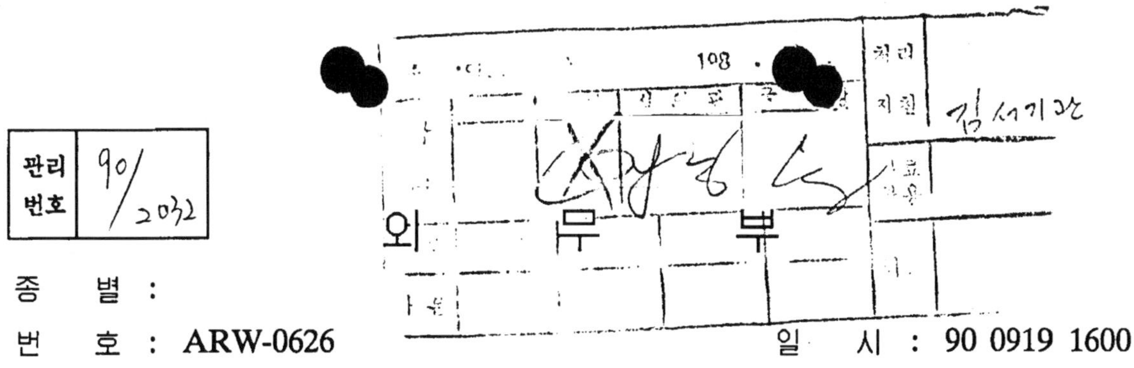

외 무 부

종 별 :

번 호 : ARW-0626 일 시 : 90 0919 1600

수 신 : 장관(미남,중동,정일,기정,국방)

발 신 : 주 아르헨티나 대사

제 목 : 아르헨티나 중동에 군대 파견

연:ARW-0626

1. 주재국 CAVALLO 외무장관은 9.18. 저녁 T.V. 및 라디오를 통해, 아르헨티나 정부가 GULF 만에 교전목적이 아닌 평화유지를 위해 군대를 파견하기로결정하였다고 발표하였는바, 아르헨티나 정부의 군대 파견내용은 아래와같음.

가. 파견근거:유엔결의 차원에서 쿠웨이트 및 여타 아랍국가의 요청에 의거

나. 군대파견 규모:

-해군함정 2 척

미사일 구축함 ALMIRANTE BROWN-서독에서 건조된것을 핵, 화학, 세균전에 대비건조

순양함 SPIRO-미사일 장비

-공군기 2 대:C-130 및 B707

-병력

BROWN 함-장교 21, 사병 163 명

SPIRO 함-장교 12, 사병 82 명

다. 파견시기:수일내 출발(GULF 만까지의 항해 시간을 약 3 주로 예상)

라. 동 군대파견에 따른 경비:국제사회의 특별기금(걸프 산유국, 강대국등)

2. 아르헨티나 정부는 전통적으로 국제분쟁 관련 중립적인 입장을 취하여왔으며 지난 8 월말 국회에서 외국에 군대 파견은 사전 국회의 동의가 있어야 한다는 법령을 통과시킨바 있으며 금번 군대 파견 결정을 위한 협의 과정에서 여당일부 의원들과 일부 야당의원들이 국회의 동의없이 군대를 파견하는것은 위헌이라고 반대하고 있어 행정부에서 동 파견목적이 교전이 아닌 평화유지이기 때문에 국회의 동의를 요지하지 않는다는 이론을 세우고 있음에도 불구 국내적으로는 계속 쟁점이 될것으로 보이나,

미주국 차관 중아국 정문국 안기부 대책반 국방부

PAGE 1 90.09.20 07:44 0044

외신 2과 통제관 FE

경제계 및 주재국 언론은 아르헨티나가 국제사회로부터 고립을 면하고 실리를 위한 조치라고 환영하고 있으며 1962 년 대큐바 봉쇄시 아르헨티나 정부는 2 척의 군함을 파견한바 있음.

3. 금번 군대 파견 결정은 8.20. 미국 부쉬대통령이, 9.13. 에는 이집트 무바락 대통령이 군대 파견 요청 공한을 보내왔고, 9.16. 부터 쿠웨이트 망명정부의 HOMOUD AL-RQUOBAH 동력 및 수자원 장관이 주재국을 방문, 9.17. 메넴 대통령및 CAVALLO 외무장관을 면담 군대파견을 요청하였으며, 9.2.-14 간 CAVALLO 외무장관의 이스라엘, 이집트, 이태리 방문시에도 동 문제가 협의되었으며, 협의과정에서 경제적인 신뢰 획득이 약속되었을 가능성이 있으나 동 결정은 메넴 정부의 친미 및 친서방 외교노선이 정착된 결과로 미국과의 협력강화의 중요성에서 비롯된것을 분석됨.

대사 이상진-장관)

예고:90.12.31. 까지

PAGE 2

0045

외 무 부

종 별 :

번 호 : BBW-0727 일 시 : 90 0920 1730

수 신 : 장 관(구일,중근동,정일,기정,국방부)

발 신 : 주벨기에대사

제 목 : 대이라크 항공 봉쇄 (자료응신 72호)

1. 유엔 안보리의 이라크에 대한 공중 봉쇄결의안 채택 움직임과 관련, 주재국정부내에서는 구주 군사협력 차원에서 군용기파견등 추가 군사 지원을 주장하는 EYSKENS외무장관(CVP 소속)과 이에 반대하는 COEME국방장관(SP 소속)간 의견대립이 있는것으로 알려짐.

2. 9.18. 파리에서 개최된 서구연맹(WEU) 외무및 국방장관회의에서 벨기에측은일단 항공기파견등 추가적 군사참여 약속은 하지 않았으나,현재 군 참모본부에서는 F-16 항공기 파견등항공봉쇄 참여문제에 대한 제반 가정을검토중이며 조만간 이에대한 주재국 정부의 최종결정이 있을 것으로 보임.

3. 한편, 주재국 정부는 의회의 요처에 의해 9.26.상.하원에 걸프사태에 대해 보고하고 정부의 대응조치에 대한 찬반 투표가 있을 예정임.끝

(대사 정우영-국장)

중동•아프리카국 198 . . . 처리지침

공람

구주국 중아국 정문국 안기부 국방부

0046

PAGE 1 90.09.21 00:34 CT

외신 1과 통제관

다국적군 병력 현황
12/7 현재)

Allied forces—how they stand, what they have

By Mark Fisher

NICOSIA ([illegible]) — Air power will be the key to a[illegible]ed counteroffensive of Kuwait if wa[illegible]ts following the Jan. 15 deadline set [illegible] United Nations for an Iraqi withdrawal.

The United States and its allies have more than 1,400 combat aircraft in the region, ranging from radar-evading Stealth fighters to tank-busting helicopters.

From outside the Gulf they could summon carpet bombing raids by American B-52s, which last saw action in Vietnam.

Iraq's 550 combat planes would be the main target of an initial strike. Allied strategy would be to destroy as many as possible on the ground, clearing the way for a thrust by troops and tanks.

Iraqi troop concentrations, missile batteries armed with chemical, biological or high-explosive warheads would be among other priority targets.

The allies have clear dominance in the air but not on the ground. Multinational forces are outnumbered at least two-one by Iraq's million-plus men under arms and around four-to-one by Baghdad's 5,500 tanks.

The United States is sending 150,000 more men, bringing its forces in the region to around 400,000.

Iraq, adept at defensive tactics for most of the 1980-88 war with Iran, said last week it would send 250,000 extra troops to Kuwait and southern Iraq where it already has 450,000 men.

Latest estimates of the balance of forces in the region:

IRAQ: 450,000 troops dug in around Kuwait and southern Iraq backed by 3,600 tanks and 2,400 artillery pieces in the area, according to Pentagon estimates. Reservists have been called up to bolster an army estimated at 1 million men when Iraq invaded Kuwait on Aug. 2. At least 550 combat aircraft. SA-2, SA-3 and SA-6 missiles batteries.

- SAUDI ARABIA: Army of 38,000, paramilitary National Guard of 56,000, Navy of 7,200 and Air Force of 16,500. Well armed, with 550 tanks, 180 combat planes and eight frigates.

- UNITED STATES: More than 230,000 military personnel in position, including nearly 60,000 marines and 40,000 sailors and aircrew on 22 warships in Gulf, among them battleship Wisconsin. A further 17 ships including carrier Midway in northern Arabian Sea and Gulf of Oman, eight ships including carrier Saratoga in Red Sea. Sixteen ships in Mediterranean including carrier John F. Kennedy. Three more carriers to be added.

  Air power includes 200 navy planes (with 200 more to come) and 300 air force fighters and bombers, ranging from radar-avoiding F-117A stealth fighters to A-10 tank-killing attack planes. More than 250 helicopters in Saudi Arabia, including AH-64 Apache tank-killers. More than 500 tanks in Saudi Arabia and hundreds more Abrams M-1A1 tanks being sent.

- EGYPT: Has 14,000 troops in Saudi Arabia. Also reported to have sent 3,000 to 5,000 troops and anti-aircraft missiles to United Arab Emirates. Tanks are said to be on the way.

- BRITAIN: Contingent to eventually total 30,000. About 17,000 servicemen already in Gulf, including 9,500 troops of the 7th Armored Brigade in Saudi Arabia. A total of 120 tanks, other fighting vehicles and dozens of howitzers have arrived. Up to 72 Tornado and Jaguar fighter planes in Saudi Arabia, Oman and Bahrain. About 12 Puma helicopters in Saudi Arabia and three Nimrod surveillance planes in Oman. Thirteen ships comprising two destroyers, two frigates, three minehunters, an ocean survey ship and five auxiliary vessels.

- FRANCE: 15,000 [illegible] designated for Gulf duty, including [illegible]n Saudi Arabia and some in Djibou[illegible] Indian Ocean. Ten warships, 24 fighter planes including Mirage 2000s and Jaguars, 72 helicopters and 300 armored vehicles. May send artillery.

- ARGENTINA: One frigate and a corvette bound for Gulf. Training 100 troops for Gulf duty.

- AUSTRALIA: Two guided-missile frigates and a supply ship, with one frigate due to be replaced by a destroyer.

- BAHRAIN: Army of 2,300 men, air force of 450, navy of 600.

- BELGIUM: Two minehunters and a support ship.

- BANGLADESH: 2,000 troops in Saudi Arabia, 3,000 more to be sent soon.

- BULGARIA, Chemical protection unit, 300-strong, to arrive in Saudi Arabia by end of year.

- CANADA: Two destroyers and a supply ship on way to Gulf, with squadron of CF-18 fighter planes and 450 troops to follow.

- CZECHOSLOVAKIA — Anti-chemical warfare unit, 200-strong, due to arrive in Saudi Arabia.

- DENMARK: Corvette in Gulf.

- GREECE: One guided-missile frigate in Red Sea.

- HUNGARY: Considering sending medical unit to Gulf.

- ITALY: Two frigates and two support ships in Gulf, eight Tornado fighters based in Abu Dhabi.

- MOROCCO: 5,000 infantrymen and light vehicles in Gulf; 3,500 in United Arab Emirates and 1,500 in Saudi Arabia.

- NETHERLANDS: Two frigates in Gulf. Six Dutch marines manning stinger missiles on a Belgian ship. The Netherlands provided stinger missiles to the Danes.

- NIGER: About 500 troops in Saudi Arabia.

- NORWAY: One coast guard ship in the Gulf.

- OMAN: 25,500-strong armed forces equipped with Scorpion, Chieftain and several M-60 tanks; 63 combat planes and at least four Exocet-armed missile boats.

- PAKISTAN: 2,000 troops deployed in Saudi Arabia and 3,000 more promised.

- SENEGAL: 500 troops sent to Gulf, may send more.

- SOVIET UNION: Two warships in Gulf, not authorized to stop shipping.

- SPAIN: One frigate and two corvettes in Gulf.

- SYRIA: Pledged 15,000 troops and 300 tanks. Diplomats say 3,000 troops sent to Saudi Arabia so far and 1,000 to United Arab Emirates.

- TURKEY: 100,000 regular troops near the Iraqi border, backed by 35,000 paramilitary gendarmes and police commandos. Fifty Leopard-1 tanks and an estimated 30 F-16s in region, with at least 20 F-4 and F-104 fighters. The United States has 40 F-16s in Turkey as well as 14 F-111 bombers. Turkish sources say up to 5,000 ground troops earmarked for possible duty in Saudi Arabia and two frigates have been equipped to sail to Gulf.

- UNITED ARAB EMIRATES: 40,000-man army with more than 200 tanks, 1,500-man air force with 80 combat planes and a 1,500-man navy with 15 ships.

0047

I.H.T. (1.3).

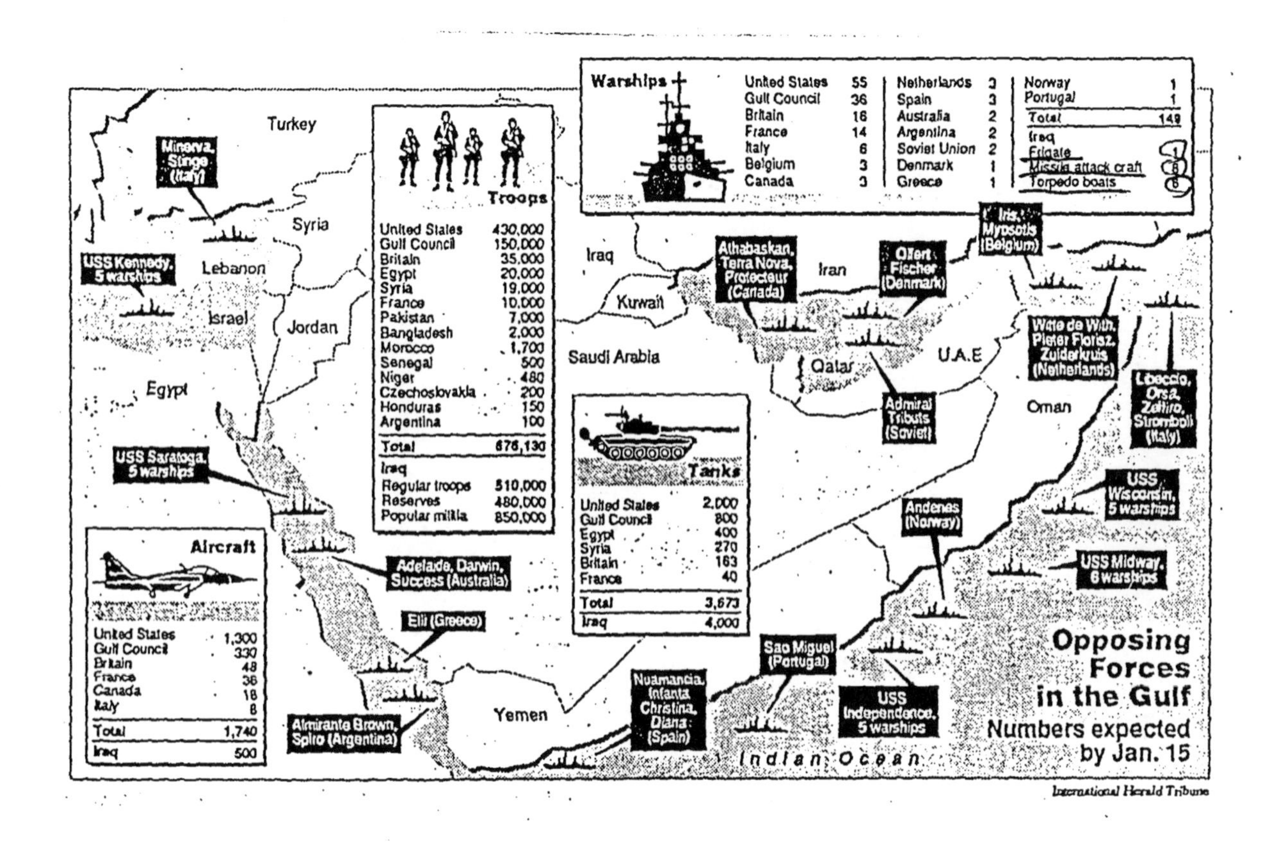

Warships
United States 55
Gulf Council 36
Britain 16
France 14
Italy 6
Belgium 3
Canada 3
Netherlands 3
Spain 3
Australia 2
Argentina 2
Soviet Union 2
Denmark 1
Greece 1
Norway 1
Portugal 1
Total 149
Iraq
Frigate 1
Missile attack craft 8
Torpedo boats 6
Troops
United States 430,000
Gulf Council 150,000
Britain 35,000
Egypt 20,000
Syria 19,000
France 10,000
Pakistan 7,000
Bangladesh 2,000
Morocco 1,700
Senegal 500
Niger 480
Czechoslovakia 200
Honduras 150
Argentina 100
Total 676,130
Iraq
Regular troops 510,000
Reserves 480,000
Popular militia 850,000
Tanks
United States 2,000
Gulf Council 800
Egypt 400
Syria 270
Britain 163
France 40
Total 3,673
Iraq 4,000
Aircraft
United States 1,300
Gulf Council 330
Britain 48
France 36
Canada 18
Italy 8
Total 1,740
Iraq 500
Turkey
Syria
Lebanon
Israel
Jordan
Egypt
Iraq
Kuwait
Iran
Saudi Arabia
Qatar
U.A.E.
Oman
Yemen
Indian Ocean
Minerva, Sfinge (Italy)
USS Kennedy, 5 warships
USS Saratoga, 5 warships
Adelaide, Darwin, Success (Australia)
Elli (Greece)
Almirante Brown, Spiro (Argentina)
Athabaskan, Terra Nova, Protecteur (Canada)
Olfert Fischer (Denmark)
Iris, Myosotis (Belgium)
Witte de With, Pieter Florisz, Zuiderkruis (Netherlands)
Admiral Tributs (Soviet)
Libeccio, Orsa, Zeffiro, Stromboli (Italy)
USS Wisconsin, 5 warships
Andenes (Norway)
USS Midway, 6 warships
Sao Miguel (Portugal)
Nuamancia, Infanta Christina, Diana (Spain)
USS Independence, 5 warships
Opposing Forces in the Gulf
Numbers expected by Jan. 15
International Herald Tribune

0048

걸灣 非常對策本部

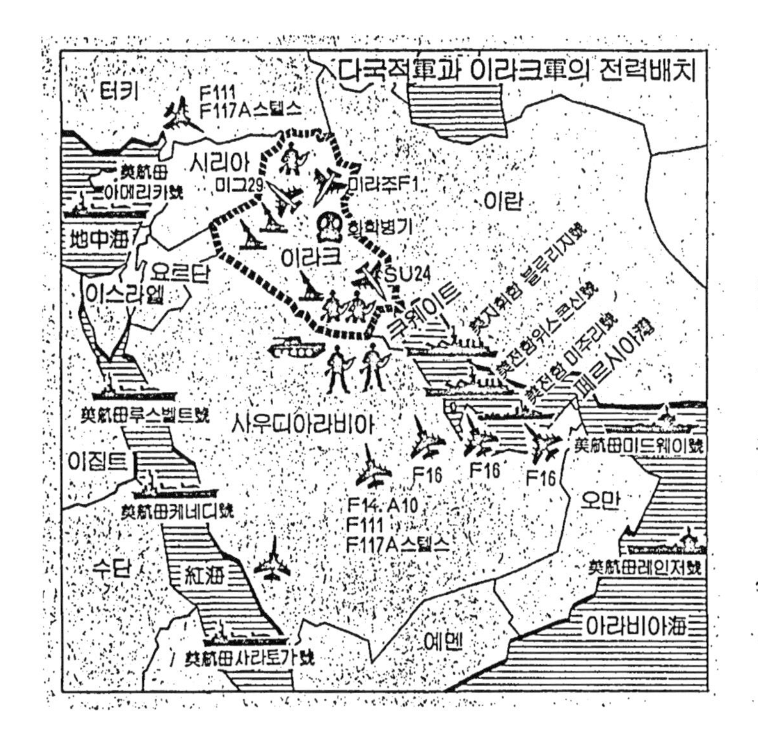

다국적군과 이라크군 戰力

	다국적군	이라크군
병력	68만명 (美軍43만명)	정규군 54만5천명 (보병사단14、기계화사단10등) 민병대 85만명 예비군 48만명
작전기	3천1백대 (美F117A스텔스 F111、A10、F14、F16、B52、헬機등 2천5백대)	7백60대 (미그29、미그21、미라주F1、SU폭격기、헬機등)
전차	3천6백80대 (美M1、M1A1등 2천대)	5천5백대 (T72、T62、T55등)
함선	1백91척 (美항모6、전함등 80척)	25척 (프리깃함、미사일함8、어뢰정6척등)

0049

91.1.5.

中東에 兵力 1백10만

이라크 53萬·多國籍軍 58萬 대치

【워싱턴聯合】 점령 쿠웨이트 지역 및 부근에 배치된 이라크 병력은 53만명 이상으로 증강됐으며 이라크에 대항하기 위해 페르시아灣에 파견된 다국적군은 현재 58만명 이상이라고 美국방부가 3일 밝혔다。

피트 윌리엄스 美국방부 대변인은 기자들에게 사우디아라비아에 주둔중인 美軍관리들이 지난 2일 발표한 51만명보다 훨씬 많은 53만명 이상의 이라크 병력이 배치돼 있으며 이같은 숫자는 새로운 정보평가에 따라 나온 것이라고 밝혔다。

그는 이라크의 쿠웨이트 침공 이후 현재 사우디아라비아와 페르시아灣에 배치된 미군 병력은 총33만5천여명이며 다른 동맹국 병력은 24만5천명에 이른다고 밝혔다。

0050

灣 非常 對策 本部

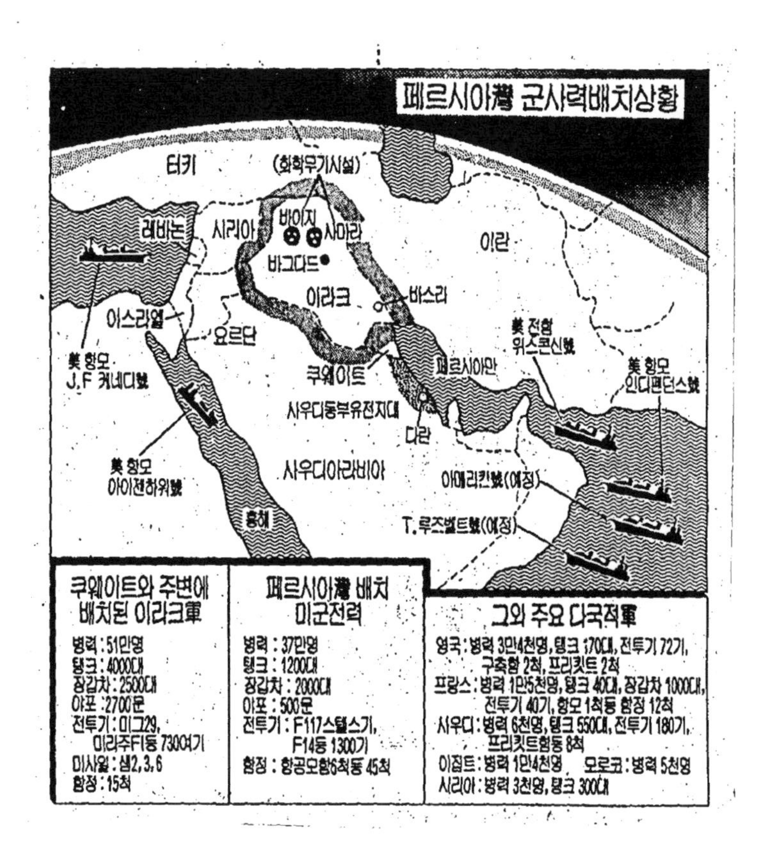

◇페灣의 전력 비교

	美 軍	이라크軍
병력	육·해·공 합계 43만 (다국적군 포함68만)	보병사단14, 장갑·기계화사단10등정규군51만, 민병 85만
전투기	F117A 전투공격기, F111전폭기등 3백대, 헬리콥터 1천 5백대 (다국적군포함 1천 7백40대)	미그29전투기등 7백대, 군용헬기 1백60대
탱크	M1등 2천대, 장갑차 2천대	T72, T62등 4천대, 장갑차 2천 5백대
함정	미드웨이등항모 6척, 전함55척 (다국적군포함 1백49척)	15척

0051

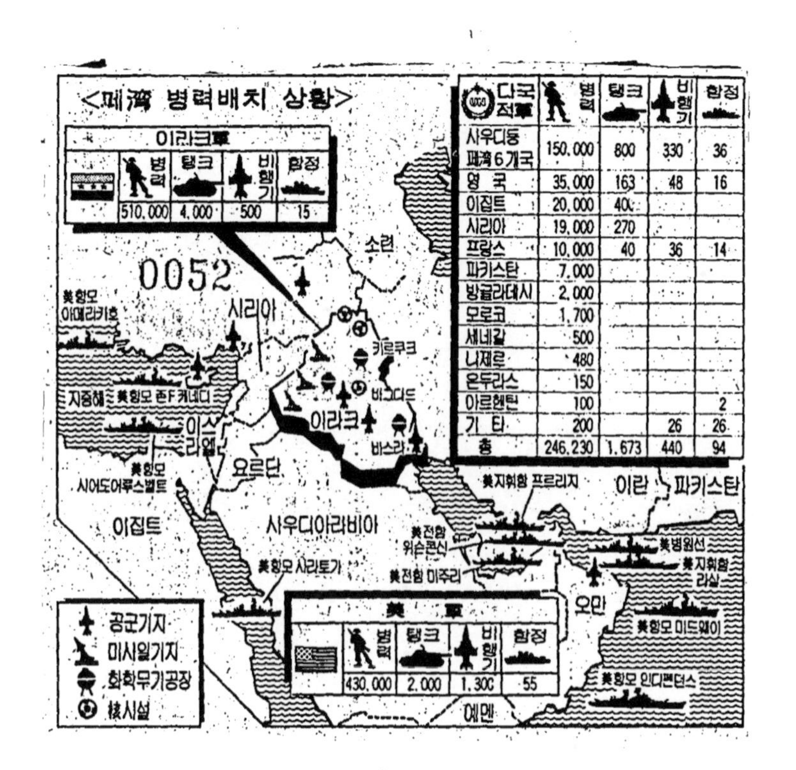

<페灣 병력배치 상황>

이라크軍	병력	탱크	비행기	함정
	510,000	4,000	500	15

다국적軍	병력	탱크	비행기	함정
사우디등 페灣6개국	150,000	800	330	36
영 국	35,000	163	48	16
이집트	20,000	400		
시리아	19,000	270		
프랑스	10,000	40	36	14
파키스탄	7,000			
방글라데시	2,000			
모로코	1,700			
세네갈	500			
니제르	480			
온두라스	150			
아르헨틴	100			2
기 타	200		26	26
총	246,230	1,673	440	94

美軍	병력	탱크	비행기	함정
	430,000	2,000	1,300	55

灣 非 常 對 策 本 部

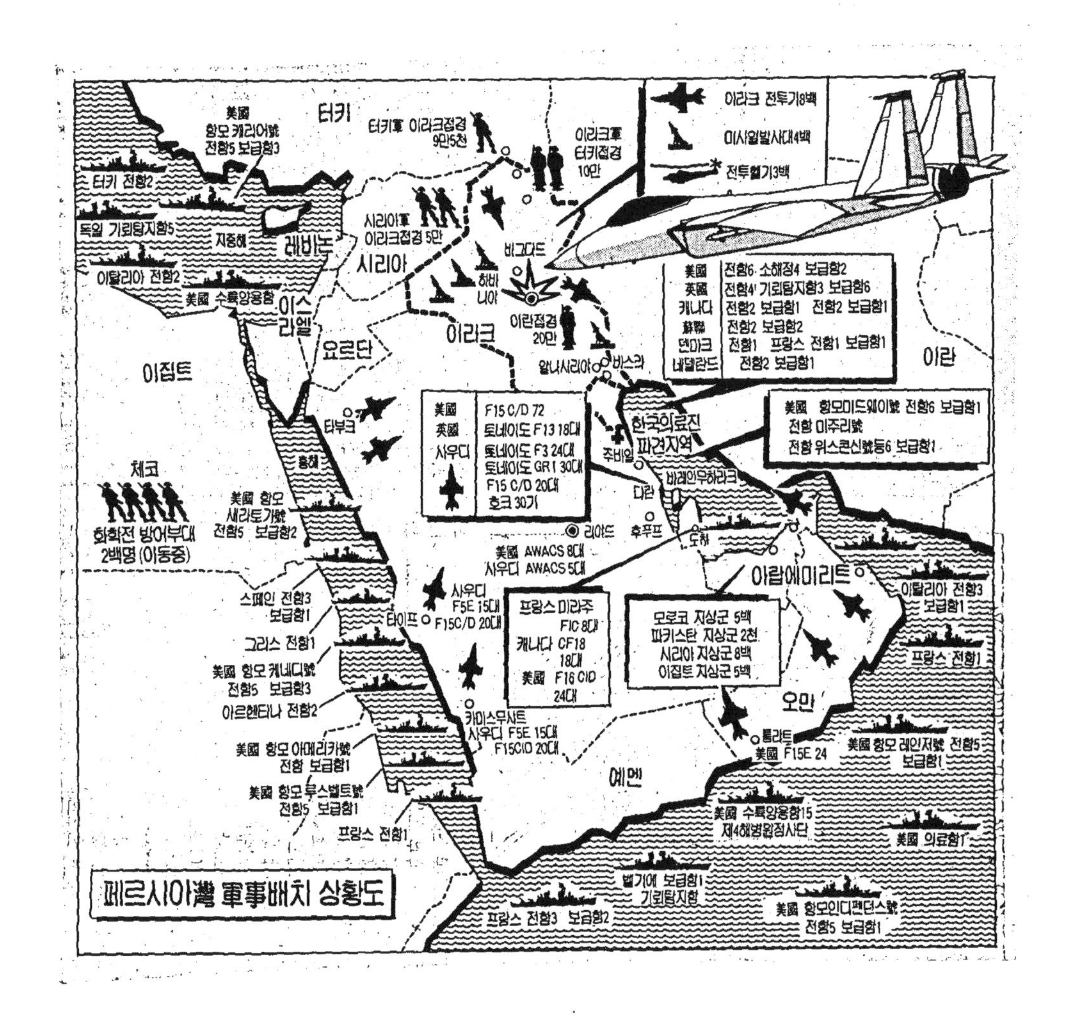

0053

Confronting forces in Gulf region

NICOSIA (Reuter) — The armies assembling in the Gulf region are growing during the countdown to the U.N. deadline of January 15 for Iraq to quit Kuwait or face the possibility of being driven out.

The Pentagon said Thursday the number of Iraqi troops in or near occupied Kuwait had swelled to more than 530,000 while the multinational force ranged against it totaled more than 580,000.

The United States has sent 335,000 military personnel to the region since Iraq seized Kuwait Aug. 2, it said, and allied troops numbered 245,000.

More than 100,000 fresh American troops are due to join them by the end of January and three U.S. aircraft carriers are en route to join the three already there.

More British and French forces are reported to be on their way to the Gulf and NATO decided Wednesday to send 40 aircraft to Turkey, its only member bordering Iraq, to deter a possible Iraqi attack.

Latest estimates of the balance of forces in the region:

• IRAQ: More than 530,000 troops in or near Kuwait, backed by 4,000 tanks, 2,500 armored personnel carriers and 2,700 artillery pieces. Reservists have been called up to bolster an army estimated at 1 million men when Kuwait was overrun. SA-2, SA-3 and SA-6 missile batteries.

NATO countries:

• UNITED STATES: More than 335,000 military personnel in the Gulf, comprising at least 195,000 soldiers, 55,000 marines, 40,000 air force personnel and 35,000 sailors and naval airmen on more than 50 warships. Total to increase to 430,000 by the end of January.

Battleships Wisconsin in Gulf and Missouri in northern Arabian Sea. Aircraft carriers Midway in Gulf, Saratoga in Red Sea and John Kennedy in Mediterranean. Three other carriers with 20 other ships en route.

Air power includes over 1,000 air force, navy and marine fighters, bombers and other planes, ranging from the radar-avoiding F-117A stealth fighters to A-10 tank-killing attack craft and B-52 bombers. More than 1,500 helicopters in Saudi Arabia, including AH-64 Apache tank-killers.

More than 1,000 tanks and 2,000 armored personnel carriers in Saudi Arabia. Hundreds of additional modern M-1A1 tanks to be shipped from Europe.

• BRITAIN: Reinforcements arriving to double the number of troops to 34,000 by mid-January. About 25,000 are army, forming the First Armored Division, which has about 170 Challenger tanks. Up to 72 Tornado and Jaguar fighter planes in Saudi Arabia, Oman and Bahrain. Nimrod reconnaissance aircraft and Puma helicopters. Sixteen naval ships, including two destroyers and two frigates. About 1,100 medical reservists about to leave for the Gulf.

• FRANCE: About 15,500 troops committed to Gulf duty including a 4,000-strong permanent garrison at Djibouti. 2,400 men on 12 warships in Gulf or Red Sea, 800 men with 40 warplanes, including Mirage 2000s and Jaguars, 120 antitank helicopters, 40 AMX-30 battletanks, plus light tanks and field guns.

Gulf countries and Arab allies

• SAUDI ARABIA: Army of 38,000 paramilitary National Guard of 56,000, navy of 7,200 and air force of 16,500. Well armed, with 550 tanks, 180 combat planes and eight frigates.

• EGYPT: Second largest foreign contingent in the Gulf after the United States. 14,000 troops in Saudi Arabia. Also reported to have sent 3,000 to 5,000 soldiers and anti-aircraft missiles to United Arab Emirates (UAE). Tanks are said to be on their way.

• SYRIA: Pledged 15,000 troops and 300 tanks for Gulf. Diplomats say 3,000 troops sent to Saudi Arabia so far and 1,000 to UAE.

• MOROCCO: 5,000 infantrymen and light vehicles — 3,500 in UAE and 1,500 in Saudi Arabia.

0054

2次大戰이후 最大兵力 집결

多國籍軍 海·空軍力 압도적 우세

항공기3 함정7배… 성능도 월등

0055

페灣 군사력 비교

지난해8월2일 이라크의 쿠웨이트 침공이후 이라크와 이에 맞선 다국적군은 쿠웨이트를 중심으로한 페르시아灣지역에 계속 병력과 화력을 증강하고 있다.

美國을 주축으로한 다국적군은 이라크군의 쿠웨이트철군시한인 오는15일경에 최대규모의 군사력을 페灣지역에 포진시켜 한바탕 大會戰을 치를 태세를 갖추고있다. 이라크와 美國등이 동원한 군사력은 2차대전후 최대규모로 만약 전쟁이 벌어질 경우 엄청난 유혈사태가 우려된다.

우선 병력수를 살펴보면 15일까지 67만6천여명의 다국적군이 사우디아라비아를 포함한 페르시아灣지역에 배치된다.

이가운데 주력은 美軍으로 모두 43만명. 美國은 5일현재 육군19만5천명 해병대5만5천명 해군3만5천명 공군4만5천명등 33만5천여명을 현지에 포진시켰다.

여기에 사우디를 비롯한 걸프협력회의(GCC)6개국 英國 이집트등 25개국의 병력 24만여명이 가세한다. 이밖에 폴란드 뉴질랜드 필리핀은 병원선과 야전의료팀및 수송기등을 파견하고 있다.

이에맞서 이라크가 사우디와 국경을 맞대고 있는 남부지역과 쿠웨이트에 배치한 병력은 모두 51만명.

따라서 더이상의 병력증파가 없더라도 일단 전쟁이 벌어질 경우 1백10만명이 넘는 엄청난 군사력이 격돌하게 된다.

여기에 이라크는 48만명의 예비군과 85만명의 민병대를 보유하고있어 유사시에는 이들을 戰場으로 끌어낼 수 있다.

다국적군측도 美軍의 추가파병과 함께 이집트 터키 시리아등으로부터 추가 증원군을 불러올수 있다.

그러나 많은 군사전문가들은 이라크나 다국적군모두 더이상의 병력동원은 무의미하다고고보있다. 이라크의 경우 실제로 戰力에 보탬이 될수있는 병력은 이미 모두 동원된데다 다국적군측도 전쟁적인 공격자對 방어자의 비율이 3대1을 넘어야 한다는 작전개념이 이번에는 무의미하다고 보기때문이다. 즉 다국적군은 이라크에 비해 해군과 공군력이 월등히 우세하고 화력이 강해 병력만을 수평적으로 비교해서는 안된다는 것이다.

탱크는 미군의 2천대를 포함, 다국적군이 3천6백73대를 포진시켰고 이라크가 4천대를 보유하고 있다.

각종 항공기는 다국적군이 미군의 1천3백대를 포함하여 1천7백40대를 동원, 5배대를 보유한 이라크를 압도하고 있다.

함정은 다국적군이 모두 6척의 美항공모함(3척은 현재 이동중)을 비롯하여 1백49척을 동원한데 비해 이라크는 불과 17척만을 보유, 비교되지 않는다.

항공기 탱크 함정등은 숫자의 비교보다는 성능이 더욱 중요하다. 다국적군의 장비는 거의 대부분이 이라크것보다 최신형이어서 막상 전쟁이 시작되면 숫자상의 우세이상으로 위력을 발휘할 것으로 예상된다.

<方炯南기자>

<페르시아灣주변 군사력>

병력: 다국적군		이라크	
미국	430,000	정규군	510,000
GCC	150,000	예비군	480,000
영국	35,000	민병대	850,000
이집트	20,000		
시리아	19,000		
프랑스	10,000		
파키스탄	7,000		
방글라데시	2,000		
모로코	1,700		
세네갈	500		
니제르	480		
체코	200		
온두라스	150		
아르헨티나	100		
계	676,130		

항공기: 다국적군		이라크군
미국	1,300	500
GCC	330	
영국	48	
프랑스	36	
캐나다	18	
이탈리아	8	
계	1,740	

탱크: 다국적군		이라크군
미국	2,000	4,000
GCC	800	
이집트	400	
시리아	270	
영국	163	
프랑스	40	
계	3,673	

<1월15일까지 배치예정>

제17850호 (第3種郵便物(가)認可) 中央日報

이라크에 強占당한 쿠웨이트

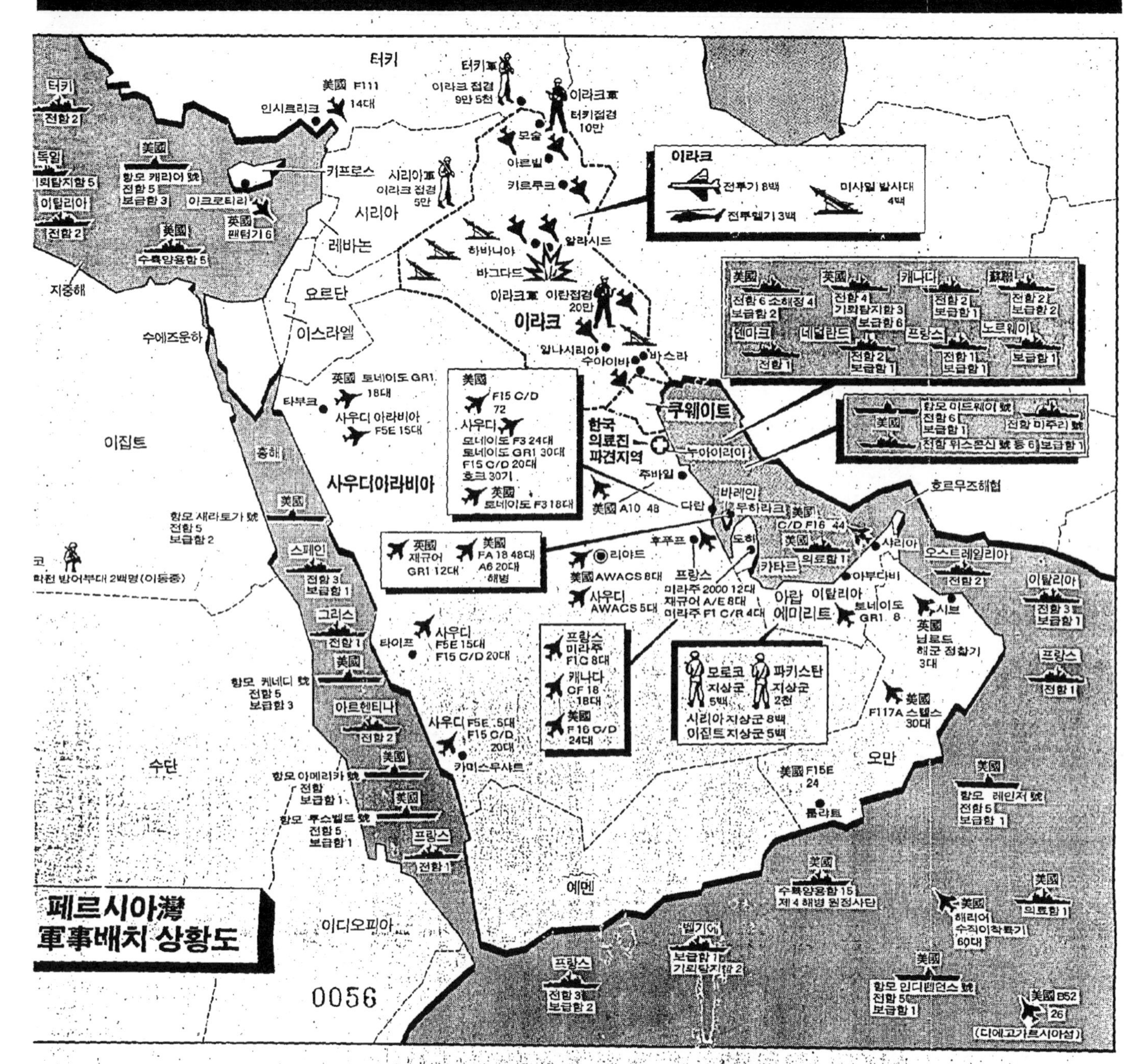

28개國 다국적軍 68만…2차大戰 이래 최대

주변관계국들을 중심으로한 사태의 평화적 해결노력은 여러차례 시도됐다.

특히 케야르 유엔사무총장은 세계의 중재자로서 두차례에 걸쳐 후세인대통령과 직접 접촉, 평화안을 마련하려했으나 결국 실패했으며 소련과 프랑스등의 외교적 해결노력도 무위에 그치고 말았다.

이처럼 줄다리기가 계속되던 페르시아灣사태는 지난해 11월29일 유엔이 마침내 91년1월15일을 최후시한으로 이라크의 철수불응시 무력사용을 승인함에 따라 급랭되기 시작했다.

케야르 중재도 無爲

이어 지난 3일 부시 美대통령은 이라크에 마지막 협상을 제의, 유엔이 정한 최후통첩시한을 두고 美·이라크간에 막바지 절충이 펼쳐지게 됐다.

그러나 회담일자를 정하는 것에서부터 삐걱대기 시작한 美·이라크간의 직접대화는 어렵게 마련된 지난 9일의 제네바 양국외무장관회담이 아무런 성과없이 결렬됨에 따라 돌이킬 수 없는 정면대결로 치닫게 되고 말았다.

美·이라크의회는 최후의 회담이 실패로 끝난 직후인 13일과 14일 각각 「선전포고」를 승인했다.

15일 美國의 부시 대통령은 『전쟁까지 그렇게 많은 시간이 걸리지는 않을 것』이라고 말해 開戰이 임박했음을 경고한데 이어 16일 말린 피츠워터백악관대변인도 『전쟁이 내려졌다』고 전면전이 피할수 없음을 예고했다.

이날 케야르 유엔사무총장은 그동안의 모든 중재노력이 실패했음을 밝히면서 마지막으로 이라크에 즉각 철수를 개시할 것을 호소했다.

그러나 후세인 이라크대통령은 15일 쿠웨이트전선을 시찰하면서 『후퇴는 있을수 없다』고 戰意를 재확인했고 방어진지를 이라크남부지역까지 확대시키는등 본격적인 전면전태세에 돌입했다.

이후 美·이라크양측은 마지막 초읽기에 돌입, 팽팽한 대치를 계속하다가 마침내 17일 오전 2시30분, 사우디아라비아 주둔 美軍의 대규모 이라크공습으로 페르시아灣대전은 불이 댕겨지고 말았다.

페濟대치 양측 戰鬪力비교

케야르 유엔사무총장의 마지막 평화중재노력이 실패로 돌아가고 미국과 이라크 양국 의회가 전쟁수행 권한을 각각 부시 대통령과 후세인 대통령에게 부여함에따라 페만사태는 이제 전쟁 일촉즉발의 초읽기에 들어갔다.

현재의 상황추이를볼때 안보리가 정한 이라크의 쿠웨이트 철수시한(한국시각 16일 오후2시)은 이라크 정부에 의해 무시될 것이 확실하며, 이에따라 이 시간이후 페만지역은 언제라도 전쟁이 일어날수 있는 살얼음판 같은 국면에 들어갈것으로보인다.

百萬병력·新武器 집결

이미 작년 12월초부터 전쟁발발에 대비, 병력증강 작업에 박차를 가해온 미국과 이라크 양측은 최근까지 무려 1백만명이 넘는 병력과 파괴력이 엄청난 신형 첨단무기들을 페만일대에 집결완료시켜 일단 전쟁이 발발하면 페濟지역은 걷잡을수 없는 화염에 휩싸여 들 것으로 보인다.

현재 양측의 군사력을 비교해보면 공군력과 해군력에서는 다국적군측이 압도적으로 우세하고 지상군 전력은 이라크가 미세한 우위에 있는것으로 판단된다.

核潛8척 포함 艦隊80척 포진

「탱크킬러」선더볼트機등 開戰즉시 制空權장악

美国

미국은 지난 주말까지 육군 22만, 해병 6만, 공군 4만명등 약37만명을 사우디에 배치했으며 2월초까지 병력수준을 43만명 수준까지 증강시킬 계획이다. 美지상군은 페만사태후 파견된 82、101공정사단과 24기계화보병사단、11대공포여단、197기계화보병여단、1기갑사단、3중기갑사단 그리고 작년12월에증파된 1、2、3장갑사단이 주축을 이루고 있다.

추가 병력증강이 다음달초 완료되면 미국은 1천대이상의 탱크와 1천5백대의 헬리콥터 그리고 2천대이상의 장갑차를 확보하게 되는데, 탱크킬러라고 불리는 AH64A 아파치헬리콥터와 세계 최강의 전차인 M1A1탱크는 장차 이라크군과의 사막전에서 큰 위력을 발휘할 것으로 보인다.

또 페르시아만과 아라비아해 홍해 지중해 일대에 집결해 있는 미해군 함대는 6척의 항공모함을 포함, 80척에 이르고 있으며 앞으로 수주일내 10여척이 추가 배치될 예정이다. 사라토가 존 F 케네디 미드웨이 아메리카 시어도어 루스벨트 레인저등 6척의 항공모함에는 3백60대의 A6 인트루더기와 F A18 호네트기 F14 전투기, A6E 폭격기 그리고 전파방해 특수항공기가 배치되어 있어 전쟁발발시 이라크와 쿠웨이트 내륙폭격 작전에 즉각 투입될 것으로 예상된다.

그리고 각각 32기의 토마호크 순항미사일을탑재한 전함 위스콘신과 미주리호, 6~8척의 핵잠수함이 페만한대에 편제되어 있는데, 이중 명중률이 아주 높은 토마호크 미사일 (사정거리 2천8백㎞)은 이라크에 엄청난 위협이 되고있다.

30여개 공군기지 배치

공군은 44대의 F117 스텔스전폭기와 38대의 장거리 F111폭격기, 1백50대의 F15 및 F16 전투기, 그리고 탱크킬러라는 별명을 갖고있는 70여대의 A10 선더볼트기등 8백대이상의 비행기를 페만상공의 30여개 공군기지에 배치해 두고있다. 또 미공군은 터키남부에 3개 전투비행단을 가지고 있으며 인도양의 디에고 가르시아섬에 26대의 B52전략폭격기로 구성된 1개비행단을 배치해두고있다.

미공군의 신형무기중 가장 주목을 받고 있는 것은 상대방의 레이더망의 감시를 피할수 있는 F117 스텔스 전폭기로 제공권이중요한 이번 전쟁에서 가공할 위력을 발휘할 것으로 예상된다. 이밖에 사우디 리야드 공군기지등에 7대가 배치된것으로 알려진 조기경보기(AWACS)는 3만1천피트 고도에 머물면서 직경 2천4백㎞의 주변지역을 그물망처럼 감시할수 있으며, 24시간 이라크 영공에 머물면서 이라크군의 이동상황을 감시하는 인텔세트 첩보위성과 KH11 첩보위성도 이라크와의 전쟁에서 중요한 기능을 담당할 것으로 보인다.

정규54萬, 예비·민병대 百30만

蘇製최신예 미그29에 스커드미사일도 큰 위협

이라크

한편 미국에 맞서는 이라크의 군사력도 그리 만만한 것은 아니다. 다국적군에 비해 우세한 이라크 육군은 55개 사단 규모의 54만명의 정규군을 현재 쿠웨이트와 이라크남부 국경지대에 배치해 놓은외에 17세이상의 성인남자 48만명을 예비군으로 소집해 놓고있다. 이라크 육군의 주축은 6개사단으로 구성된 공화국수비대로, 이부대는 현재 수도 바그다드 주변에 배치되어 있는데, 이라크는 5개 공화국 수비대 사단을 추가로 편성중인것으로 알려지고 있다.

이스라엘까지 射程圈

이라크는 또 전투에 투입할수있는 민병대 병력이 8백50만명에 달한다고주장하고있으나 실제로는 85만명 정도인것으로 추정되고있다.

이라크 육군은 5백대의 고성능 T72탱크와 중급T62탱크를포함, 5천5백대의 탱크외에 대포3천5백문, 2백문의 다연장 로켓포, 지대지미사일 5백기, 3백30대이상의 미사일발사대를 가지고있다.

이라크의 탱크수가 미국에 비해 3배이상 많으나 대부분이 구식인데다 신형탱크도 전자장비 부족으로 제기능을 충분히 발휘하지 못해 다국적군에 큰위협은 되지못하는 것으로 알려지고 있다. 그러나 이라크군이 보유한 소련제 스커드미사일(사정거리 2백80㎞)과 이 개량형인 후세인(6백40㎞) 알 (9백㎞) 미사일은 상 도는 물론, 이집트와 이 스라엘까지 사정권에 넣을 어 다국적군측에 큰 위 될것으로 보인다.

이라크는 또 소련제 미그29요격기와 장거리 기 SU24기를 포함, 7 의전투기를 가지고 있 SU24전폭기는 미F1 기에 버금가는 정확성 행동반경이 1천50㎞에 전쟁발발시 미국군에 사 타격을 줄것으로 예상

〈宋洋民기

朝鮮漫評 吳 龍

무역수지 赤字속 페灣지원금 2억2천만弗

페르시아灣에 戰雲이 감도는 가운데 미국이 중동석유왕국과 중동석유에 대한 의존도가 높은 우리나라, 일본, 독일등에 페灣지원 분담금 증액을 요구하고 있다.

현재까지 이라크의 위협 아래 놓인 사우디아라비아·쿠웨이트·아랍에미리트 등이 각각 20억~60억달러를 내놓기로 약속한 상태며, 일본이 40억달러, 독일과 EC가 각각 20억달러선을 지원할 것으로 외신은 전하고 있다.

우리나라는 현재 2억2천만달러를 지원할 것으로 알려지고 있는데, 미국의 시장개방 압력등으로 무역수지가 적자로 돌아섰고 사태진전에 따라 아랍권에 대한 입장을 미국과 달리할수도 있는 우리나라로서는 이미 과중한 분담을 약속한 만큼 추가부담은 없어야 할 것이다.

<JOINS제공·朴相翊그림>

3-2

길

주 영 대 사 관

UKW (F) - 0032 DATE: 91. 1. 17(목) 05:3 GMT

수 신 : 장 관(중근동, 미북, 구일)

발 신 : 주 영 국 대 사

제 목 : "페"만 전쟁 상황보고 #1

1. 작전명 : "사막의 폭풍 (Operation Desert Storm)"

2. 기본 작전목표 : 이락 및 쿠웨이트내 이락의 군사 및 전략목표물 타격 강습으로 이락군의 공격능력 사전분쇄

3. 작전수행 경과

23:00 GMT : 부시 대통령, 메이저 영국수상등 비롯 연합국 지도자들에게 공격임박사실 통보

23:15 GMT : 바레인기지 영국공군 Tornado GR-1 전폭기 1개 대대 이륙, 다국적군 공격전력 최초 공격작전 개시 약 10분간 이후 4차에 걸친 대량공습작전 (4 massive air round)

23:50 GMT : 바그다드 시내에서 폭격과 대공포화 목격

00:05 GMT : 백악관 대변인 "쿠웨이트 수복 (Liberation of Kwait)" 작전개시 공식 발표

02:00 부시 대통령, 대국민 성명 발표

0059

4. 최초 공격전력 편성

가. 전체가 공군력으로만 구성 (미, 영, 사우디, 쿠웨이트 공군)

나. 동부사우디 및 바레인주둔 영국공군 Tornado GR-1 45

다. 걸프만 주둔 미 해군 전함 발사 "토마호크" 순항미사일

라. 사우디, 바레인 주둔 미 공군 F-15 등

3-1

3-2

5. 주요 공격목표

가. 이락 및 쿠웨이트내 군사, 전략 targets

나. 이락의 공군기지, Republican Guard 부대, 방공레이다시설, 화생방시설, 미사일기지.

6. 주요 전과

가. 이락 공군력은 거의 말살(obliterated)시켰음 (미 TV 보도) 한편, 영국 국방성 관계자는 이락측에 "격심한 타격 (severely mauled)"을 주었다고 다소 신중한 표현과 함께 특히 영국공군 토네도 전폭기 조종사들의 활약을 크게 평가하였음.

나. Republican Guard 전력을 완전 말살 (CNN TV 보도)

다. 사담후세인의 관저가 불에 타고 있는것으로 목격됨 (영 TV 보도)

라. 다국적군의 전자전 Jamming으로 이락의 방공레이다 전력 무력화

마. 본 1차 작전은 완전 성공한 것으로 평가 (미, 영 국방성)

7. 다국적군 피해상황 : 현재까지 작전참가 전 항공기 일체 손실없이 완전 무사 귀환

8. 이락군의 대응

가. 아직까지 대응유무여부가 확실치 않으나 미미한 반응을 보인것 보도됨

나. 바그다드시내등 완전 등화관제 실시후 대공포화로 계속대응.

다. 바레인 및 이스라엘은 이락의 미사일부대가 이스라엘에 대한 공격을 준비중에 있다고 발표.

라. 사우디에 대한 미사일 공격을 감행하였으나 사정거리 미달로 목표물에 못 미친것으로 알려짐 (BBC 보도)

3-2

0060

9. 이스라엘의 참전 / 대응 여부 : 현 시각까지 전혀 작전 소시 동정 없음.

10. 기타 주요 발전사항

가. 메이저 영국수상, 1.17(목) GMT 07:00 성명발표 예정
10:00 긴급전시내각 소집

나. NATO 16개국 대사, 브랏셀에서 긴급대책회의 소집예정
EC 의장국인 룩셈부르그는 EC 긴급회의를 파리에서 개최예

다. 벨지움, 독일, 이태리, 미국은 터키에 제트전투기 파견 예정

라. 터키의회, 후속 공격작전 수행위한 미군의 터키내 공군기지 사용여부 결의 예정

마. 중공 (신화사통신), "페"만 전쟁 발발 유감표시와 함께 참전국의 자제 촉구. (끝)

0061

3-3

원 본

외 무 부

종 별 : 긴 급

번 호 : SBW-0195 일 시 : 91 0120 2000

수 신 : 장 관(중근동,국방부,기정)

발 신 : 주 사우디 대사

제 목 : 걸프전

금 1.20 2030 미 DESERT STORM 사령부 대변인은 금일 현재의 전부상황을 설명한바,요지하기 보고함

1.금일 1800 현재 다국적군은 총 7,000회의 출격을 기록하며 공중전에서 총15대의 이락 전투기를 격추함,(금일 5대를 격추).

한편 최근 24시간동안 미군기는 3대가 격추 되어,이락의 포하에 격추된 미군기는 총8대임

2.1.18 밤 쿠웨이트 연해의 OIL PLATFORM 공격에서 총23명의 이락군을 포로로 생포했으며,교전중 이락군의 피해는 사망5명,부상4명임

3.현재 DESERT STORM에는 미군 460,000명이 참가하고있음(육군250,000명, 해군75,000명,해병대85,000명,공군 50,000명)

4.아직 지상군간의 직접교전은 없음

(대사 주병국-국장)

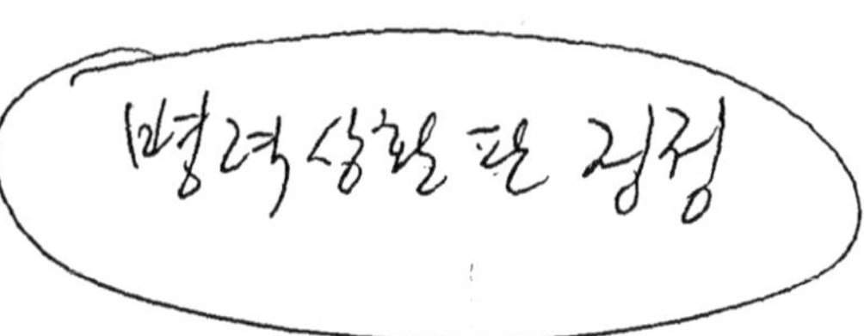

중아국	장관	차관	1차보	2차보	미주국	정문국	상황실	청와대
총리실	안기부	국방부						

PAGE 1 91.01.21 05:34 BX

외신 1과 통제관 0062

원 본

외 무 부

종 별 :

번 호 : OKW-0009 일 시 : 90 0121 1500

수 신 : 장관(미안,아일,정일)

발 신 : 주 나하영사

제 목 : 미군동정(자료응신91-1)

1.미군동정에 관한 당지언론들 보도에 의하면 미국방성은 오끼나와 주둔 제 12 해병여단소속 해병의 사우디 급파이래 1.20 현재까지 모두 8,000여명의 현지주둔 미군병력을 걸프전쟁에 참여 시킨것으로 알려짐.

2.미군은 THREATCON CHARLIO 사태 직전인 THREATCONBRAVO 사태를 선포하여 각종시설에대한 경계를 강화하고 있는데, 현지 경찰도 1.20자 규슈관구 경찰 약 100명의 지원을 받아 1,500여명의 기동대를 미군기지 주변에 배치 군시설 테러방지 활동을 펴고있음.

3.작년 12.10자 취임한 오끼나와현 오오다 신임지사는 2월로 예정했던 방미계획을취소한 대신 1.17 걸프전쟁이 평화적으로 해결되기를 바란다는 성명을 발표하고동일 나가이 부지사로 하여금 당지 미국총영사와 미군사령관을 방문케하여 동성명의 뜻을 전하였음.

4.동전쟁에 대한 이곳 주민들의 반응은 공산당등 혁신계 세력들에 의한 가두반전 데모들이 소규모로 전개되고 있으나 현재 특이사항은 없으며, 대규모미군 이동으로 기지주변이 불 경기가 되어 상가들이 타격을 받는것으로 보도됨.

(영사 백선군-미주국장)

미주국 장관 차관 1차보 2차보 아주국 중아국 정문국 청와대
총리실 안기부

0063

PAGE 1

91.01.21 18:20 DA

외신 1과 통제관

외 무 부

종 별 : 지 급

번 호 : UKW-0201 일 시 : 91 0122 1500

수 신 : 장관(중근동,미북,구일)

발 신 : 주영대사

제 목 : 걸프전쟁

91.1.22(화) 12:00(GMT) 현재 주요 진전사항 아래보고함.

1. 연합군 공습성과의 한계성 부상

-6일째 계속된 연합군 공습(약 9,000회출격)에도 불구하고 이락의 전투력에 대한결정적 타격은 아직 없는것이 아니냐는 평가등장

-이락의 SCUD 미사일은 500여개 잔존하고 있으며, 미사일 발사대(이동식 포함)도 수십개 남아있는것으로 관측됨. 이락의 전투기는 약 800대중 30여대만이 파괴되었으며, 비행장도 상당수 가동가능한 것으로 보도되고 있음.

-지난 2일간 연합국은 흐린날씨 매문에 공습 및 공습성과 평가에도 어려움을 겪은 것으로 보도됨.

-메이저 수상은 1.21(월) 하원에서 상존 인명피해가 적었다고 해서 이전쟁이 쉽고 고통이 적은전쟁이 될 것이라고 기대해서는 안된다고 경고함.

2. 전황 특기사항

-1.22(화) 새벽 이락은 SCUD 미사일로 사우디를 공격함. 다란지역에 4기, 리야드에 2기의 미사일이 발사된 것으로 보이며, 이중 2개는 미 PATRIOT무8(57 (737)-(0#(9-)93?-7)- %3.507% % 23?3 1?-% %270#)507(')(=- 1?5=(50' (7%.'(9737% % (52$% %)5$(=-2-?-?-7ㅁ .

-1.22.오전 이락이 쿠웨이트내 2개의 정유시설을방화하여 연기가 주변하늘을 메우고 있는 것으로확인됨. 이는 연합군의 공군력 저하는 물론,효과적인 지상전 수행에도 방해되는 것으로 보임.또한 심리적인 유가상승 효과가 있으며,장기적으로는 환경을크게 오염시킬 것으로관측됨.

3. 전쟁포로 문제

-이락의 연합군 포로 처우문제에 비상한 관심이모아지고 있음. 이락이 포로를

중아국 장관 차관 1차보 2차보 미주국 구주국 정문국 청와대
총리실 안기부

PAGE 1 91.01.23 08:59 DN

외신 1과 통제관 0064

학대한후 TV에 그모습을 방영했으며, 향후 전략거점에 대한인간방패로 사용될 것으로예상됨.

-1.21(월) 외무성 HOGG 국무상은 당지 이락대사를불러 전쟁포로에 관한 제네바협약의 중대한위반을 규탄하고 이같은 전쟁범죄에 대해서는관계자들의 개인적인 책임을 면할수 없을것이라고 경고함.

4. 쏘련의 휴전제의 거절

1.21. 고르바쵸프의 휴전제의(쿠웨이트 철군포함)에대해, 사담은 이를 거절하고부쉬 대통령이침략행위를 자행했으므로 그 댓가를 치뤄야한다고 말한것으로 보도됨.끝

(대사 오재희-국장)

원 본

외 무 부

종 별 :

번 호 : HOW-0037 일 시 : 91 0122 1700

수 신 : 장 관(중근동, 구일, 정일)

발 신 : 주 화란 대사

제 목 : 걸프사태 (자료응신 제 91-14호)

주재국 국방부 발표에 의하면 주재국은 1.21 현재 걸프사태 관련 총 3억 길다(약1억8천만불)의 비용을 지출한바, 동 주요 내역은 아래와 같음.

0. 함정 및 보급선 파견 : 60백만 길다 (매월 5백만길다 소요)

0. 미사일 부대 터키 파견 : 약 12백만 길다 (매월 2.1백만 길다 소요)

0. 의료단 UAE 파견 : 1백만 길다 (매월 약70만길다 소요)

0. 무기 영국지원 : 35백만 길다

0. 화학무기 방어 장비 및 의약품 터키 지원 : 44.3백만 길다

0. 전선국 지원 : 9.3백만 길다 (91년도 중 55백만길다 추가지원 예정)

0. 전쟁난민 구호 : 15.5백만 길다. 끝.

(대사 최상섭-국장)

중아국 장관 차관 1차보 2차보 미주국 구주국 정문국 청와대
총리실 안기부

PAGE 1

91.01.23 13:31 FG

외신 1과 통제관 0066

원 본

외 무 부

종 별 :

번 호 : HOW-0038 일 시 : 91 0123 1700

수 신 : 장 관(중근동,구일,정일)

발 신 : 주 화란 대사

제 목 : 걸프 사태 (자료응신 제 91-15호)

1. 주재국 국방성 발표에 의하면, NATO 는 걸프전 발발에 따라 지중해에 대한 정찰을 강화하기 위해 화란의 오리온 정찰기 사용을 희망하고 있다함. 주재국은 현재 13기의 오리온 정찰기를 보유하고 있으며, 동 정찰기는 잠수함을 포착, 파괴할 수 있는 장비를 갖추고 있는 것으로 알려짐.

또한 주재국은 동부 지중해에 2정의 소해정 (MINESWEEPER) 을 2.25. 파견할 예정이라함.

2. TER BEEK 국방장관은 1.22. 주재국 공군의료팀을 2월초 사우디에 파견할 예정이라고 밝히고, 동 의료팀은 29명의 의사, 간호원으로 구성되며, 쿠웨이트 국경에서 300KM 떨어진 ALJUBAYL 지역의 영국군 병원에서 6개월간 복무할 예정이라고 언급함.

3. 주재국 정부는 걸프전 발발후 예상외로 유가가 하락함에 따라 당초 계획을 변경, 비상용 유류를 방출지 않기로 결정함. 이와 관련, 주재국 경제성측은 특별한 상황변 화가 없는한 IEA도 종전의 비상용 유류방출 지침을 철회할 것으로 본다고 언급함.

4. 주재국 외무성은 1.22. 당지 주재 이락 대사를 초치 이락의 연합군 포로 취급을 비난하는 EC 의 공동성명문을 전달함. 끝.

(대사 최상섭-국장) WG

중아국 1차보 구주국 정문국 안기부 2차보 차관 장관 총리실 청와대

PAGE 1

91.01.24 10:19

외신 1과 통제관

0067

外務部 걸프事態 非常對策 本部

題 目: 多國籍軍 現況

1991. 1 . 24

(年頭報告 參考資料)

1. 參 加 國 : 28個國
   - o 미국, 카나다, 호주 3개국
   - o EC 포함 서구 10개국
   - o 동구 3개국
   - o 아랍 7개국
   - o 아시아 2개국
   - o 아프리카 2개국
   - o 남미 1개국

2. 總 兵力 : 796,450 名

3. 醫療團 派遣國 : 6個國
   - o 韓國 154名
   - o 덴마크 約 40名
   - o 필리핀 270名 (民間醫療陣)
   - o 싱가폴 50名 (上同)
   - o 뉴질랜드 50名 (上同)
   - o 헝가리 約 40名 (上同)

4. 其他 支援國 : 2個國
   - o 폴란드 : 病院船 1
   - o 오스트리아 : 野戰 앰블런스 1

0068

政府綜合廳舍 810號 電話 : 730-8283/5, 730-2941. 6. 7. 9, (구내)2331/4, 2337/8 Fax : 730-8286

각국 다국적군 파견 현황

국 가	병 력 (명)	탱크 (대)	항공기(대)	함 정 (척)	의 료 단 파 견
사 우 디	총 : 61,700 육 : 38,000 공 : 16,500 해 : 7,200	550	180	8	
미 국	총 : 460,000 육 : 250,000 공 : 50,000 해 : 75,000 해병대 : 85,000	1,000 (1,000 추가 파견 예정)	1,000 (300 추가 파견 예정)	55	. 사우디 담만항에 병원선 2척 파견 (수용능력 1,000 병상) . 사우디 알바틴에 종합 의료단 운영 (수용능력 : 350 병상, 의료단 : 전문의 35명)
이 집 트	총 : 14,000 (5,000 추가 파견 예정)	400			
영 국	총 : 34,000	170	72	16	. 의사 200명 및 400 병상 규모 야전병원 파견 . 무력충돌 대비 약 1,500명 확보중
프 랑 스	총 : 10,000	40	40	14	
아르헨티나	총 : 100			2	
호 주				3	. 2개 의료단 파견 검토중
바 레 인	총 : 33,500 육 : 23,000 해 : 600 공 : 450				
벨 기 에				3	

0069

국 가	병 력 (명)	탱크 (대)	항공기(대)	함 정 (척)	의 료 단 파 견
오스트리아					. 야전 앰블란스 1대 파견
시 리 아	총 : 5,000 (10,000 추가파견 예정)	300 파견 예정			
터 키	총 : 100,000 (국경선 배치)	80	74 (미군 배치 54대 포함) + 42 (나토 파견)	2	
U. A. E.	총 : 43,000	200	80	15	
포르투갈				1	
필 리 핀					. 민간의료 지원단 270명 파견
폴 란 드					. 병원선 1척 파견 검토중
뉴질랜드					. 민간 의료진 + 50 바레인 주둔 미 해군병원 근무
싱 가 폴					. 30명 의료 지원단 영국군 병원 근무
계	796,450	2,440	1,461	138	

0070

국 가	병 력 (명)	탱크 (대)	항공기(대)	함 정 (척)	의 료 단 파 견
방글라데쉬	총 : 2,000 (3,000 추가 파견 예정)				. 2개 중대 300명(장교 16명, 사병 84명)
불가리아	300 파견 예정				
캐 나 다	450 파견 예정		18	3	
체 코	200 파견 예정				
덴 마 크					. 병원선 취소 대신 30-40명 군의료진 영국군에 배치
그 리 스				1	
헝 가 리					. 30-40정도 자원 민간의료진 영국군 소속
이 태 리			8	6	
모 로 코	총 : 1,700				
네덜란드	공군,터키에 55명			3	
니 제 르	총 : 500				
노르웨이				(경비정) 1	
오 만	총 : 25,500		63		
파키스탄	총 : 2,000 (3,000 추가파견 예정)				. 1개중대 100명
세 네 갈	총 : 500				-
소 련				2	
스 페 인				3	

0071

원 본

외 무 부

종 별 : 지 급

번 호 : SBW-0268 일 시 : 91 0124 2230

수 신 : 장 관 (중근동,국방부,기정)

발 신 : 주 사우디 대사

제 목 : 걸프전

1. 금 1.24.1800 미중앙 사령부의 전황 브리핑 요지를하기 보고함

가.금일까지 다국적군은 총 15,000회의 출격을 기록하였으며, 이중 16프로가 미국을 제외한 다국적군의 출격임

나.1.23미군기 1대가 지상포화에 격추되어 현재미군은 15대를 잃음(10대 격추,5대 사고)

다.다국적군은 지금까지 공중전에서 19대의 이락전투기를 격추하였으며, 다국적은 1대도 격추당하지 않음 (1.24 사우디공군기의 공중전관련사항 ''2항''참조)

라.1.23 이락은 이스라엘에 1발, 사우디에 5발의 SKUD 미사일을 발사하였으나,모두 PATRIOT 에요격당함 (지금까지 사우디는 총 22발의 SKUD공격을 받았으며, 이중 18발이 요격되고, 4발은사막이나, 바다에 떨어짐)

마.1.24 현재 미군 475,000명 (육군260,000,해군75,000,해병대90,000,공군 50,000명) 과기타 다국적군은 200,000명이 참전중임

2.상기브리핑에 이어 다국적군 사령부의 사우디를 중심으로한 전황 브리핑이 있었는바, 다음과같음

가.1.24 오후 사우디공군의 F15기 1대가 공중전에서 2개의 이락 F1 MIRAGE 기를 격추함

나.1.24 새벽 사우디군함이 미군 헬리콥터의 지원하에 이락의 기뢰부설선 1대를격침시킴

다.국경지역에서 산발적인 소규모 포격전들이 있었으나, 최근 24시간동안 피해는 없음

(대사 주병국-국장)

중아국	장관	차관	1차보	2차보	미주국	중아국	정문국	청와대
총리실	안기부	국방부						

PAGE 1 91.01.25 08:10 AQ

외신 1과 통제관

0072

외 무 부

종 별 : 지 급

번 호 : SBW-0296 일 시 : 91 0126 2230

수 신 : 장 관(중근동, 국방부, 기정)

발 신 : 주 사우디 대사

제 목 : 걸프전

1. 1.26 18:00 미군사령부 MIKE SCOTT 중령이 정례기자회견에서 밝힌 주요요지는 다음과 같음.

가. 미군포함 다국적군은 현재 약 685,000명임.

나. 어제 격추된 다국적군기나 이라크기는없음.

현재까지 실종된 다국적기는 17대이며, 격추된 이라크기는 19대임.

적어도 지하에있는 23대의 이라크기가 파괴된것이 확인 되었음.

다. 금일현재 29개의 기뢰를발견, 파괴하였으며, 적어도 10대의 이라크군함이 격침되었음.

라. 이라크는 계속 기름을 걸프만으로 버리고있으며, 동기름이 퍼진 범위는 30MILEX 8MILE임. 군사적 측면에서 동기름의 영향은 적음.

마. 이라크는 어제 모두 9발의 스커드미사일(6발은 이스라엘, 3발은 사우디목표)을 발사하였으며, 모두요격되었음.

리야드 목표 2발중 1발의 탄두가 파괴되지않고 지상에서 폭발하여 1명이 죽고 약 23명이 부상함.

현재까지 45발의 스커드미사일이 발사되었음(사우디목표 25발, 이스라엘목표 20발)

2. 미군사령부 발표에이어 계속된 기자회견에서 사우디군 당국이 밝힌 주요내용은 다음과 같음.

가. 이라크는 1.25 22:23에 리야드를 목표로 스커드미사일 2발을 1.26 03:23에 다란을 목표로 1발을 각각 발사했음.

리야드 목표 2발중 1발의 폭약파편이 관공서 건물에 떨어졌으며, 1명이 사망하고30명이 부상함.

중아국 장관 차관 1차보 2차보 총리실 안기부 국방부

PAGE 1

91.01.27 10:24 FG

외신 1과 통제관 0073

나. 어제 이라크군 장교2명과 사병 10명이 국경선을 넘어와 사우디군에 항복했음.

다. 현재까지 다국적군기의 총 20,000여회 출격중 사우디기는 1282회 출격했음.

3. 금일 미군사령부 기자회견시 미군당국은 이라크군 항공기 7대가 이란에 비상착륙했다는 보도와관련, 공식적인 정보가 없다고말했으며, 특히 금일 회견에서는 걸프만에 버려진 기름에대한 질문이 많았음.

(대사 주병국-국장)

0074

외 무 부

종 별 :

번 호 : BBW-0073 일 시 : 91 0128 1700

수 신 : 장 관(중근동,구일,정일,기정동문,국방부)

발 신 : 주벨기에대사

제 목 : 걸프전쟁 (자료응신 제9호)

1. 1.25. 주재국 정부는 걸프전 관련 다음과 같은 추가 재정지원 조치를 발표함.

0 미국정부가 벨기에 소재 무기 전문 회사인 FNHERSTAL 사로 부터 구매한 자동 소총 (M249-SAW SQUAD)972 정에 대한 구입대금 8천만 BF 상당을 대신 변제

0 시리아에 설치될 베네룩스 적십자사 난민 캠프에 3천만 BF 지원

2. 상기외 금일 현재까지 주재국 정부의 걸프사태 관련 지원 현황을 다음과 같음.

0 배 차원 협력

- 90. 8월말 이래 소해정 2척 지원함

1척 파견 (호르무즈 해협)

- 90. 10월이래 FRIGATE 함 1척 추가 파견

0 NATO 차원 협력

- 91. 1월초 MIRAGE 전투기 18대 (NATO 공군 기동군 소속) 터키 DIYARBAKIR 공군기지 파견

- 91. 1.28. 소해정 1척 (NATO 도버 해협 상주 해군사(STANAFORCHAN) 소속) 지중해 파견

나. 인도주의적 조치

0 91.1.22. 민.군 자원자로 구성된 의료 지원단 50여명 사이프러스 파견

0 영.불 군사 병원장비 지원 (야전 침대 2,800대,앰블런스 1대 지원, 부상병 호송용 항공기 2대 배치)

0 국제 적십자에 대한 대 요르단 난민구제 활동비 3백 5십만 BF 지원

0 기타 난민 수송용 항공기 파견.끝.

(대사 정우영-국장)

중아국	장관	차관	1차보	2차보	미주국	구주국	정문국	청와대
총리실	안기부	국방부						

PAGE 1

91.01.29 02:50 DQ

외신 1과 통제관 0075

관리번호	91-1744

외 무 부

종 별 : 긴 급

번 호 : USW-0499 일 시 : 91 0129 2238

수 신 : 장관(미북,중근동,미안,대책반)

발 신 : 주 미 대사

제 목 : 다국적군 파견 현황

대 WUS-0345

1. 대호 관련, 금 1.29 당관 임성남 서기관이 국무부 근동국 지역 총괄과 EUGENE DORRIS 부과장을 통해 파악한 1.22 현재의 다국적군 참여국 명단을 아래 보고함.

알젠틴, 호주, 바레인, 방글라데시, 벨지움, 캐나다, 덴마크, 이집트, 프랑스, 독일(지중해 동부에 소해정 파견), 희랍, 이태리, 쿠웨이트, 모로코, 화란, 니제, 놀웨이, 오만, 파키스탄, 카탈, 사우디, 세네갈, 스페인, 시리아, UAE, 영국(미국제외 26 개국)

2. 상기 명단은 걸프 사태 관련 제 3 국 지원 현황을 군사, 경제등 분야별로 총망라한 국무부 내부 자료(2 급 비밀, 정보조사국에서 취합 작성)의 수록 국가중, 사견임을 전제로 전기 DORRIS 부과장이 다국적군 참여국으로 분류한 국가들인바, 기타 동인이 언급한 관련 사항은 다음과같음.

가. 동 종합 자료는 약 열흘 간격으로 UPDATE 되는바,2.5 개최 예정인 걸프사태 관련 재정 지원 공여국 조정위 회의 직전 UPDATE 예정임.

나. 상기 1.22 현재로 자료에 따르면, 지금까지의 아국 지원 내용이 비교적상세하게 기록되어 있는바(총 지원액 2 억 2 천만불, 이중 다국적군 지원액은 1억 2 천만불, 대미 현금 지원 5 천만불은 90.12.26 송금 조치필, 군 의료 지원단 파견 예정 사실등), 조정위 개최 직전 UPDATE 시 아국 군 의료단이 기 파견된것으로 수정 예정임.

다. 국무부가 전기 종합 자료내에서 다국적군 참여국을 별도로 분류하지는 않고 있음. 여사한 분류를 공정히 하기 위해서는 -다국적군 참여국-을 어떻게 정의 하느냐가 중요한바, 예컨대 독일 함정이 지중해 동부에 파견되었으므로 사견을 전제로 상기 1 항의 명단에 포함하였으나, 실질적으로 걸프 작전에 미치는 영향도 별무하고

미주국	장관	차관	1차보	미주국	중아국	청와대	안기부	대책반

0076

PAGE 1 91.01.30 13:33

외신 2과 통제관 BT

작전 지역으로 부터 원거리에 위치하고 있으므로 명단에 포함시키지 않을수도 있음.

라. 또한 대부분의 아랍국가를 포함, 상당수 국가들이 걸프 사태 관련 지원내용의 대외 공개를 원치 않고 있으므로, 국무부측으로서는 종합적인 자료나 구체적인 자료의 대외 공개를 꺼리는 형편임.

이러한 측면에서 볼때, 한국측이 자국 지원 약속내용에 대한 미국내의 관심을 유도하기 위해 노력하는것은 다소 이례적(UNIQUE)인바, 홍보 차원의 효과를 위해서는 대언론 직접 접촉에 주력하는것이 도움이 될것으로 봄(동 부과장은 사견임을 전제로, 아국 의료 지원단의 활동 장면 사진을 PRESS RELEASE 하거나, CNN 사우디 특파원단의 아국 의료 지원단 현지 취재를 주선하는것도 한 방법일것이라고 언급함)

마.(부쉬 대통령의 작일 NATIONAL RELIGIOUS BROADCASTERS 회의 연설에서도다국적군 참여국을 28 개국이라고 지칭하는등, 미측이 다국적군 참여국 현황을UPDATE 하려는 내부적 노력을 게을리 하고 있는것이 아니냐는 질문에 대해)

걸프 사태 발발 초기에는, 미측이 국제적 지지 확보를 위해 다국적 노력 참여국 숫자에 많은 관심을 가졌었으나, 현 상황하에서는 일단 국제적 지지가 공고화 되었다고 볼수 있으므로 다국적군 참여국 숫자와같은 행정적 문제에 대한 관심이 상대적으로 감소한것도 사실임.

3. 한편, 당관 무관부를 통해 국방부 유관부서로 부터 확인한바로는, 국방부 내에도 다국적군 참여국에 관한 확립된 정의는 없다 하며, 다만 걸프 사태 지원국으로 다음의 35 개국을 꼽고 있다함(국가별 지원 내용은 상호 불평의 여지가있으므로 대외 비공개 사항이라함)

영국, 불란서, 벨기에, 독일, 스페인, 이태리, 네덜란드, 카나다, 그리스, 놀웨이, 폴투갈, 덴마크, 터키, 사이프러스, 한국, 뉴질랜드, 폴란드, 사우디, 오만, UAE, 카다르, 바레인, 이집트, 쿠웨이트, 모로코, 시리아, 호주, 파키스탄, 방글라데시, 세네갈, 알젠틴, 나이지리아, 체코, 헝거리, 싱가폴

(대사 박동진-국장)

91.12.31 일반

〈添 附 1〉

多國籍軍 派遣 現況

91. 1. 30. 現在

國 家	軍事力 派遣 및 參戰	備 考
美 國	ㅇ 兵 力 : 492,000 名 ㅇ 탱 크 : 2,000 臺 ㅇ 航空機 : 1,300 臺 ㅇ 艦 艇 : 60 隻 (航空母艦 7隻)	
GCC (6個國)	ㅇ 兵 力 : 150,500 名 ㅇ 탱 크 : 800 臺 ㅇ 航空機 : 330 臺 ㅇ 艦 艇 : 36 隻	사우디, 쿠웨이트, 바레인, 오만, UAE, 카타르
英 國	ㅇ 兵 力 : 35,000 名 ㅇ 탱 크 : 170 臺 ㅇ 航空機 : 72 臺 ㅇ 艦 艇 : 16 隻	

0078

國家	軍事力 派遣 및 參戰	備考
프랑스	o 兵力 : 10,000名 o 탱크 : 40臺 o 航空機 : 40臺 o 艦艇 : 14隻	
이집트	o 兵力 : 35,000名 o 탱크 : 400臺	
시리아	o 兵力 : 19,000名 o 탱크 : 300臺	
파키스탄	o 兵力 : 7,000名	6千名 追加派遣 豫定
터키	o 兵力 : 5,000名 o 艦艇 : 2隻	國境配置 約10万名
방글라데시	o 兵力 : 2,000名	3千名 追加派遣 豫定

0079

國家	軍事力 派遣 및 參戰	備考
카나다	o 兵力 : 2,000名 o 航空機 : 24臺 o 艦艇 : 3隻	
모로코	o 兵力 : 1,700名	
세네갈	o 兵力 : 500名	
니제르	o 兵力 : 480名	
이태리	o 航空機 : 8臺 o 艦艇 : 6隻	
濠洲	o 艦艇 : 3隻	
벨기에	o 艦艇 : 3隻	
네덜란드	o 艦艇 : 3隻	
스페인	o 艦艇 : 3隻	
아르헨티나	o 兵力 : 100名 o 艦艇 : 2隻	

0080

國 家	軍事力 派遣 및 參戰	備 考
그리스	o 艦 艇 : 1隻	
포르투갈	o 艦 艇 : 1隻	
노르웨이	o 艦 艇 : 1隻	
체 코	o 兵 力 : 200名	
總 計 (總 28個國)	o 兵 力 : 760,480名 o 탱 크 : 3,710臺 o 航空機 : 1,774臺 o 艦 艇 : 154隻	※ 蘇聯은 艦艇 2隻을 參戰 目的이 아니라 觀察 目的으로 派遣

0081

<添 附 2>

各國의 支援 現況

가. 經濟 支援

國 家	戰爭 勃發 前	戰爭 勃發 後
日 本	. 40億弗(20億弗 : 多國籍軍 支援, 20億弗 : 周邊國 支援)	. 90億弗(對美 現金 支援)
獨 逸	. 20.8億弗(33億 마르크)	. 10億弗(1億6千7百万弗의 이스라엘 支援額 및 1億4百万弗의 英國軍 支援額 包含) . 55億弗(對美 支援)
E C	. 19.7億弗	
英 國	. EC 次元 共同 步調	
불란서	〃	
이태리	. 1.45億弗(1次 算定額), 〃	
벨기에	. EC 次元 共同 步調	. 1億1千3百5拾万 BF
네덜란드	〃	. 1億8千万弗(戰前 支出 包含)
스페인	〃	
폴투갈	〃	
그리스	〃	

0082

國 家	戰爭 勃發 前	戰爭 勃發 後
카나다	. 6千6百万弗	
노르웨이	. 2千1百万弗	
濠 洲	. 8百万弗(難民救護)	
G.C.C.國	. 사 우 디 : 60億弗 . 쿠웨이트 : 50億弗 . U.A.E. : 20億弗	. 사 우 디 : 135億弗 . 쿠웨이트 : 135億弗

0083

나. 醫療 支援

國　家	內　　譯
美　國	. 사우디 담맘港에 病院船 2隻 派遣(1,000 病床) . 사우디 알바틴에 綜合 醫療團 運營 (專門醫 35 名, 350 病床)
英　國	. 野戰病院 派遣(醫師 200名, 400 病床) (有事時 對備 約 1,500名의 追加 軍 醫療陣 派遣 準備中)
濠　洲	. 2個 醫療團 派遣 檢討中
방글라데쉬	. 2個 醫務 中隊 300名 派遣
카 나 다	. 野戰病院 派遣(醫療陣 550名, 225 病床)
덴 마 크	. 軍 醫療陣 30-40名 英國軍에 配置
헝 가 리	. 自願 民間醫療陣 30-40名 英國軍에 配置
체　코	. 自願 醫療陣 150名 派遣
파키스탄	. 1個 醫務 中隊 100名 派遣
오스트리아	. 野戰 앰블란스 1臺 派遣
필 리 핀	. 民間 醫療支援團 270名 派遣

한 국　　군 의료지원단 154명 (1.24)

덴마크　　군 의료진 1진 30명 (1.31)

0084

國 家	內 譯
폴 란 드	. 病院船 1隻 派遣 準備中
뉴질랜드	. 民間 醫療陣 50名 , 바레인 駐屯 美 海軍 病院에 勤務 . 軍 醫療團 20名 追加 派遣 決定
싱 가 폴	. 醫療支援團 30名 , 英國軍 病院에 勤務
벨 기 에	. 民.軍 自願 醫療 支援團 50名 派遣 . 醫療 裝備 支援(野戰 寢臺 2,800個, 앰블란스 1臺, 負傷兵 護送用 航空機 2臺)

0085

〈添附 1〉

多 國 籍 軍 現 況

(*표는 醫療團도 派遣한 國家)

連番	國 別	本部把握	駐사우디大使館報告	駐카이로總領事館報告	駐佛蘭西大使館報告	A P (2.7字)	NSC 資料 / 備考
1	* 미 국	. 병력 : 492,000 . 탱크 : 2,000 . 항공기 : 1,300 . 함정 : 60 (항공모함 6척)	. 병력 : 약500,000 (육.해.공군 파견)	. 병력 : 425,000 . 탱크 : 2,500 . 항공기 및 헬기 1,800 . 함정 : 100 (항공모함 6척)	. 병력 : 430,000 . 탱크 : 2,000 . 전투기 : 1,300 . 전투헬기:1,500 . 함정 : 55 (항공모함 6척)	. 병력 : 500,000 . 탱크 : 2,000 . 항공기 : 1,780 (항모탑재기 480대 포함) . 헬기 : 1,700 . 함정 : 120 (항공모함 6척)	. 육.해.공군 파견
2	*캐 나 다	. 병력 : 2,000 . 항공기 : 24 . 함정 : 3	. 해.공군 파견	. 항공기 : 24 . 함정 : 3	. 병력 : 1,700 . 항공기 : 18 . 함정 : 3	. 병력 : 1,850 . 항공기 : 18 . 함정 : 3	. 육.해군 파견
3	*호 주	. 함정 : 3	. 해.공군 파견	. 함정 : 3	. 함정 : 3	. 함정 : 2	. 해군 파견
4	*영 국	. 병력 : 35,000 . 탱크 : 170 . 항공기 : 72 . 함정 : 16	. 병력 : 30,000 . 탱크 : 130 . 항공기 : 50 . 함정 : 16	. 병력 : 25,000 . 탱크 : 170 . 항공기 : 63 . 함정 : 15	. 병력 : 35,000 . 탱크 : 170 . 전투기 : 72 . 함정 : 16	. 병력 : 35,000 . 항공기 : 70 . 함정 : 16	. 육.해.공군 파견
5	프 랑 스	. 병력 : 10,000 . 탱크 : 40 . 항공기 : 40 . 함정 : 14	. 병력 : 15,000 . 항공기 : 30 . 함정 : 14 (항공모함 1척)	. 병력 : 10,000 . 탱크 : 72 . 항공기 : 38 . 함정 : 9	. 병력 : 15,200 . 탱크 : 40 . 장갑차 : 300 . 야포 : 18 . 전투기 : 60 . 전투헬기 : 120 . 함정 : 14	. 병력 : 12,000 . 항공기 : 3개 비행대대 . 함정 : 12-14	.육.해.공군 파견
6	이 태 리	. 항공기 : 8 . 함정 : 6	. 해.공군 파견	. 항공기 : 7 . 함정 : 6	. 전투기 : 8 . 함정 : 6	. 함정 : 6 . 공군 파견 : 8 (터키 배치)	. 해.공군 파견
7	*벨 기 에	. 함정 : 3	. 해군 파견	. 함정 : 3	. 함정 : 3	. 항공기 : 18 (터키 배치) . 함정 : 2	. 해군,터키배치 공군
8	*네덜란드	. 함정 : 3	. 해군 파견	. 함정 : 3	. 함정 : 3	. 함정 : 2	. 해군,터키배치 공군
9	스 페 인	. 함정 : 3	. 해군 파견	. 함정 : 4	. 함정 : 3	. 함정 : 3	. 해군 파견
10	그리이스	. 함정 : 1	. 해군 파견	. 함정 : 1	. 함정 : 1	. 함정 : 1	. 해군 파견
11	*덴 마 크	. 함정 : 1	. 해군 파견	. 함정 : 1	. 함정 : 1	. 함정 : 1	. 해군 파견

0086

連番	國別	本部把握	駐사우디大使館報告	駐카이로總領使館報告	駐佛蘭西大使館報告	A P	NSC 資料 / 備考
12-17	GCC국(사우디,오만, 쿠웨이트, 바레인, UAE, 카타르)	. 병력 : 150,500 . 탱크 : 800 . 항공기 : 330 . 함정 : 36	. 육.해.공군 파견	. 병력 : 50,000 . 탱크 : 520 . 항공기 : 334	. 병력 : 165,300 . 탱크 : 750 . 항공기 : 260 . 전투헬기 : 203	. 병력 : 150,500 . 탱크 : 800 . 항공기 : 330	. 육.해.공군 파견
18	이 집 트	. 병력 : 35,000 . 탱크 : 400	. 병력 : 35,000	. 병력 : 35,000 . 탱크 : 450	. 병력 : 35,600 . 탱크 및 장갑차 400 . 함정 : 16	. 병력 : 38,500	. 육군 파견
19	시 리 아	. 병력 : 19,000 . 탱크 : 300	. 병력 : 30,000	. 병력 : 20,000 . 탱크 : 270	. 병력 : 19,800 . 탱크 : 300	. 병력 : 21,000	. 육군 파견
20	*파키스탄	. 병력 : 7,000 (6천명 추가파견 예정)	. 육군 파견	. 병력 : 8,000	. 병력 : 5,000	. 병력 : 13,000 (군사고문단6,000)	. 육.해군 파견
21	*방글라데시	. 병력 : 2,000 (3천명 추가파견 예정)	. 육군 파견	. 병력 : 6,000	. 병력 : 2,500	. 병력 : 2,000	. 육군 파견
22	모 로 코	. 병력 : 1,700	. 병력 : 1,700	. 병력 : 1,500	. 병력 : 6,700	. 병력 : 1,700	. 육군 파견
23	세 네 갈	. 병력 : 500	. 육군 파견	. 병력 : 500	. 병력 : 500	. 병력 : 500	. 육군 파견
24	니 제 르	. 병력 : 480	. 육군 파견	. 병력 : 500	. 병력 : 500	. 병력 : 480 . 1개 비행대대	. 육군 파견
25	아르헨티나	. 병력 : 100 . 함정 : 2	. 해군 파견	. 함정 : 2	. 병력 : 100 . 함정 : 2	. 병력 : 100 . 함정 : 2	.육군 파견
26	포르투갈	. 함정 : 1		. 함정 : 1	. 함정 : 1	. 함정 : 1	미국정부는 불포함
27	노르웨이	. 함정 : 1	. 해군 파견	. 함정 : 1		. 함정 : 1	미국정부는 불포함
28	*체 코	. 병력 : 200		. 병력 : 300	. 병력 : 200	. 병력 : 200	對화학전 부대 미국정부는 불포함
29	소 련	. 함정 : 2 (관찰목적)	. 함정 : 철수시킴	. 함정 : 4	. 함정 : 2	. 함정 : 2	미국정부는 불포함
30	터 키			. 함정 : 2			자국방위군
31	*폴 란 드				. 함정 : 2		미국무부 근동국, 정치군사국은 불포함
32	*뉴질랜드					. 항공기 : 2 (C-130 수송기)	미국무부 근동국, 정치군사국은 포함

連番	國別	本部把握	駐사우디大使館報告	駐카이로總領事館報告	駐佛蘭西大使館報告	A P	NSC 資料 / 備考
33	독 일			. 함정 : 5		. 항공기 : 18 (터키 배치)	미국무부 근동국, 미국방부는 불포함 미국무부대변인실. 정치군사국은포함
34	온두라스			. 병력 : 150	. 병력 : 150		미국정부는 불포함
계		총 28개국 . 병력 : 755,480 . 탱크 : 3,710 . 항공기 : 1,774 . 함정 : 153 (항공모함6, 1척 추가파견 예정)	총 26개국	총 32개국 . 병력 : 581,950 . 탱크 : 3,982 . 항공기 : 2,266 (헬기포함) . 함정 : 159 (항공모함 6)	총 29개국 . 병력 : 718,250 . 탱크 : 3,660 . 항공기 : 3,541 (헬기포함) . 함정 : 163 (항공모함 6)	총 31개국 . 병력 : 781,030 . 탱크 : 2,800 . 항공기 : 3,944 이상 (헬기포함) . 함정 : 172 (항공모함 6)	

0088

긴

외 무 부

종 별 : 지 급

번 호 : UKW-0274 일 시 : 91 0130 2000

수 신 : 장 관 (중근동,미북,구일,기정동문)

발 신 : 주 영 대사

제 목 : 걸프 전쟁

금 1.30(수) 1700 GMT 현재 주요 진전사항을 당지언론보도 중심으로 아래 보고함

1.지상전

가.이락은 사우디-쿠웨이트 국경지대에서 지상전을 도발하였음. 이락은 작 1.29밤과 금일 오전에 걸쳐 기계화 부대, 탱크,보병등으로 4차례에 걸쳐 사우디내 연합군을 공격하였으며 이에대해 연합군은 지상군 외에 공군, 해병등이 동원되어 반격하였음

나.일부 국경지역에서는 상금 무력충돌이 계속되고 있으며, 동 지상전으로 이락은 수백명의 사상자를낸 반면, 연합군측 희생은 적은 것으로 보도됨

다.한 정부 소식통은 이락이 대규모 지상전을 도발하려고 시도하였으나 연합군의 효과적인 대응으로 주춤하고 있다고 말함

2.해전

영 해군은 북부 걸프해상에서 엑소세 미사일, 수뢰등을 적재한 이락 군함 6 척을 침몰 또는 파괴시킴. 이는 전쟁 발발후 가장 두드러진해전 성과라고 보도됨

3.미.쏘 공동성명 반응

가.1.30 영 외무성 대변인은 미.쏘 외상회담 결과발표된 공동성명에 대하여 이를 환영하면서, 영국의 입장도 반영하고 있는것이라 말함

나.동 대변인은 공동성명에서 이락의 명백한 철수 약속이 즉각적인 구체적 조치로 실천되어야한다고 강조하고 있음을 상기시키고, 사담에게 전쟁을 종식시키고 유엔 결의를 이행할 수있는 또 한번의 기회를 준것이라고 말함

4.전쟁목표가 쿠웨이트 수복차원을 넘어서 이락침공으로 까지 확대될 가능성에 대하여 주재국 정계의 관심이 큰바, 작 1.29 하원에서 메이저수상은 직접적인 답변을 회피하면서 전쟁목표는 유엔안보리 결의에 설명되어 있다고만 말함

중아국 장관 차관 1차보 2차보 미주국 구주국 정문국 청와대
종리실 안기부

0089

PAGE 1

91.01.31 08:53 WG

외신 1과 통제관

5.허드외상은 콜 수상 및 겐셔 외상과의 회담을 위해 금 1.30 독일 방문함.끝

(대사 오재희-국장)

	분류번호	보존기간

발 신 전 보

번 호 : WSB-0280 910201 1837 DP 종별 :

수 신 : 주 수신처 참조 대사. //총영사

WUK -0203 WFR -0211
WQT -0055 WCA -0105

발 신 : 장 관 (중근동)

제 목 : 다국적군

업무에 참고코자 하니 UP DATE된 다국적군 참여국가 및 국가별 병력 파견 현황을 파악 보고 바람. 끝.

(중동아국장 이 해 순)

수신처 : 주 사우디, 영국, 프랑스, 카타르 대사, 주 카이로 총영사

~~예 고 : 91.6.30. 일반~~

	보 안 통 제	

앙 고 재	91년 2월 1일	중근동과	기안자 성 명		과 장	심의관	국 장		차 관	장 관
							전결			

외신과통제

0091

관리번호	91-896

원 본

외 무 부

종 별 :

번 호 : CAW-0169　　　　일 시 : 91 0201 2000

수 신 : 장관(중근동)

발 신 : 주 카이로 총영사

제 목 : 다국적군

대:WCA-0105

대호 주재국 외무부및 언론보도를 통해 파악한 다국적군 참여국가별 병역파견 현황 아래 보고함.

I. 지상군

1. 미국: 335,000

AIRBORNE AND ARMOURED: 병력-255,000

탱크-2,000

MARINES: 병력-90,000

탱크-500

비행기및 헬리콥터-300

2. 사우디: 40,000(탱크 200)

3. 이집트: 35,000(탱크 450)

4. 영국: 25,000(탱크 170)

5. 시리아: 20,000(탱크 270)

6. 불란서: 10,000(탱크 72)

7. 파키스탄: 8,000

8. 방글라데시: 6,000

9. 모로코: 1,500

10. 세네갈: 500

11. 니제: 500

12. 케코: 300

13. 혼듀라스: 150

중아국　차관　1차보　2차보　청와대　안기부　국방부

0092

PAGE 1　　　　91.02.02 04:02
외신 2과 통제관 CW

14. 쿠웨이트: 7,000(탱크 270)

15. 카탈, 바레인, 오만, UAE: 3,000(탱크 50)

총계: 491,950

II. 공군

1. 미국: 약 1800 대

주요기종/대수 순임.

F15 24

F16 212

F18 48

A10(TANK BUSTER) 72

AWACS 58

B52 48

F117A 40

F111 110

EF 12

TRIA(APY PLANE) 6

함재기 약 400

2. 사우디: 약 300 대

주요기종/대수 순임

TORNADO 53

F15 60

HAWKS 30

F5E 45

AWACS 5

3. 영국: 63 대

기종/대수 순임

NIMROD 3

JAGUAR 12

TORNADO 48

4. 불란서: 38

기종/대수 순임

MIRAGE 24

JAGUAR 14

5. 카나다: 24

기종/대수 순임

CF 18 24

6. 이태리: 7

기종/대수 순임

TORNADO 7

7. 쿠웨이트: 34(MIRAGE)

III. 해군

1. 미국: 100 척이상

지역/ 주요함정/척수 순임

걸프해, 항공모함, 1

", 전함(WARSHIP),17

", 보급함, 3

", BATTLESHIP, 1

MINE SWEEPER, 4

소계: 26

아라비아해, 항공모함, 1

", BATTLESHIP, 1

", 전함, 10

", 보급함, 3

", 상륙함, 30

소계: 45

홍해, 항공모함, 4

", 전함, 23

", 보급함, 9

소계: 36

지중해, 상륙함, 5

PAGE 3

0094

소계: 5

계: 112

2. 영국(걸프해)

전함 4

보급함 6

상륙함 2

MINES SWEEPER 3

계: 15

3. 소련(4)

전함 2(걸프해)

보급함 2(걸프해)

4. 데마크(1)

전함 1(걸프해)

5. 불란서(9)

전함 6(걸프해 1, 홍해 1, 아라비아해 4)

보급함 3(걸프해 1, 아라비아해 2)

6. 카나다(3)

전함 2(걸프해)

보급함 1(걸프해)

7. 놀웨이(1)

보급함 1(걸프해)

8. 스페인(4)

전함 3(아라비아해)

보급함 1(아라비아해)

9. 이태리(6)

전함 5(아라비아해 3, 지중해 2)

보급함 1(아라비아해)

10. 화란(3)

전함 2(아라비아해)

보급함 1(아라비아해)

PAGE 4

0095

11. 호주(3) 전함 2(아라비아해)
보급함 1(아라비아해)
12. 벨지움(3)
전함 2(아라비아해)
보급함 1(아라비아해)
13. 알젠틴(2)
전함 2(아라비아해)
14. 희랍(1)
전함 1(홍해)
15. 독일(5)
MINE SWEEPERS 5(지중해)
16. 폴투갈(1)
17. 터키(2). 끝.
(총영사 박동순-국장)
예고:91.6.30. 까지

0096

원 본

외 무 부

종 별 :

번 호 : QTW-0039 일 시 : 91 0202 1305

수 신 : 장관(중근동)

발 신 : 주 카타르대사

제 목 : 다국적군

대: WQT-0055

2.2. 10:00-10:45 간 본지과 대담한 주재국 외무성의 HUSSAIN ALI AL-DOSARI GCC국 장에 의하면 다국적군에 파견한 카타르군의 병력은 약 2,000명이며 차량은 탱크 약 20대 및 병력수송차를 포함하여 약 100대 정도라고 함.

끝

(대사 유내형-국장)

중아국	장관	차관	1차보	2차보	미주국	청와대	총리실	안기부
대책반								

PAGE 1

91.02.02 19:37 DA

외신 1과 통제관

0097

원 본

/암호수신

외 무 부

종 별 : 지 급

번 호 : FRW-0398 일 시 : 91 0202 1030

수 신 : 장관(중근동,구일,정일)

발 신 : 주 불 대사

제 목 : 걸프전 참여 다국적군

대:WFR-00211

1. 대호 걸프지역 주둔 다국적군(29 개국)현황 아래 보고함.

1) 미국

- 병력 43 만명

-전차 1000 대, 장갑차 2000 대, 전부기 1300 대, 전부헬기 1500 대, 전함 55 척(항공모함 6 척 포함)

2) 영국

-병력 35000

전차 170, 전부기 72

전함 16

3) 불란서

- 병력 15000, 전차,40, 장갑차 300, 야포 18, 전부기 60, 전부헬기 120, 전함 14

4) 이태리

- 전부기 8, 전함 6

5)화란

- 전함 3

6) 스페인

- 전함 3

7) 벨지움

- 전함 3

8) 덴마크

중아국 장관 차관 1차보 2차보 구주국 정문국 청와대 총리실
안기부

PAGE 1 91.02.02 21:17 0098
외신 2과 통제관 FI

- 전함 1

9)폴투갈

- 전함 1

11) 그리스

- 전함 1

12) 카나다

- 병력 1700, 전투기 18, 전함 3

13) 호주

- 전함 3

14)알젠틴

- 병력 100, 전함 2

15) 소련

- 전함 2

16) 체코

- 병력 200

17) 폴란드

- 전함 2

18) 혼듀라스

- 병력 150

19) 사우디

- 병력 118000, 전차 550, 전투기 180, 전함 8

20) 시리아

- 병력 ~~19000~~ 19,800 (800은 UAE 주둔), 전차 300

21)이집트

- 병력 ~~35000~~ 35,600 (600명은 UAE 주둔), 전차 및 장갑차 400, 전함 16

22) 쿠웨이트

병력 4000,

23) UAE

-병력 40000, 전차 200, 전투기 80, 헬기 203, 전함 24

24)모로코

PAGE 2

0099

6,700 (5,000은 UAE주둔)
- 병력 ~~1700~~

(11) 25) 파키스탄

- 병력 5000

(12) 26) 방글라데쉬

- 병력 2500

(19) 27) 세네갈

- 병력 500

(18) 28)니제

- 병력 500

(10) ✓ 29) 바레인

- 병력 3300

2. 참고로 상기 통계중 병력 현황은 사우디 주둔 병력인바 별도로 UAE주둔 다국적군 병력 현황은 아래와 같음.

불란서 200, 이집트 600, 시리아 800, 모로코 5000. 끝

(대사 노영찬-국장)

PAGE 3

0100

관리번호	91-888

원 본

외 무 부

종 별 : 지 급

번 호 : SBW-0382 일 시 : 91 0203 1510

수 신 : 장관(중근동,국방부,기정)

발 신 : 주 사우디 대사

제 목 : 다국적군 현황

대:WSB-280

1. 대호 참여국가 및 국가별 병력현황 관련, 주재국 국방부 및 당지 주재 미대사관 관계관과 접촉, 파악한 내용 아래보고함

가. 총병력수:약 700,000 명(미군:50 만, 기타국:20 만명)

나. 참여국:29 개국

-사우디, 쿠웨이트 2 개국

-3 군파견국 3(미, 영, 불)

-육군, 공군파견국 2(카타르, 바레인)

-해, 공군파견국 3(이태리, 카나다, 호주)

-육군파견국 9(이집트, 시리아, 파키스단, 방글, 모로코, 세네갈, 니제르, 오만, UAE)

-해군파견국 7(알젠틴, 벨지움, 덴마크, 화란, 놀웨이, 스페인, 그리스)

-의료지원국 3(체코, 폴란드, 한국)

2. 주요국가별 병력현황(동병력현황은 대외비사항으로 협조가 어렵다는 입장표명으로 그간 언론보도등을 통해 당관이 파악한 자료임)

-영국:육 3 만명, 탱크 130 대, 함정 16 척, 전투기 50 대

-불란서:육 1 만 5 천명, 전투기 30 대, 항모 1 척, 함정 14 척

-이집트:3 만 5 천명

-시리아:3 만명

-모로코:1,700 명

3. 걸프만지역에 함정을 파견했던 소련은 최근 동함정을 철수시켰음, 싱가폴 및 스웨덴이 의료단 파견 예정임

중아국	장관	차관	1차보	2차보	청와대	총리실	안기부	국방부

0101

PAGE 1 91.02.03 22:34

외신 2과 통제관 CA

(대사 주병국-국장)
예고:91.6.30 까지

PAGE 2

0102

북미과

I. 多國籍軍 派遣 現況

91. 2. 5. 現在

國 家	軍事力 派遣 및 參戰	備 考
美 國	o 兵 力 : 492,000 名 o 탱 크 : 2,000 臺 o 航空機 : 1,300 臺 o 艦 艇 : 60 隻 (航空母艦 7隻)	
GCC (6個國)	o 兵 力 : 150,500 名 o 탱 크 : 800 臺 o 航空機 : 330 臺 o 艦 艇 : 36 隻	※ GCC : 사우디, 쿠웨이트, 바레인, 오만, UAE, 카타르 等 6個國
英 國	o 兵 力 : 40,000 名 o 탱 크 : 170 臺 o 航空機 : 72 臺 o 艦 艇 : 16 隻	

0103

國 家	軍事力 派遣 및 參戰	備 考
프랑스	o 兵 力 : 15,200 名 o 탱 크 : 40 臺 o 航空機 : 60 臺 o 艦 艇 : 14 隻	
이집트	o 兵 力 : 35,600 名 o 탱 크 : 400 臺	
시리아	o 兵 力 : 19,800 名 o 탱 크 : 300 臺	
파키스탄	o 兵 力 : 7,000 名	※ 6千名 追加派遣 豫定
터 키	o 兵 力 : 5,000 名 o 艦 艇 : 2 隻	
방글라데시	o 兵 力 : 2,000 名	※ 3千名 追加派遣 豫定

0104

國　家	軍事力 派遣 및 參戰	備　考
카나다	o 兵　力 :　2,000 名 o 航空機 :　24 臺 o 艦　艇 :　3 隻	
모로코	o 兵　力 :　6,700 名	
세네갈	o 兵　力 :　500 名	
니제르	o 兵　力 :　480 名	
이태리	o 航空機 :　8 臺 o 艦　艇 :　6 隻	
濠　洲	o 艦　艇 :　3 隻	
벨기에	o 艦　艇 :　3 隻	
네덜란드	o 艦　艇 :　3 隻	
스페인	o 艦　艇 :　3 隻	
아르헨티나	o 兵　力 :　100 名 o 艦　艇 :　2 隻	

0105

國 家	軍事力 派遣 및 參戰	備 考
그리스	o 艦 艇 : 1隻	
포르투갈	o 艦 艇 : 1隻	
노르웨이	o 艦 艇 : 1隻	
체 코	o 兵 力 : 200名	
韓 國	o 韓國 空軍 輸送團(C-130 輸送機 5臺, 支援兵力 150名)	※ 派遣 豫定
總 計 (總 28個國)	o 兵 力 : 777,080名 o 탱 크 : 3,710臺 o 航空機 : 1,794臺 o 艦 艇 : 154隻	

0106

관리번호	91-8P17

원 본

외 무 부

종 별 :

번 호 : FRW-0462　　　　일 시 : 91 0207 1430

수 신 : 장관(중근동,구일,미북,정일,기정)

발 신 : 주 불 대사

제 목 : 걸프전(대이락 무기공여국)

대이락 무기공여국 현황을 하기 보고함.

1. 쏘련(200 억불):TUPOLEV 16-22 전투기,13 RDM 2 MOLOTOV 장갑차, 미사일등 이락무기의 65 프로 공여

2. 불란서(60 억불):MIRAGE F1 전투기, ROLAND 미사일 발사대, GAZELLE 헬기, VCR TH PANHARD HOT 장갑차, MILAN 대전차 미사일, THOMSON 레이다등

3. 브라질(12 억불):EE3 JARARACA 장갑차등

4. 애급(10 억불):SAKR 미사일 발사대등

5. 중국(20 억불):XIAN SHENYANG 전투기, NORINCO 59 전차,122-130-152 야포등

6. 체코(7 억불):OT6H SKOT 장갑차등

7. 영국:교량장비, 전차, 지뢰제거 장비등

8. 남아공:152-180 야포

9. 미국:REDEYE 미사일 발사대, SEA COBRA, CHINOCK, EAGLE 등 헬기, TOW EMERSON 대전차 미사일

10. 독일:화학무기

11. 이태리

해군장비(전함, 어뢰제거 장치등)

12. 오지리:155 야포등. 끝.

(대사 노영찬-국장)

예고:91.6.30. 까지

중아국	장관	차관	1차보	2차보	미주국	구주국	정문국	안기부

0107

PAGE 1　　　　91.02.07 23:13

외신 2과 통제관 CH

원 본

외 무 부

종 별 :

번 호 : UKW-0361 일 시 : 91 0207 1900

수 신 : 장 관(중근동,미북,구일)

발 신 : 주 영 대사

제 목 : 다국적군 현황

대: WUK-0203

대호, 다국적군 참여국가 명단 아래 보고하며, 국가별 병력파견 현황은 추보 위계임.

1. 다국적군 참여국(28개국)

- 미, 영, 불, 이태리, 사우디, 쿠웨이트, 바레인, UAE, 오만, 카탈, 이집트, 시리아, 모로코, 파키스탄, 세네갈, 방글라데쉬, 니제, 호주, 뉴질랜드, 스페인, 벨기에, 덴마크, 화란, 그리스, 노르웨이, 카나다, 스웨덴, 아르헨티나

2. 다국적군 지원국(6개국)

- 체코, 폴란드, 헝가리, 일, 독일, 한국.끝

(대사 오재희-국장)

중아국	장관	차관	1차보	2차보	미주국	구주국	중아국	청와대
총리실	안기부							

PAGE 1

91.02.08 09:09 WG

외신 1과 통제관

0108

관리번호	91-845

외 무 부

종 별 : 지 급

번 호 : USW-0661 일 시 : 91 0207 1900

수 신 : 장관(미북,중근동)

발 신 : 주 미 대사

제 목 : 다국적군 참여국 현황

대:WUS-0507

연:USW-0524(1), 0499(2)

1. 대호 관련, 당관 임성남 2 등서기관이 국무부 한국과 및 동아태국 대변인실등을 통해 확인한바에 따르면, 솔로몬 차관보는 MBC 와의 기자회견시 국무부대변인실에서 작성한 자료에 따라 다국적군참여국을 29 개국으로 언급하였다함.

동 자료에 수록된 다국적군 참여국 명단은 다음과 같은바, 명단 작성일자는90.1.17. 이며, 대변인실은 당시 국무부내 걸프 사태담당 상황반에서 작성한 명단을 그대로 인용한 것이라 함(명단 등재 기준은 병력 파견 여부)

아르젠티나, 호주, 바레인, 방글라데시, 벨지움, 카나다, 체코슬로바키아, 덴마크, 이집트, 프랑스, 독일, 그리스, 이태리, 쿠웨이트, 모로코, 네델란드, 니제, 노르웨이, 오만, 파키스탄, 폴랜드, 카탈, 사우디, 세네갈, 스페인, 시리아, UAE, 영국, 미국

2. 한편 연호(1) 로 보고한바 있는 , 미 합참등에 의한 다국적군 참여국의 정의 확립 작업은 상금도 완료되지 않은 형편이라 하며, 따라서 미측의 공식적인다국적군 참여국 명단은 아직 준비가 안된 상태라 함.

3. 또한 국방부측은 각종 기자회견시등 다국적군 참여국을 28 개국이라고 언급하고 있는바, 전기 1 항의 29 개국중 자국 군대를 걸프지역에 직접 파견하지않고 , NATO 의 일원으로 터키에 파견하고 있는 독일을 제외하고 있다 함

4. 한편 국무부내에서도, 근동국이 2.1. 현재로 작성한 다국적군 참여국 명단에는 전기 1 항의 명단 포함 국가중 독일이 빠지고 폴랜드 대신 뉴질랜드가 포함됨으로써 다국적군 참여국을 28 개국으로 지칭하고 있고, 정치군사국이 작성한명단(작성 일자 미상) 에도 전기 1 항의 명단 포함 국가중 폴랜드 대신 뉴질랜드가 포함되는등 정확한

미주국 장관 차관 1차보 2차보 중아국 청와대 안기부

0109

PAGE 1 91.02.08 10:50

외신 2과 통제관 FE

기준의 부재로 인한 난맥상을 나타내고 있음.

5. 또한 최근 발표된 연두교서를 포함, 각종 연설에서 부쉬 대통령은 다국적군 참여국 이 28 개국이라고 일관되게 언급하여 왔는바, 당관이 금일 백악관 SPEECHWRITER 실 담당 직원을 직접 접촉, 확인한바로는 , 신문지상에 보도된 다국적군 참여국 숫자 (28 개국) 를 별다른 확인 절차없이 대통령 연설문에 그대로인용하였다 하며(인용 신문의 이름과 발간 일자등은 기억하지 못한다함) , 최초 인용 이후, 계속 습관적 으로 연설문 기안시 다국적군 참여국을 28 개국이라고 지칭하고 있다 함.

(대사 박동진- 국장)

91.12.31. 일반

PAGE 2

0110

^^GULF-OPPOSING FORCES, 1ST ADD,0366<

^UNDATED: CRAFT.

---<

다국적군 현황 (2.17. 현재)

^ANTI-IRAQ COALITION<

^UNITED STATES=

MORE THAN 500,000 MILITARY PERSONNEL ARE NOW IN THE REGION IN OPERATION DESERT STORM. AT THE PEAK OF THE VIETNAM WAR IN 1968, 545,000 AMERICANS WERE INVOLVED.

ARMY

280,000 TROOPS

MAJOR ARMY UNITS DEPLOYED INCLUDE:

1ST INFANTRY DIVISION (MECHANIZED) OF FORT RILEY, KAN.

1ST CAVALRY DIVISION OF FORT HOOD, TEXAS.

1ST ARMORED DIVISION OF ANSBACH, GERMANY.

3RD ARMORED DIVISION OF FRANKFURT, GERMANY

24TH INFANTRY DIVISION (MECHANIZED) OF FORT STEWART, GA.

82ND AIRBORNE DIVISION OF FORT BRAGG, N.C.

101ST AIRBORNE DIVISION (AIR ASSAULT) OF FORT CAMPBELL, KY.

3RD ARMORED CAVALRY DIVISION OF FORT BLISS, TEXAS.

THERE ARE 2,000 U.S. TANKS, 1,700 HELICOPTERS AND 2,200 ARMORED PERSONNEL CARRIERS DEPLOYED.

MARINES

90,000 TROOPS

IMPORTANT MARINE CORPS INFANTRY DEPLOYMENTS INCLUDE:

MARINE DIVISION FROM CAMP PENDLETON AND TWENTYNINE PALMS, CALIF.

MARINE EXPEDITIONARY BRIGADE FROM LITTLE CREEK, VA.

MARINE EXPEDITIONARY BRIGADE FROM CAMP PENDLETON, CALIF.

3RD MARINE AIRCRAFT WING FROM EL TORO, CALIF.

SPECIAL FORCES

1ST SPECIAL OPERATIONS COMMAND (CONTINGENT)

NAVY

80,000 PERSONNEL; 120 SHIPS IN GULF, THE ARABIAN SEA AND THE EASTERN MEDITERRANEAN

CARRIERS: SARATOGA, JOHN F. KENNEDY, MIDWAY, AMERICA, THEODORE ROOSEVELT AND RANGER

480 WARPLANES (A-6 INTRUDERS; F-A-18 HORNETS; F-14 TOMCATS; AV-8B HARRIER JUMP-JETS).

AIR FORCE

50,000 PERSONNEL

1,300 COMBAT AIRCRAFT (F117A STEALTH FIGHTER-BOMBERS; F-111F BOMBERS; F-16S; F-15S; A-10 THUNDERBOLTS; F-4 WILD WEASEL; B52G STRATEGIC BOMBERS).

^GULF COOPERATION COUNCIL (SAUDI ARABIA, BAHRAIN, OMAN, UNITED ARAB EMIRATES, QATAR, KUWAIT)=

(NOT ALL FORCES LISTED ARE LIKELY TO BE INVOLVED IN THE WAR)

150,500 TROOPS

330 COMBAT AIRCRAFT

800 TANKS

36 MAJOR NAVAL UNITS

^ARGENTINA=

ARMY

100 TROOPS

NAVY

DESTROYER ALMIRANTE BROWN

FRIGATE SPIRO

^AUSTRALIA=

GUIDED-MISSILE DESTROYER BRISBANE

FRIGATE SYDNEY

^BANGLADESH=

2,000 TROOPS

^BELGIUM=

NAVY

MINEHUNTERS IRIS AND MYOSOTIS

AIR FORCE (SENT TO TURKEY AS PART OF A NATO AIR DEFENSE DEPLOYMENT).

FOUR C-130 MILITARY TRANSPORT PLANES

18 MIRAGE F5 FIGHTERS TO TURKEY

^MORE<

0111

ARMY
100 TROOPS
NAVY
DESTROYER AL[illegible]ANTE BROWN
FRIGATE SPIRO
^AUSTRALIA=
GUIDED-MISSILE DESTROYER BRISBANE
FRIGATE SYDNEY
^BANGLADESH=
2,000 TROOPS
^BELGIUM=
NAVY
MINEHUNTERS IRIS AND MYOSOTIS
AIR FORCE (SENT TO TURKEY AS PART OF A NATO AIR DEFENSE DEPLOYMENT).
FOUR C-130 MILITARY TRANSPORT PLANES
18 MIRAGE F5 FIGHTERS TO TURKEY
^MORE<

AP-TK-06-02-91 2200GMT<

W1345------
R IBX W0298 06-02 00356
233 87
^^GULF-OPPOSING FORCES, 2ND ADD,0369<
^UNDATED: TO TURKEY.<
<
^BRITAIN=
35,000 PERSONNEL
70 COMBAT JETS (TORNADO; JAGUAR)
16 WARSHIPS
1ST ARMORED DIVISION
^BULGARIA=
DETACHMENT OF MEDICAL PERSONNEL
^CANADA=
1,850 PERSONNEL
NAVY
DESTROYERS ATHABASKAN AND TERRA NOVA AND SUPPLY SHIP
AIR FORCE
18 CF-18 FIGHTER JETS
^CZECHOSLOVAKIA=
200 TROOPS (ANTI-CHEMICAL WARFARE EQUIPMENT)
^DENMARK=
CORVETTE OLFERT FISCHER
^EGYPT=
SOME 38,500 TROOPS (PARATROOPERS, COMMANDOS, CHEMICAL WARFARE SPECIALISTS AND INFANTRY)
3RD ARMORED DIVISION (ELEMENTS)
4TH ARMORED DIVISION (ELEMENTS)
3RD MECHANIZED INFANTRY DIVISION (ELEMENTS)
^FRANCE=
12,000 PERSONNEL
6TH LIGHT ARMORED DIVISION (ELEMENTS)
12-14 WARSHIPS (GUIDED-MISSILE CRUISER, MISSILE DESTROYERS, FRIGATES, A CORVETTE).
3 SQUADRONS COMBAT AIRCRAFT (INTERCEPTORS, FIGHTER-BOMBERS)
5TH COMBAT HELICOPTER REGIMENT
FOREIGN LEGION'S 3RD INFANTRY REGIMENT
1ST SPAHIS CAVALRY REGIMENT
ANTI-AIRCRAFT MISSILE UNIT.
^GERMANY=
AIR FORCE (SENT BY NATO AT TURKEY'S REQUEST TO BOLSTER AIR DEFENSES IN CASE OF AN IRAQI ATTACK).
18 LUFTWAFFE ALPHA JETS
^GREECE=
FRIGATE LIMNOS
^ITALY=
NAVY
FRIGATES LIBECCIO, ORSA AND ZEFFIRO

0112

CORVETTE OLFERT FISCHER, . . .
^EGYPT=
SOME 38,500 TROOPS (PARATROOPERS, COMMANDOS, CHEMICAL WARFARE SPECIALISTS AND INFANTRY)
3RD ARMORED DIVISION (ELEMENTS)
4TH ARMORED DIVISION (ELEMENTS)
3RD MECHANIZED INFANTRY DIVISION (ELEMENTS)
^FRANCE=
12,000 PERSONNEL
6TH LIGHT ARMORED DIVISION (ELEMENTS)
12-14 WARSHIPS (GUIDED-MISSILE CRUISER, MISSILE DESTROYERS, FRIGATES, A CORVETTE).
3 SQUADRONS COMBAT AIRCRAFT (INTERCEPTORS, FIGHTER-BOMBERS)
5TH COMBAT HELICOPTER REGIMENT
FOREIGN LEGION'S 3RD INFANTRY REGIMENT
1ST SPAHIS CAVALRY REGIMENT
ANTI-AIRCRAFT MISSILE UNIT.
^GERMANY=
AIR FORCE (SENT BY NATO AT TURKEY'S REQUEST TO BOLSTER AIR DEFENSES IN CASE OF AN IRAQI ATTACK).
18 LUFTWAFFE ALPHA JETS
^GREECE=
FRIGATE LIMNOS
^ITALY=
NAVY
FRIGATES LIBECCIO, ORSA AND ZEFFIRO
SUPPORT SHIP, THE STROMBOLI
TWO CORVETTES
AIR FORCE
^MOROCCO=
1,700 TROOPS
^NETHERLANDS=
FRIGATES JACON VAN HEEMSKERK AND PHILIPS VAN ALMONDE
ANTI-MISSILE BATTERY
FIELD HOSPITAL
^NEW ZEALAND=
TWO C-130 TRANSPORTS
ARMY MEDICAL TEAM.
^NIGER=
480 TROOPS, GUARDING SHRINES IN MECCA AND MEDINA.
SQUADRON OF TORNADO FIGHTERS
^NORWAY=
COAST GUARD CUTTER ANDENES (SUPPORTING THE DANISH CORVETTE)
SUPPLYING NATO ALLY TURKEY WITH AIR-TO-AIR MISSILES.
^PAKISTAN=
13,000 TROOPS
A,000 ADVISERS
^THE PHILIPPINES=
VOLUNTEER DETACHMENT OF MEDICAL PERSONNEL.
^POLAND=
MILITARY FIELD HOSPITAL
HOSPITAL SHIP
^PORTUGAL=
^NAVAL SUPPORT SAO MIGUEL
^SENEGAL=
500 TROOPS
^SIERRA LEONE=
200 TROOPS, MOSTLY PARAMEDICS.
^SOVIET UNION=
DESTROYER ADMIRAL TRIBUTS
ANTI-SUBMARINE SHIP
^SPAIN=
FRIGATES NUAMANCIA, INFANTA CRISTINA AND DIANA
^SYRIA=
21,000 TROOPS (ELITE SPECIAL FORCES UNITS)
9TH ARMORED DIVISION
^END<

0113

외 무 부

종 별 :

번 호 : RMW-0061 일 시 : 91 0208 1030

수 신 : 장관(중동,동구이,기정)

발 신 : 주 루마니아 대사

제 목 : 루마니아 의료지원단 및 대화학전부대 파병

1. 주재국 의회 상.하원 합동회의는 2.7 정부가 제안한 소규모 비전투 의료지원단 및 대화학전 부대의 걸프전쟁 파견 동의안을 의결, 통과시켰음.

2. 동 결의안 내용은 360명의 의료부대와 180명 규모의 대화학전 부대를 사우디아라비아에 파견한다는 것임.

끝.

(대사 이현홍-국장)

중아국	장관	차관	1차보	1차보	2차보	미주국	구주국	정문국
정문국	청와대	총리실	안기부	대책반				

0114

PAGE 1 91.02.08 22:18 DA

외신 1과 통제관

미북

길

외 무 부

종 별 : 지 급

번 호 : SBW-0431 일 시 : 91 0209 1500

수 신 : 장 관 (중근동,국방부,기정)

발 신 : 주 사우디 대사

제 목 : 미국방장관 주재국 방문

1. 체니 미국방장관과 포웰 합참의장은 2.8주재국 리야드에 도착하였으며, 미 중앙사 사령관 슈워즈코프장군 및 통합작전사령관 KHALID BINSULTAN 장군과 각각 회담을 갖고 걸프전쟁 진전현황등에 관해 협의했음. 이에 앞서 동장관일행은 타이프에 AL-AHMEDAL -SABAH 쿠웨이트 국왕과 회담을 갖고, 걸프전쟁관련 전비부담문제 및 진전상황을 협의한 것으로 알려짐

2. 체니장관은 동행기자들과의 회견에서 지상전을 결정하는 미군 사상자 수의 최소화가 최우선적으로 고려되어야 하고, 아울러 여타 연합군의 의견도 고려되어야 한다고 말하였음

3. 동장관은 주재국 관계 고위인사와의 회담등을 마치고 2.10(일) 주재국을 출국할 예정임

(대사 주병국-국장)

중아국	장관	차관	1차보	2차보	미주국	정문국	청와대	총리실
안기부	안기부	국방부						

0115

PAGE 1

91.02.09 22:39 FC

외신 1과 통제관

외 무 부

종 별 : 지 급

번 호 : SBW-0448 일 시 : 91 0211 1400

수 신 : 장관(중근동,국방부,기정)

발 신 : 주사우디대사

제 목 : 체니 국방장관 방문

1.미 체니국방장관 및 포웰 합참의장은 사우디내 미중앙사 사령관등 관련 군 주요인사와의 회의등을 마치고 2.10 미국으로 출발하였는바,동출국에 앞서 기자회견에서밝힌 주요내용은 다음과같음

-쿠웨이트를 해방시키기 위한 전쟁은 만족 스럽게 진행되고있 음

-군사력사용이 시작되었으므로 사담후세인이 쿠웨이트로 부터 철수할때까지 군사작전은 계속될것임

-아직도 남아있는 이라크군의 규모와 능력을 과소평가할수 없음

-그러나 이라크공군은 무력화되었으며,해군은 사실상 존재하지 않음 공화국수비대의 피해정도는 그들의 참호에서나올때까지는 판단하기 어려우나 동수비대 소유장갑차,포 및 인원은 심한 피해를 입었음

-이라크는 아직 스커드미사일 발사능력을 보유하고있고,동미사일에 화학무기를 사용할 가능성이 있음

-(공습이 6-12개월 계속될것이라는 시사와관련)공습의 효과에는 한계가 있음 공습으로 폭격할수있는 모든 목표물을 다른 군을 사용하게 될것임 단 동 시기가 문제임

2.체니장관은 지상군의 공격시기에 대해서는 구체적인 언급을 회피하였는바,당지에서는 체니장관 및 합참의장이 금번 방문에서 군관계자들과 협의한 군사적전 진행상황 및 결과를 토대로 미대통령이 지상군 공격시기를 결정할것으로 보고있음,

한편,당지 미고위군관계자가 최근 유럽에서 사우디에 도착한 지상부대가 공격준비를 완료하는데 시간이 필요하기때문에 지상공격은 최소한 앞으로 3주동안은 일어나지 않을 것이라고 말한것으로 보도되고있음

중아국	장관	차관	1차보	2차보	미주국	정문국	상황실	정와대
총리실	안기부	국방부						

0116

PAGE 1 91.02.11 22:18 BX

외신 1과 통제관

3.동 체니장관은 2.9 주재국 파드국왕과 회담을갖고 걸프전쟁관련 진전현황등을협의했음

(대사 주병국-국장)

PAGE 2

0117

Ⅱ. 各國의 醫療支援 現況

91.2.11. 現在

國 家	內 譯
美 國	. 사우디 담맘港에 病院船 2隻(1,000 病床) . 사우디 알바틴에 綜合 醫療團 運營 (專門醫 35 名, 350 病床)
英 國	. 野戰病院(醫師 200名, 400 病床) (有事時 對備 約 1,500名의 追加 軍 醫療陣 派遣 準備中)
濠 洲	. 2個 醫療團
방글라데쉬	. 2個 醫務 中隊 300名
카 나 다	. 野戰病院(醫療陣 550名, 225 病床)
덴 마 크	. 軍 醫療陣 30-40名 英國軍에 配置
헝 가 리	. 自願 民間醫療陣 30-40名 英國軍에 配置
체 코	. 自願 醫療陣 150名
파키스탄	. 1個 醫務 中隊 100名
오스트리아	. 野戰 앰블란스 1臺
필 리 핀	. 民間 醫療支援團 270名

0118

國　　家	內　　　譯
폴란드	. 病院船 1隻
뉴질랜드	. 民間 醫療陣 50名 , 바레인 駐屯 美 海軍 病院에 勤務 . 軍 醫療陣 20名
싱가폴	. 軍 醫療陣 30名 , 英國軍 病院에 勤務
벨기에	. 民.軍 自願 醫療 支援團 50名 . 醫療 裝備(野戰 寢臺 2,800個, 앰블란스 1臺, 負傷兵 護送用 航空機 2臺)
韓　國	. 醫療支援團 154名, 사우디 담맘의 킹파드 病院에 勤務
루마니아	. 非戰鬪 醫療支援團 360名

0119

Ⅲ. 各國의 經濟支援 現況

91.2.11. 現在

國 家	戰爭 勃發 前	戰爭 勃發 後	備 考
사우디 쿠웨이트 U.A.E.	. 60億弗 . 50億弗 . 20億弗	. 135億弗 . 135億弗 . 追加支援 檢討中	※ GCC 國家
日 本	. 40億弗(20億弗 : 多國籍軍 支援, 20億弗 : 周邊國 支援)	. 90億弗(對美 現金 支援)	
獨 逸	. 20.8億弗(33億 마르크)	. 10億弗(1億6千7百万弗의 이스라엘 支援額 및 1億1千4百万弗의 英國軍 支援額 包含) . 55億弗(對美 支援)	
EC	. 20億弗		
英 國	. EC 次元 共同 步調		
불란서	"		
이태리	"		※ 1.45億弗 (1次算定額)
벨기에	"	. 3百7拾万弗	
네덜란드	"	. 1億8千万弗(戰前 支出 包含)	
스페인	"		

0120

國 家	戰爭 勃發 前	戰爭 勃發 後	備 考
폴투갈	. EC 次元 共同 步調		
그리스	〃		
韓 國	. 2.2億弗(1.2億弗:多國籍軍 支援, 1億弗:周邊國 支援)	. 2.8億弗(多國籍軍 支援)	
카나다	. 6千6百万弗		
노르웨이	. 2千1百万弗		
濠 洲	. 8百万弗(難民救護)		
臺 灣	. 3千万弗(周邊國 支援)		
엘살바돌			※ 커피50万톤 支援(55万弗)

0121

관리 번호	91/112

	분류번호	보존기간

발 신 전 보

번 호 : WGU-0039 910211 1757 DP 종별 :

수 신 : 주 과테말라 대사. 총영사

발 신 : 장 관 (중근동)

제 목 : 다국적군 참여

주 카이로 총영사관 보고에 의하면 귀관 겸임국 온두라스가 150명의 병력을 다국적군의 일원으로 걸프지역에 파견한 것으로 되어있는바 ~~그 사실 여부를 파악~~, 확인 보고 바람. 끝.

(중동아국장 이 해 순)

예 고 : 91.6.30. 까지 예고문에 의거 일반문서로 재분류됨

보안 통제	가

앙고재	91년 2월 11일	중근동과	기안자 성명		과장		국장		차관	장관
			최		가		전결			가

외신과통제

0122

관리 번호	

원 본

외 무 부

종 별 :

번 호 : GUW-0058　　　　일 시 : 91 0212 0800

수 신 : 장관(중근동,미중)

발 신 : 주 과테말라 대사

제 목 : 다국적군

대:WGU-39

연:GUW-294

1. 금 2.11(월) 온두라스 외무성 ROBERTO OCHOA 정무국장과 당지 온두라스 대사관 MAURICIO 공사와의 전화 확인에서 양인은 대호 사실을 부인하고 파병시에는 정부가 의회에 동의 요청을 해야하나 현재 그 절차도 취하지 않고 있다고 하면서 다만 유엔 안보리의 결의를 지지하고 있음을 부연 하였음.

2. 연호 온두라스 파병설은 FONSECA 만의 영유권 문제등 국경을 접하고 있는 엘살바돌과 니카라과의 충돌시 집단안보 체제의 중요성과 대미 우호관계 강화 차원에서 정부측에서 지난 90 년 10 월 검토가 있었으나 야당의 반대와 경제사정으로 더 이상 진전을 보지 못하고 있는 것으로 알려짐.

3. 한편 언론 보도에 의하면 80 년대 초부터 매년 온두라스에서 실시해 오던 미.온 합동 군사 훈련이 금년도(2.7-3.7)에는 걸프전으로 인하여 중지된 것으로 알려짐.끝.

(대사 조기성 - 국장)

예고:191.6.30 일반 예고문에 의거 일반문서로 재분류됨

중아국　미주국

0123

PAGE 1　　　　91.02.13 01:05

외신 2과 통제관 CF

공　　란

공 란

공　　　란

공 란

공 란

공 란

주 영 대 사 관

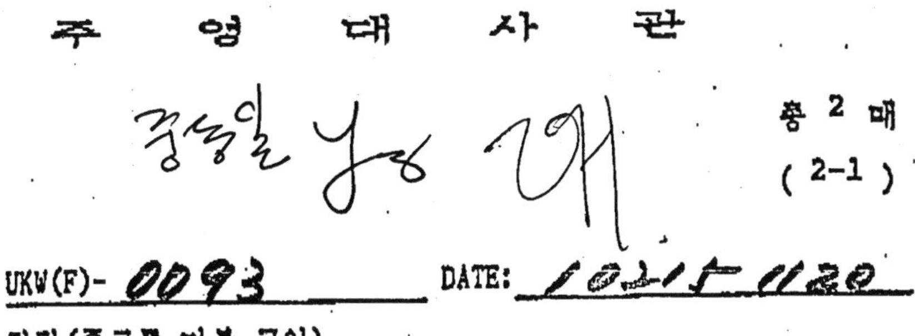

총 2 매
(2-1)

번 호 : UKW(F)- 0093 DATE: 10215 1120

수 신 : 장관(중근동,미북,구일)

제 목 : 걸프사태 -(다국적군현황(Hamilton 국방성 국무상 하원 서면 답변)

연 : UKW-0361

Gulf War

Mr. Colvin: To ask the Secretary of State for Defence what are the contributions made in cash and in equipment by each of the allied countries involved in the Gulf war.

Mr. Archie Hamilton: The following nations have committed naval, land or air forces, or medical units, to the coalition forces or are providing practical assistance to these forces:

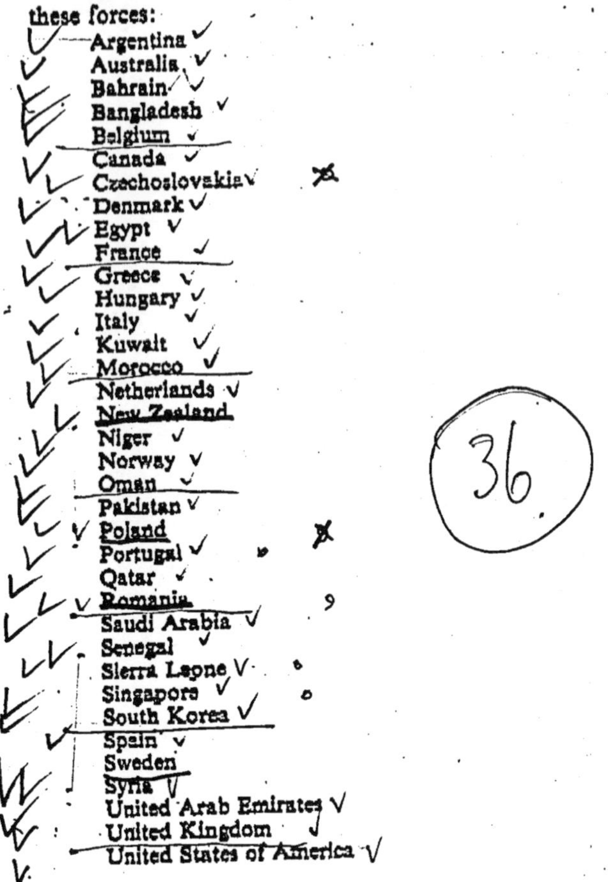

Argentina
Australia
Bahrain
Bangladesh
Belgium
Canada
Czechoslovakia
Denmark
Egypt
France
Greece
Hungary
Italy
Kuwait
Morocco
Netherlands
New Zealand
Niger
Norway
Oman
Pakistan
Poland
Portugal
Qatar
Romania
Saudi Arabia
Senegal
Sierra Leone
Singapore
South Korea
Spain
Sweden
Syria
United Arab Emirates
United Kingdom
United States of America

36

0130

배부처	장관실	차관실	一차보	二차보	기획실	의전장	아주국	미주국	구주국	중아국	국기국	경제국	통상국	정문국	영교국	총무과	감사관	공보관	외연원	청와대	총리실	안기부	문공부
	/	/	/	/				/	/	0				/						/	/	/	

(2-2)

A contingent of Afghan Mujaheddin is also serving in Saudi Arabia.

In addition to making practical contributions to the coalition force, a number of nations, including Saudi Arabia, Kuwait. UAE and South Korea, are also providing financial support. Japan, Germany and Hong Kong are making a financial contribution to the coalition and Turkey has agreed that the United States may use Turkish bases for operations into Iraq.

The following countries are providing financial or practical assistance, including medical support, to the United Kingdom.

Bahrain
Belgium

Canada
Denmark
Germany
Hong Kong
Japan
Kuwait
Netherlands
New Zealand
Norway
Oman
Portugal
Romania
Saudi Arabia
Singapore
Spain
Sweden
United Arab Emirates

0131

중앙 2.18

걸프戰 다국적軍

韓國포함 33개國

美국방부 대변인

【워싱턴 로이터=聯合】韓國이 美주도의 「사막의 폭풍」작전 지원 대열에 참여함에 따라 反이라크 연합국은 모두 33개국으로 늘어났다고 美국방부가 16일 발표했다.

對이라크전쟁에 참여하고 있는 나라들은 다음과 같다.

韓國·아르헨티나·濠洲·바레인·방글라데시·벨기에·英國·캐나다·中國·체코슬로바키아·덴마크·이집트·프랑스·獨逸·그리스·헝가리·이탈리아 쿠웨이트·모로코·네덜란드·뉴질랜드·니제르·노르웨이·오만·파키스탄·폴란드·카타르·사우디아라비아·세네갈·스페인·시리아·아랍에미리트聯合·美國。

0132

동아, 2.18

이 나타나고 있다.

反이라크 연합國들 韓國포함 33國으로

美국방부 발표

【워싱턴聯合】 韓國이 美주도의「사막의 폭풍」작전 지원 대열에 참여함에 따라 反이라크 연합국은 모두 33개국으로 늘어났다고 美국방부가 16일 발표했다.

美국방부 대변인 켄 새터필드 美해군소령은 韓國이 지난달 17일 걸프戰 발발 직후 의료지원단을 파견한데 이어 2주전부터 美國에 화물수송機를 지원하고 있다고 말했다.

그는 33개국 모두가 걸프지역에 직접 병력을 파견한 것은 아니지만 이들 국가들이 전쟁목적에 기여하기위해 군사적지원을 하고있다고 말했다.

0133

관리 번호	

외 무 부

종 별 : 지 급

번 호 : USW-0795 일 시 : 91 0219 1855

수 신 : 장관(미북,중동일)

발 신 : 주 미 대사

제 목 : 걸프 전쟁 참여국

대: WUS-0622

1. 대호 관련, 금 2.19 당관이 국방부 대변인실을 접촉, 확인한바로는 국방부측이 발표한 33 개국 국명은 대호 2 항의 명단과 일치함.

2. 그러나 국방부 대변인실측에서는 동 명단의 작성 배경및 터키가 누락되고 중국이 포함된 이유등에 대해서는 구체적 답변을 회피하였는바, 중국이 포함된것은 다분히 사무 착오일것으로 추측됨.

3. 한편, 금일 당관이 무관부를 통해 국방부로부터 입수한- SHARING OF RESPONSIBILITY FOR THE COALITION EFFORT IN THE PERSIAN GULF- 제하의 2.8 현재 작성 자료에 따르면, 금번 걸프 사태 관련 지원국을 전투 병력 파견국(미국 제외27 개국), 전투 지원 병력 파견국(한국 포함 6 개국)및 재정 지원 공여국으로 분류 하였는바, 동 자료는 USW(F)-0610 편 FAX 송부함.(동 자료의 정확한 출처및 작성 배경등은 상금 미상이나, 국방부측에 따르면 NSC 일것으로 추정된다함)

4. 대호 33 개국 및 전기 3 항 자료간의 상위점등에 대해서는 계속 확인, 추보 위계임.

(대사 박동진-국장)

예고:91.12.31 일반

미주국	장관	차관	1차보	2차보	중아국	정문국	청와대	안기부
국방부								

0134

PAGE 1 91.02.20 09:40

외신 2과 통제관 BW

USW(下)-0610
수신 장관 (미북, 중근동)
발신 주미대사
제목 걸프(5매)

I.M. Knowles

Sharing of Responsibility for
the Coalition Effort in the Persian Gulf
(Feb 8 update)

Many other countries are doing their part to support the coalition effort in the Persian Gulf. Our partners in the coalition have contributed in three ways:

-- First, 27 other countries have their own combat forces contributing to the coalition against Iraq. They have now committed more than 270,000 troops, 66 warships, over 750 combat aircraft, and more than 1100 tanks in Saudi Arabia, the Gulf states, and the Persian Gulf. Pilots from eight other allied nations have flown more than 8000 sorties in the air campaign. Coalition forces have engaged in ground combat alongside our forces and, like us, they have suffered casualties. Turkey has allowed air operations against Iraq from its territory and has significantly enhanced its defense capabilities opposite Iraq.

-- Second, other countries have given money and other assistance to us to pay most of the cost of both Operation Desert Shield and Operation Desert Storm. Our incremental costs for Desert Shield were roughly $11 billion in calendar year 1990. Assuming Congress enacts the necessary appropriation, we expect our coalition partners to pay about $9.7 billion, or nearly 90% of those incremental expenses. Now, for calendar year 1991, we have received commitments of about $42 billion to cover the financial costs for Desert Storm in the first three months of this year. We are confident our friends and allies will continue to bear the bulk of the financial burden in this struggle.

-- Third, other countries have taken on the responsibility for assisting those nations which have suffered the most from enforcement of the international economic sanctions against Iraq. The Gulf Crisis Financial Coordination Group established by President Bush has received pledges of $14.3 billion in exceptional economic assistance for these hard-hit states, of which nearly half, $6.7 billion, has already been disbursed.

Other Countries' Military Forces in the Gulf. Thirty-four countries, including the U.S., have joined forces in responding to the crisis in the Gulf. 27 other states have contributed combat units to the coalition; six more have provided support or medical units. In general, given their limited capabilities to support large-scale force deployments, other states have contributed what they can and what we have asked.

Public opinion in key allied countries, led by firm statements from their heads of government, is overwhelmingly supportive of the coalition military action in the Gulf. For example, 84% of the British people, 76% of the French, 64% of the Germans, and

0610-1

0135

2

61% of Italians have supported the use of force against Iraq in [illegible] majorities endorse their own countries actions and President Bush's personal [illegible].

The contributions from our coalition partners are militarily significant. Our allies have already flown more than 8,000 sorties in the air campaign. For example, Kuwaiti A-4 aircraft successfully struck Iraqi infantry and artillery positions and other military installations in their occupied homeland. The British used their GR-1 Tornados and Jaguars to strike bridges, radar, communication, as well as ammunition and petroleum storage sites, and joined in strikes against airfields in southern Iraq and Kuwait. Saudi F-5s attacked command posts and artillery sites in Kuwait and airfields in western Iraq, while Saudi Tornados teamed with our F-111 aircraft to hit key airfields and Saudi F-15s shot down Iraqi planes. French Jaguars attacked the Republican Guards and military installations in western Iraq, while other French aircraft provided aerial refueling and fighter protection. Canadian CF-18 aircraft provided escort and air cover along with help in cutting off Iraqi military supplies. Qatar's Mirage F-1s flew in combined attacks on SCUD sites. Bahraini F-5s hit radar and missile sites in southern Kuwait. Italian Tornados struck Iraqi forces in and around occupied Kuwait.

On the ground, Saudi and Qatari units led the counterattack which expelled Iraqi forces from Khafji, taking hundreds of prisoners. Syrian forces have exchanged artillery fire with Iraqi forward positions in Kuwait.

Our allies are also paying the price for their support. Ten coalition aircraft have been lost in action; British, Italian, and Kuwaiti airmen are missing in action or being held as prisoners of war. Saudi and Qatari soldiers have been killed and wounded in ground action.

Some other military contributions include:

-- The Arab states of the Gulf Cooperation Council have deployed their ground forces to Saudi Arabia.

-- Egypt has sent a mechanized corps, including an armored division, a mechanized division, and a Ranger regiment -- hundreds of armored [illegible] Syrian division and forces from other Muslim states are also deployed against Iraq.

-- Britain has deployed a heavy armored division and has sent more than 70 combat aircraft, a total of over 30,000 soldiers and airmen. A French light armored division is in place too, along with over 130 combat aircraft.

0610-2

0136

3

-- Canada and Italy have sent combat aircraft to the Gulf; Czechoslovakia has deployed a chemical decontamination unit. Poland, Hungary, New Zealand, Korea, and Singapore have sent medical teams to help.

-- Turkey has supported the UN effort, allowing strikes against Iraq from its territory, and has substantially strengthened its defenses opposite Iraq. NATO approved the unprecedented dispatch of its rapid deployment units -- German, Belgian, and Italian planes -- to help this Alliance member. The Netherlands has also deployed Patriot batteries and HAWK air defense systems to shield Turkey from attack; Germany is also deploying air defense units from its Bundeswehr to Turkey.

Fourteen navies also have fighting vessels patrolling the Persian Gulf and nearby waters. Our coalition partners have stopped and boarded over three hundred ships to help enforce the UN's economic sanctions.

Assistance For Operation Desert Shield/Desert Storm. Saudi Arabia, Kuwait, and the United Arab Emirates (UAE) are providing substantial cash and host nation support. They are covering more than 60% of the costs of Operation Desert Shield in 1990, and have agreed to bear a major part of the financial costs for Desert Storm. Saudi Arabia and Kuwait have committed $27 billion to cover costs for the first three months of 1991. Pledged support has been disbursed promptly. Their host nation support includes food, fuel, water, facilities, and local transport for US forces.

Japan is contributing over $1.7 billion to Desert Shield in 1990 (and $260 million to other coalition partners). More than half of the assistance to us was in cash and the remainder came or is coming through in-kind support, including support for transport costs and purchases of U.S.-made computers, vehicles and construction equipment. The Japanese government recently pledged an additional $9 billion for Operation Desert Storm. German support in 1990 exceeded a billion dollars, including in-kind support such as heavy equipment transporters and other valuable equipment from existing stocks like modern chemical detection vehicles. Germany has made a firm commitment to provide $5.5 billion in cash for Operation Desert Storm expenses for the first quarter of 1991. Germany has also provided extensive support for the movement of US forces from Europe to the Gulf and aid to Britain (over $500 million for 91), Turkey (over $1 billion in military assistance) and Israel (over $100 million). Korea has provided cash and lift support from the beginning and has recently pledged an additional $280 million for Desert Storm.

Exceptional Economic Assistance. With our own resources ... the military effort against Iraq, we organized

0137

4

the international effort to allow other countries to provide financial assistance to the nations most hard-hit by the crisis and sanctions. Our partners in this effort have made commitments amounting to $14.3 billion for assistance to front-line states and other countries. About $6.7 billion of this total has already been disbursed. Our Arab partners, Germany, Japan, and the European Community have been leading contributors and we look to them and other countries to accelerate the disbursement of funds already committed and make additional commitments. Also, Japan has pledged to take the lead in evacuating refugees from the area of conflict. Additionally, in response to President Bush's proposals and with strong support from other creditor countries, the IMF and World Bank moved swiftly to adapt their lending procedures to enable them to alleviate more effectively the economic effects of the crisis on a wide range of countries.

More Needs to be Done. The contributions in 1990 were substantial and, increasingly, countries are pledging what we have asked them to pledge. We are working now to:

-- Ensure prompt disbursement of the new commitments to cover incremental costs for Operation Desert Storm; and

-- For the front line states, accelerate disbursements of previous commitments of economic assistance, particularly for Turkey, and obtain new commitments for the front line states and for Eastern Europe to help cover the continuing economic costs of the sanctions.

0610-K

0138

5

Annex: Countries Involved in Responsibility-Sharing

Providing Combat Forces

ARGENTINA (naval)
AUSTRALIA (naval)
BAHRAIN (ground, air)
BANGLADESH (ground)
BELGIUM (air in Turkey, naval)
CANADA (air, naval)
DENMARK (naval)
EGYPT (ground)
FRANCE (ground, air, naval)
GERMANY (air and ground in Turkey, naval)
GREECE (naval)
ITALY (air, naval)
KUWAIT (ground, air, naval)
MOROCCO (ground)
NETHERLANDS (ground in Turkey, naval)
NIGER (ground)
NORWAY (naval)
OMAN (ground, air)
PAKISTAN (ground, naval)
QATAR (ground, air)
SAUDI ARABIA (ground, air, naval)
SENEGAL (ground)
SPAIN (naval)
SYRIA (ground)
TURKEY (home defense)
UNITED ARAB EMIRATES (ground, air)
UNITED KINGDOM (ground, air, naval)

Providing Combat Support and Combat Service Support Forces

CZECHOSLOVAKIA (CW decontamination)
HUNGARY (medical)
REPUBLIC OF KOREA (transport, medical)
NEW ZEALAND (transport, medical)
POLAND (medical)
SINGAPORE (medical)

Assistance to Operations Desert Shield and Desert Storm

GERMANY
JAPAN
REPUBLIC OF KOREA
KUWAIT
SAUDI ARABIA
UNITED ARAB EMIRATES
(plus aid in the deployment of our forces from others, including DENMARK, FRANCE, GREECE, ITALY, NORWAY, POLAND, PORTUGAL, SPAIN,

0610-5

0135

관리번호	91-363

외 무 부

종 별 : 지 급

번 호 : SVW-0626 일 시 : 91 0222 1100

수 신 : 장관(중일,동구일,기정)

발 신 : 주 쏘 대사

제 목 : 걸프사태

1.TAREG AZIZ 이라크 외무장관은 2.21(목) 밤 11:45 모스크바에 도착 12:00부터 2 시간 20 분간 크렘린궁에서 '고'대통령과 걸프사태 해결을 위한 협의를갖었음.

2. 회담이 끝난 02:30 분 IGNATENKO 대통령실 대변인은 외무성 프레스센터에서 가진 브리핑을 통해 이라크측이 하기 8 개항의 절차에 따라 쿠웨이트로부터철수하는데 동의하였다고 발표하였음

가. 이라크군의 쿠웨이트로부터 무조건 완전철수

나. 유엔 다국적군이 대이라크 공격을 중단하면 익일보부터 이라크군은 쿠웨이트로부터의 철군을 개시

다. 철군은 일정한 시한을 정해 시행

라. 철군과정은 무력행위에 직접적으로 참가하지 않은 국가들로 구성된 감시단의 감독하 진행

마. 이라크군의 2/3 가 철수를 완료하면, 유엔에 의한 대이라크 경제제재조치를 철회

바. 철군완료시 양측은 즉시 전쟁포로를 석방

사. 철군 완료시 걸프사태관련 12 개의 유엔 안보리 결의안의 즉시 효력 상실

아. 기타 상세한 절차는 양측간 협의를 통해 금일오후 확정될 예정임

3. 한편 A.BELONOGOV 외무차관은 이라크측이 걸프사태 해결을 위한 쏘측 제안에 긍정적으로 응함으로써 걸프사태를 평화적으로 해결할 근거가 마련되었다 하였으며, 양국외상은 금일 회담을 갖고, 철군에 관한 구체적 문제에 관한 협의를 할 예정이라고 함. 끝

(대사-국장)

예고:91.12.31 까지

중아국	장관	차관	1차보	2차보	미주국	구주국	청와대	안기부
안기부								

0140

PAGE 1

일반문서로 재분류(1991.12.31.)

91.02.22 17:50

외신 2과 통제관 CH

관리번호	91-381

외 무 부

가

종 별 : 지 급

번 호 : FRW-0633 일 시 : 91 0222 1630

수 신 : 장관(중일,동구일,구일,미북,정일)

발 신 : 주 불 대사

제 목 : 걸프전(쏘 제의 수락-주재국 반응 II)

연:FRW-0653

이락의 쏘 평화안 제의 수락과 관련한 당지 언론및 학계의 분석을 하기 보고함.

1. 이락

-AZIZ 외상을 파견, 쏘 제의를 수락케 하기 수신간전, SADDAM HUSSEIN 이 계속 항전을 내용으로 한 격렬한 대아랍권 라디오 방송을 한것은, 자신이 쏘 제의를 수락하는 것이 약세를 보이는 것으로 간주, 이를 엄호하는 성격의 심리전으로 볼수 있음.

-다국적군의 1 개월여에 걸친 집중공폭이 이락의 군사력을 완전 파괴치는 못하였으나, 이는 이락군의 사기저하 및 국민생활 전반에 걸친 위축을 초래함. SADDAM 은 여사한 상황이 계속되면 대서방 응전의 어려움보다, 국내적인 반발과 군부내 분열 및 자신에 대한 도전등 위협이 있다고 판단, 일단 쏘 제의를 수락, 군사적 재정비 및 민심수습을 위한 시간을 벌고자 하는 것으로 보임.

2. 쏘련

-개전전까지 유엔 결의를 지원하고 다국적군 29 개국에 속해 있으면서도 직접적인 군사적 역할은 없이 사태를 관망하던 소련은, 전쟁양상이 쿠웨이트 해방만을 규정한 유엔 결의의 범위를 넘어갈 우려가 있다고 판단, 외교적 노력을 중심으로 사태에 본격 개입함.

-쏘련이 서방의 증오대상인 SADDAM HUSSEIN 을 구제하고, 결정적인 순간에 외교력을 행사하는 이유는

1)SADDAM 이 패망하고, 전후 이락이 재편되어 미국의 영향권에 들어가면, 쏘련의 대중동 영향력은 소멸될 것이라는 우려

2)58 년 이락 와정붕괴후 계속 유지된 쏘.이락관 특수 유대관계 및 역대 이락

중아국 장관 차관 1차보 2차보 미주국 구주국 구주국 정문국
정와대 총리실 안기부

0141

PAGE 1

91.02.23 03:20

외신 2과 통제관 DO

정권중 가장 친쏘 노선을 취하던 SADDAM 과의 개인적인 의리관계 고려

3)미, 영, 이스라엘을 제외한 모든 국제사회가 다국적군의 이락파괴등의 전쟁확대에 반대 또는 회의적일 것이라는 확신

4)이락의 쿠웨이트 철수로 미국의 걸프지역에서의 계속적인 군사력 유지에 대한 명분 박탈

5)국내 시장경제체제 구축을 위한 서방의 경제지원과 발트문제로 인한 인권차원의 서방여론의 압력등 불리한 여건에 불구, 쏘련이 군사강국으로 있는한 구주지역 이외(중동 및 아. 태지역)의 이해와 영향력은 포기할수 없다는 결의 시사및

6)걸프전을 계기로 국내적으로 재부상하는 수구파의 압력등임.

3. 미국

-전쟁의 궁극적인 목적이 이락 군사력의 완전무력화 및 SADDAM 의 제거이므로, 이락의 쏘 제의 수락에 내심 당황하고 있을 것임.

-또한 많은 약점으로 인해 미국의 전쟁주도를 방관할 것으로 보이던 쏘련이 결정적인 시기에 영향력을 발휘, 많은 전비, 장비, 인력을 집중시켜 다국적군의 선봉에서 일사불란하게 전쟁을 주도한 미국의 위치로 볼때, 쏘.이락간의 외교적인 타결을 수락하기 어려우므로 이를 거부할수 있는 명분색출이 필요하게 됨.

-따라서 미국은 금일 개최되는 유엔협의, 이락의 철군 구체안 제시(명일중 쏘련을 통해 미측에 전달될 것이라 함) 등에 불구, 철군이 가시화될때 까지 일단 강도 높은 대이락 공폭등을 계속할 것으로 보임.

4. 이스라엘

-금번 전쟁의 실질적인 당사자이면서도, 자국의 개입이 부정적인 결과를 가져온다는 판단하에, 배후에서 미국을 움직이는 방향으로 대처해 옴.

-이락의 쏘 평화안 수락으로 이스라엘이 가장 우려하는 요소는

1)다국적군의 와해

2)쏘.이락. 이란의 3 각 체제 구축으로 인한 새로운 위협

3)이락의 군사적 재정비 또는 신무기(핵등) 무장 가능성

4)팔레스타인 문제 해결을 위한 국제회의 개최에 대한 국제여론의 압력 가중등임.

-역사적으로 민족주의의 희생물이 되었던 유태민족은 동구개방 이후 재현기미가 보이는 신 민족주의의 태동, 회교 아랍권의 경직화등에 대해 우려를 갖고 있던중, 금번 전쟁을 통해 기독교권과 회교권이 대결함을 내심 만족하게 느끼고 있었음.

PAGE 2

0142

그러나 금번 쏘.이락간의 타결로 정전이 실현되면, 이스라엘로서는 전쟁전의 양상에 비해 얻는것이 없음을 물론, 국제적으로 오히려 더욱 어려운 입장에 처하게 될것이므로, 금번 타결의 허구성을 서방언론을 통해 선전, 이의 백지화를 위한 노력을 경주할 것으로 보임.

5.EC 권

가. 불란서

-개전전에는 적극적인 외교적 시도를 통해 개전예방을 위해 노력하는 동시에, 중동국과의 긴밀한 전통적인 관계를 활용, 서방권과 아랍권 사이에서 자국의 외교적 위치 부각을 위해 부심함.

-개전 초기에도 미온적인 작전 참여등으로 미, 영측의 회의적인 시각을 초래하였으나, CHEVENEMENT 국방상 퇴진을 계기로 다국적군에 적극적으로 참여하는 자세로 전환하였으므로, 이는 또한 아랍권의 반발을 야기시켜 난처한 입장에 처함.

-결국 외교적인 양면정책이 평화시에만 통용될수 있으며, 또한 자국이 유엔안보리 서방 3 대 상임이사국이라는 부담감등을 인식, 현재는 미측에 다소 밀착되었으나, 쏘.이락 타결에 이은 쿠웨이트에서의 즉각 철수가 가시화되면, 종전의 양면정책으로 전환할 가능성이 많음.

나. 독일

-통독 안정을 이유로 다국적군에 대한 부담에 미온적이었으며, 대미 협조라는 기본자세는 견지하되, 구주대륙의 주축국 쏘련의 노력도 간접지원하는 자세를 보이고 있으나, 독일 자체가 중동에 대한 역사적 인연이 없고 GULF 지역에 관한 직접적인 이해도 없으므로 불란서나 EC 의 공동입장에 동조할 것으로 보임.

다. 지중해권

-이태리, 스페인등은 쏘련의 외교노력에 환영의 뜻을 표하므로서, 유엔결의 범주를 벗어난 전쟁확대는 반대한다는 입장을 시사함. 끝.

(대사 노영찬-국장)

예고:91.6.30. 까지

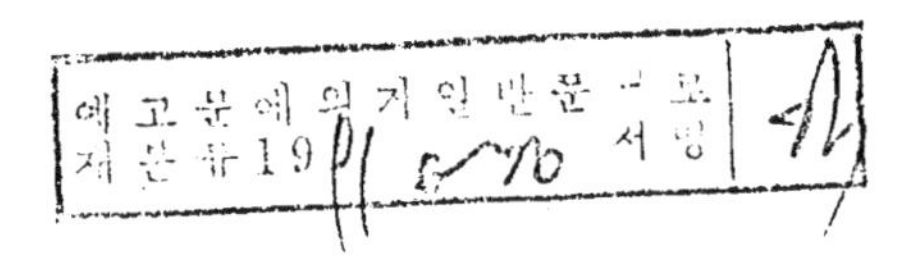

가 미봉

관리번호	91-506

외 무 부

종 별 : 지 급

번 호 : SVW-0635　　　　일 시 : 91 0222 2130

수 신 : 장관(중일,동구일,기정)

발 신 : 주 쏘 대사

제 목 : 걸프만사태(쏘측 평화안)

연:SVW-0626

당관 서현선 참사관은 당관 서현섭 참사관은 2.22(금) 당 국제부 A.VAVILOV 이라크 담당관을 면담, 표제 관련 탐문한바 동인의 발언요지 아래 보고함(동인은 이라크등 중동지역에 장기간 근무했으며 중동역사학 박사 학위 소지 자임)

1. 쏘측안의 이행방안 협의

-고대통령 및 BESSMERTNYKH 외상은 방쏘중인 이라크 AZIZ 외상과 작 2.21 저녁 1 차 회담을 가진데 이어 금일 두번째의 회담을 갖고 쏘측은의 구체적 이행방안등을 협의함.

-미국측은 쏘측에에 대해 회의적 반응을 보이면서 정전을 위한 추가 조건제시를 검토하고 있으며 아직도 후세인 제거를 위한 기도를 포기치 않고 있어 유감임. 특히 미국은 과거 10 여년동안 후세인 제거 기회포착을 위해 부심해오던중 금번 후세인의 오산으로 인해 미국은 'GOLDEN CHANCE' 를 잡았다고 판단하고 있음.

2. 이라크의 피해상황

-후세인은 강인하고 결단력있는 인물이나 금번 전쟁으로 지쳐있고 좌절감을 느끼고 있는 것으로 보임

-이라크는 금번 전쟁으로 인해 최소한 1,500 억불의 재산손실을 입었으며 전후 복구에는 약 20 년간의 시일이 소요될 것임

-바그다드내 5 개 주요 교량중 3 개는 완전히 파괴되었고 제 2 의 도시인 바슬라시의 피해는 심각한 정도임

3. 전후 정세전망등

-후세인의 오판에 기인한 금번 정챈으로 인해 이라크는 경제적으로 파국적인 상황에 직면하게 되었으며 동인의 인기는 떨어지고 정치적 장래는 'DIM AND DARK'

중아국　장관　차관　1차보　2차보　구주국　청와대　총리실　안기부

PAGE 1　　　　91.02.23　06:41　0144

외신 2과　통제관 DO

하게 됨.

-미국은 사우디등에 파병한 군부대를 서둘러 철수시키지 않을 것이나 그렇다고하여 엄청난 주둔 경비가 소요되는 병력을 장기간 주류시킬수는 없을 것으로 보임(일부 병력주둔 그능성은 있음). 따라서 조만간 병력을 철수시키고 이집트, 사우디등 온건 아랍국가를 중심으로한 안보체제 구축을 모색할 것임.

-쏘측안이 수락될경우, 고 대통령의 국제적 이미지는 더욱 고양되고 쏘련의 국내정치에도 어느정도 유리하게 작용할 것임. 한편 쏘련, 이라크간의 전통적 우후관계는 지속될 것이나 쏘련의 이라크의 전후복구사업 지원은 쏘련 자체내의 경제난국때문에 기대할 수 없고 결국 미국등 서방측 지원에 의존할 수 밖에 없을 것임(종전의 쏘련의 대이라크 군사협력은 쏘련이 무기를 공급하고 이라크측이 동 대금을 석유와 달러화로 결제하는 형태이었으나 양측의 경제형편에 비추어 볼때 종전 수준의 협력유지는 어려울 것임)

4. 기타

-현재 이라크에는 VIKTOR POSUVALYUK 대사를 포함 13 명의 외교관이 잔류하고 있으며 동 대사는 전쟁중 계속 후세인 대통령과 긴밀한 접촉을 유지하는 등 활약이 컸음. 동 대사는 예멘, 요르단, 이집트, 시리아등에서 근무한 직업외교관으로서 이라크 근무는 두번째임

-(아측은 아국의 의료팀 파견등의 배경을 설명한 다음 아국의 이라크의 전후 복구사업 참여에 대한 전망을 문의한데 대해) 동인은 이라크측이 중동건설 경험이 풍부한 한국을 받아들이지 않을수 없을 것이라는 견해를 표명함. 끝

(대사-국장)

91.12.31 일반

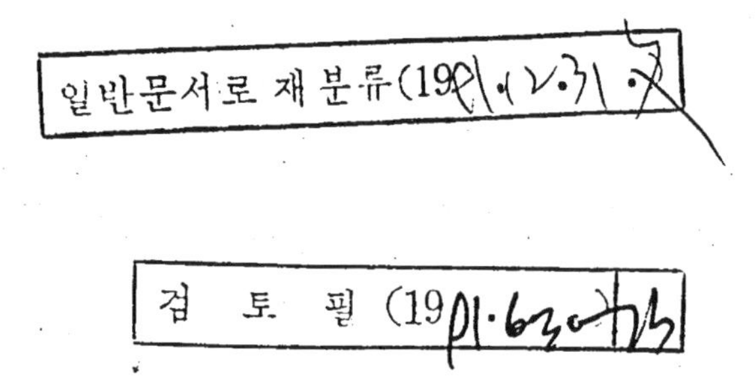

관리번호 91-382

외 무 부

종 별 : 지 급

번 호 : SVW-0643 일 시 : 91 0223 1230

수 신 : 장관(중일,동구일)

발 신 : 주 쏘 대사

제 목 : 걸프사태

1. IGNATENKO 대통령실 대변인은 2.22(금) 21:30 기자회견을 통해 연호, 쏘측 제안을 일부 수정, 이라크측의 전쟁 책임을 강조한, 새로운 안을 발표하였음.

가. 유엔결의안 660 의 즉각 실행, 90.8.1 이전 상태로 즉각 복귀

나. 전투행위 중지후 익일부터 철군개시

다. 쿠웨이트시로부터 4 일이내, 쿠웨이트 전체로부터 21 일내 철수 완료

라. 철군 완료시 유엔결의안 무효

마. 휴전후 3 일내 포로 석방

바. 유엔안보리가 결정하는 평화감시군의 감독

2. 이와 관련 부시 미대통령과 1 시간 30 분간의 걸프사태 관련 협의후 발표한 '7 일 철수계획'을 통해 이라크는 2.23(토) 12:00(워싱톤시간)이전에 즉각 쿠웨이트로부터의 철수를 개시해야할 것이라고 언명하였는바, 미측안 요지 하기와 같음

가. 2.23(토) 12:00 이전 철수개시, 7 일이내 완료

나. 쿠웨이트시로부터 48 시간이내, 쿠웨이트 전체로부터 1 주일이내 철군완료

다. 48 시간 이내 포로 석방

라. 부비트랩 및 지뢰 철거

마. 쿠웨이트에 대한 적대행위 중지 및 모든 쿠웨이트인 석방

3. 아지즈 외상은 금일(2.23 토) '고'대통령과 재차 면담, 걸프사태 해결방안에 대한 협의를 계속할 것으로 예상되고 있으며, 미측이 제시한 철군 개시 시한이 당지 20:00 인바, 쏘측 정부의 입장 및 '고'대통령-아지즈 외상 회담결과 파악 계속 보고위계임.끝

(대사-국장)

중아국 장관 차관 1차보 2차보 미주국 구주국 청와대 안기부

PAGE 1 91.02.23 20:56 0146

외신 2과 통제관 CH

예고:91.12.31 까지

일반문서로 재분류(1991.12.31.)

검토필(1991.6.30.)

PAGE 2

0147

관리 번호	91-322

외 무 부

종 별 : 지 급

번 호 : SBW-0560 일 시 : 91 0224 1000

수 신 : 장관(중일,미북,국방,노동,기정)

발 신 : 주 사우디 대사

제 목 : 걸프전쟁

1.2.24 04:00 다국적군에 의한 대이라크 지상전 발발에 따라 당관은 즉각 비상연락망을 통하여 당지 교민들에게 동지상전 발발 사실을 알려줌과 동시에 있을지도 모를 모든 공습 및 화학전등에 대비 안전조치를 취하도록 조치하였음

2. 금일새벽 04:40 경 이라크는 리야드를 향해 스커드미사일 1 발을 발사하였으나 요격되었음, 그러나 동탄두는 리야드시내 국민학교에 떨어져, 동건물만 대파하고 인명피해는 없었음

3. 현재 리야드시내는 동요없이 평온을 유지하고 있음

(대사대리 박명준-국장)

예고:91.6.30 까지

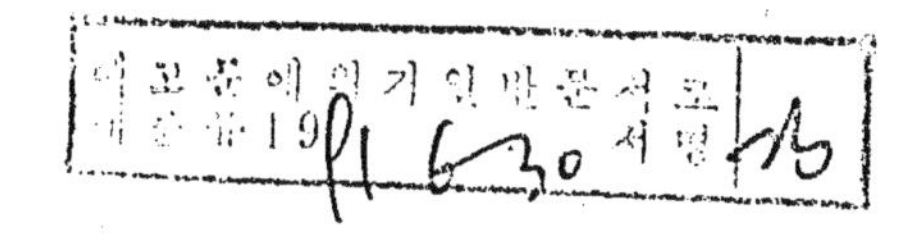

중아국	장관	차관	1차보	2차보	미주국	청와대	총리실	안기부
국방부	노동부							

PAGE 1 91.02.24 16:46

외신 2과 통제관 CE

0148

7/2

외 무 부

암호수신

종 별 :

번 호 : FRW-0672 일 시 : 91 0224 1130

수 신 : 장관(중동일,구일,미북,정일,기정)

발 신 : 주 불 대사

제 목 : 걸프전(주재국 입장)

연:FRW-0669

1. 주재국 MITTERRAND 대통령은 2.23. 저녁 BUSH 대통령과 1 시간에 걸친 전화통화를 갖고, 이락의 철군기간을 1 주일에서 2 주일로 연장시키는 방안을 제의하였으나, BUSH 대통령의 거부로 합의치 못했다 함.

2. 상기 통화후 개최된 야간 비상각의서 주재국 정부는, 미국의 최후통첩시한 까지 이락측의 응답이 없으므로 지상전이 불가피하며, 불란서도 이에 적극 참전할 것이라고 발표함.

3.MITTERRAND 대통령은 2.24. 새벽 사우디 주둔 ROQUEJEOFFRE 불군사령관에게 지상전 개시를 알리고, 미, 영군과 협의, 필요한 작전참여를 지시함. 끝.

(대사 노영찬-국장)

중아국	장관	차관	1차보	2차보	미주국	구주국	정문국	청와대
총리실	안기부	국방부						

PAGE 1 91.02.24 20:40

외신 2과 통제관 CA

0149

관리번호	91-383

외 무 부

종 별 :

번 호 : FRW-0673 일 시 : 91 0224 1130

수 신 : 장관(중동일,구일,동구일,미북,정일)

발 신 : 주 불 대사

제 목 : 걸프전(지상전 개시-분석)

파리시간 2.24 02:30 에 시작된 지상전과 관련한 당지 언론및 전문가의 분석을 하기 보고함.(상황전개에 따라 계속 추보할것임)

1. 미국은 지상전 결행이 시급하였는바, 동 주요 이유는

가. 쏘-이락-유엔간 3 각 외교노력이 주효할 경우, 동 결정을 승복케되면, 전쟁재개가 어려울 것이라는 판단

나. 현지 기상조건이 악화되기전, 속전 및 수륙공 총력전으로 3 월중반까지지상전을 종결시킨다는 작전면의 고려 및

다. 쏘 제의를 수락한 이락의 최근 자세가 SADDAM 이 약세를 보인것으로 판단

라. 그간의 쏘 중재노력에 대해 이를 전면 무시할수 없으므로 표면적으로는이를 방관하였으나, 결국 냉전종식후 쏘련의 국제적 위치가 종전과 같이 우려할것이 못된다는 자신감 및

마. 이스라엘의 압력등임.

2. 미국은 2.22. 최후통첩을 이락측이 수락치 않을 것이라는 계산하에 발표한것으로 볼수 있는바, 이는 미국이 1.16. 개전명분은 유엔결의에 둔데비해,24 시간 철군통첩은 유엔이 아닌 거의 독자적인 결정에 의한 통보형식을 취한데서도나타남.

3. 지상전의 1 단계인 국경돌파는 3 개축선(사우디-쿠웨입희망 국경, 이락영토 우회 및 해상선)을 이용, 총공세로 작전할 것이며, 이락의 주축군인 공화국수비대가 이락 남부 BASSORA 를 중심으로 해안선에 밀집된 것으로 알려져 있으므로, 당분간은 파죽지세로 쿠웨이트에 진입할수 있을 것으로 보임.

4. 이락은 현 체제 유지에 절실한 공화국수비대가 전면 괴멸되는 것은 예방해야 하므로 대다국적군과의 대전시 사태가 불리하면, 본국으로 후퇴, 다국적군의 이락진주

중아국 장관 차관 1차보 2차보 미주국 구주국 구주국 정문국
청와대 총리실 안기부 국방부

PAGE 1 91.02.24 20:42

외신 2과 통제관 CA

0150

가능성에 대비할 것으로 봄.

5. 서방군의 1 차단계작전이 비교적 공개리에 시행된데 비해, 피아간 많은 인명피해가 예상되는 지상전은 전과등 상세사항을 발표치 않을것이라 하므로 전황파악에 문제가 있을 것으로 보임.

6. 미국은 KUWAIT CITY 탈환과 함께 쿠웨이트 왕정을 일단 복귀시키는 동시에, 필요시 일정기간 잠정군정 실시를 구상하고 있다함.

7. 다국 적군 참여 아랍국인 애급, 사우디, 시리아등은 금번 지상전으로 SADDAM 의 패망, 이락의 군사력이 무력화되는 것은 환영하나, 이락이 전면 파괴되는 것은, 전후 타아랍국가와의 관계를 고려, 반대한다는 입장을 표명한 것으로 알려짐.

8. 전원 직업군인으로 구성된 12,000 여명의 주재국 지상군중 최정예 특공대 4,000 여명은 사우디-이락 국경을 우회, 여타 다국적군과 KUWAIT CITY 를 중심으로 적을 포위하는 임무를 맡은것으로 알려짐.

9. 이락이 화생무기를 사용하면 미군은 A-BOMB(산소 제거탄)등 핵무기에 버금가는 위력을 지닌 신예무기를 사용할 것으로 보임.끝.

(대사 노영찬-국장)

예고:91.6.30. 까지까

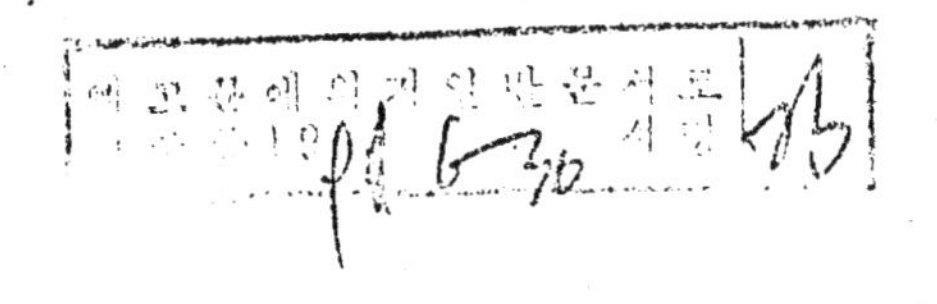

외 무 부

종 별 : 지 급

번 호 : UKW-0506 일 시 : 91 0224 1000

수 신 : 장관(중동일,미북,구일)

발 신 : 주영대사

제 목 : 걸프사태

2.24(일) 01:00(GMT) 지상공격 개시와 관련, 당지 언론보도를 중심으로 아래와 같이 보고함.

1. 연합군은 사우디 국경지역에 4-6개 전선으로 부터 공격을 개시했으며, 전황의상세는 보도관제로 명확치 않으나, 사우디군 대변인은 작전이 계획대로 성공적으로진행되고 있다고 밝힘.

2. 연합군은 1차적으로 쿠웨이트 북서방 전략요충인 FAYLAKAH 섬을 탈환한 것으로 보도되었으며,REUTER 통신은 쿠웨이트 소식통을 인용,쿠웨이트 시내에 미 낙하산부대가 대거 낙하하고 있다고 보도했으나 확인되지 않음.

3. 사담 후세인은 2.24.아침 바그다드 방송을 통하여 연합군의 공격은 이락에 대한 범죄행위라고 규탄하면서 이락 국민들에게 최후까지 투쟁을 계속 할 것을 촉구했으며, 바그다드 시내에는 공습이 계속되고 있는 것으로 현지 특파원들이 보도함.

4. 영국군을 비롯한 연합군측은 전황에 관하여 철저한 보도통제를 실시하고, 전황 브리핑 실시를 일체 중단함.

5. 메이저 수상은 2.23(토) 지상전 개시전에 부쉬대통령과 긴밀한 협의를 가졌으며, 여왕은 현지 영국군들의 노고를 치하하면서 위로와 기도를 보낸다는 메세지를 영국군 사령관에게 보냄.지상전 개시에 관한 수상 성명은 FAX 송부함.

6. 당지 군사전문가들은 공격이 단시간내 과감하게 진행될 것이며, 쿠웨이트 수복에는 가장 낙관적인 시각에서는 72시간, 길게는 3주간이 소요될 것으로 전망하고 있음.끝

(대사 오재희-국장) Q

중아국	장관	차관	1차보	2차보	미주국	구주국	정문국	청와대
총리실	안기부							

PAGE 1

91.02.24 23:25 DQ 0152

외신 1과 통제관

외 무 부

종 별 : 지 급

번 호 : UKW-0507 일 시 : 91 0224 1130

수 신 : 장관(중동일,미북,구일)

발 신 : 주영대사

제 목 : 걸프사태

메이저 수상은 금 1.24(일) 01:00(GMT)시를 기한 지상공격의 개시에 관하여 하기요지의 성명을 금일 03:00(GMT) 발표함.(전문 FAX 송부함)

1. 작 1.23(토) 17:00(GMT)까지 철수개시를 요구하는 최후 통첩에도 불구하고 이락이 이에 호응하지 않았으므로 연합군은 안보리 결의의 이행을 위해 대규모 지상공격을 개시함.

2. 연합군은 최소한의 희생으로 소정의 목표를 신속히 달성코자하며, 영국군은 금번 작전에 적극 참여할 것임.

3. 모든 국민들의 영군군 및 연합군에 대한 적극적 지지를 기대함.끝

(대사 오재희-국장)

중아국	장관	차관	1차보	2차보	미주국	구주국	정문국	청와대
총리실	안기부	대책반						

PAGE 1

91.02.24 23:26 DQ 0153

외신 1과 통제관

외 무 부

종 별 : 지 급

번 호 : UKW-0508 일 시 : 91 0224 1250

수 신 : 장관(중동일,미북,구일)

발 신 : 주영대사

제 목 : 걸프사태

1. 메이저 수상은 1.24(일) 오전 CHEQUERS 수상 별장앞 회견에서 지상전 개시에 관해하기 요지 언급함.

가. 금번 개시된 대규모 지상전은 이락이 쿠웨이트를 포기할 때까지 계속될 것임.

나. 지상전 개시전의 제반 외교적 노력을 평가하나 이락으로 부터 유엔결의 수락을 확보하는데 모두 실패했음.

다. 이락은 쿠웨이트내 200여 유전을 발화시키고,쿠웨이트를 조직적으로 파괴하고 있으며, 젊은 쿠웨이트인들을 학살하고 있어 지상전 개시가 불가피했음.

라. 금번 공격은 연합국간의 긴밀한 협조하에 잘 준비된 상황하에서 시작되었으나, 많은 위험과 불확실성이 개재되어 있음.

마. 금번 전쟁은 오래 계속되지는 않을 것이나 격렬한 전쟁이 될 것이며, 분명히 정당한 전쟁으로서 우리는 승리할 것임.

사. 병사들의 안전을 위해 보도를 통제하고 있으나,발표할 수 있는 구체적인 사항이 있는대로 발표하겠음.

2. 한편, 엘리자베드 여왕도 1.24. 정오 방송된 대국민 메세지에서 걸프전에 참여하고 있는 영국병사들을 치하하고 신속한 승전과 최소의 희생을 기원함.끝

(대사 오재희-국장)

중아국	장관	차관	1차보	2차보	미주국	구주국	정문국	청와대
총리실	안기부	대책반						

PAGE 1

91.02.24 23:28 DQ 0154

외신 1과 통제관

l

외 무 부

종 별 :

번 호 : GEW-0492 일 시 : 91 0224 1400

수 신 : 장관(중근동,구일) 사본:주독대사

발 신 : 주독대사대리

제 목 : 걸프 전쟁 주재국 반응

1. 걸프전쟁 지상전 개시관련 콜수상은 금 2.24.정오(당지시간)아래 요지의 설명을 발표함

- 걸프전쟁은 사담후세인의 조건없는 쿠웨이트 철군거부로 인하여 결정적인7 국면에 돌입함

- 이락 지도부는 쿠웨이트 국민에 대한 잔혹행위및 생활 기반 파괴로서 다시한번그 본색을 드러내었음.

-지상전투를 방지하고자 하는 모든 노력이 좌절된것은 전적으로 이락지도부에 책임이 있음

-독일정부는 전쟁이 쿠웨이트의 해방으로 가능한한 신속히 적은 인명손실로써 끝나기를 희망함

-독일정부는 쿠웨이트 해방을 위해 싸우고 있는 연합군편에서 있음을 확인함

-군사대결 이후에 중근동의 항구적인 정의로운 평화질서를 정착하는데 독일은 기여하고자 함

2.또한 콜수상은 지상로 공격개시에 앞서 부시대통령으로부터 사전 통보를 받았다 함.

(대사대리-국장)

중아국 장관 차관 1차보 2차보 미주국 구주국 정문국
청와대 총리실 안기부

PAGE 1

91.02.25 00:00 DQ 0155

외신 1과 통제관

메모

외 무 부

김

종 별 :

번 호 : JOW-0211 일 시 : 91 0224

수 신 : 장 관(중동일,대책본부,기정)

발 신 : 주 요르단 대사

제 목 : 지상전 개시에 대한 반응

2.24. 주재국 정부 대변인은 금일 새벽 개시된 다국적군의 대이라크 지상군 공격에 대해 요지 다음과 같은 성명을 발표함

가.요르단은 대이라크 공격은 유엔 안보리 결의안을 이탈한 조치로 간주, 이를 비난하며, 요르단 국민의 이름으로 분노와 아픔을 표명함

나.국제사회가 동 지상전의 종결을 위해 확고한 입장을 보여야 할것임

(대사 박태진-국장)

√중아국	장관	차관	1차보	2차보	미주국	정문국	청와대	총리실
안기부	대책반							

0156

PAGE 1

91.02.25 00:15 DQ

외신 1과 통제관

외 무 부

종 별 : 지 급

번 호 : SBW-0569 일 시 : 91 0224 1800

수 신 : 장관(기협,중일)

발 신 : 주사우디대사대리

제 목 : 걸프 사태

대:WSB-407

대호 지상전개시로 주재국 정부기관이나 연구소등과의 접촉이 용이치 않는바,우선 그간 당지언론의 관련 분석내용을 하기보고함

1.국제원유 가격 전망

-공급과잉으로 인해 하락이 확실시되며,단기적으로는 북해산 원유기준,베럴당 15불 이하까지 떨어질 것으로 예상됨

2.전쟁시 파괴된 석유시설 복구 전망

-쿠웨이트의 경우 최근 이락의 유정시설 대량 파괴에도 불구하고 1년정도면 익일100만베럴까지의 생산은 가능할것으로 봄

-이락의 경우는 파괴 규모를 전혀 예측할수 없어 현재까지는 전망이 어려움

3.전후 OPEC 총회 운영과 영향력 변화 전망

-90.12.13 OPEC 총회에서는 걸프위기 종식후 모든 회원국들이 사태 이전의 OPEC쿼타로 돌아가기로 약속한바 있으나,쿠웨이트및 이락의 석유시설 파괴및 그동안 사우디,UAE,베네주엘라등 일부회원국의 생산량 증대등을 고려할때 국별 쿼타 조정은 불가피할 것으로 보이며,특히사우디,UAE등의 쿼타는 크게 증대될것으로 보임

-OPEC 내에서 고유가를 주장하는 강경세력의 주도국이었던 이락의 영향력이 크게줄게될것으로 예상됨에 비추어,사우디등 걸프지역 온건 산유국의 영향력이 대폭 강화될것이 확실시됨

경제국 2차보 중아국 1차보 장관 차관 기획국 미주국 대책반 안기부 청와대 총리실

0157

PAGE 1

91.02.25 00:49 DQ

외신 1과 통제관

외 무 부

종 별 : 지 급

번 호 : UKW-0509 일 시 : 91 0224 1630

수 신 : 장 관(중동일,미북,구일)

발 신 : 주 영대사

제 목 : 걸프전쟁

1. SCHWARZKOPF 사령관은 1.24(일) 15:00(GMT) 브리핑에서 지상공격이 극히 성공적으 로 진행되고 있으며, 공격 제1일의 모든 목표가 달성되었다고 하기요지 언급함.

가. 1.24. 04:00(사우디 시간) 연합국의 공격은 미,사우디, 영, 불, UAE, 바레인, 카탈, 오만, 시리아 및 쿠웨이트가 공동으로 개시했으며, 육.해.공군에 의한 지상전 수륙양용 합동작전,공습등이 순조롭게 진행됨.

나. 공격개시 이래 10시간 현재 5,500명의 포로가 나포되었으며, 희생자는 극히현저하게 경미하나 전쟁은 아직 초기단계에 있음.

다. 전쟁이 얼마나 계속될지에 관해서는 예측 하기 어려우며, 화학무기가 사용되었다는 보도는 없음.

2. 관련국 주요동정(1.24)은 아래와 같음.

가. CHENEY 미 국방장관은 전쟁이 비교적, 단기간에 종료될수 있을 것으로 전망하고, 쿠웨이트 점령 이락군의 이락내로의 대피를 용인하지 않을 것이나, 연합군이 이락 을 점령할 의향이 없음을 분명히함.

나. 바그다드 라디오 방송은 아랍인들에게 서방 진영의 목표에 대한 공격과 테러를 강화하도록 촉구함.

다. 소련은 자국의 평화안이 연합국의 입장과 큰차이가 없음에도 결실을 거두지못한데 유감을 표명하고, 연합군의 성급한 공격개시를 비난함.

라. 이란은 연합군의 공격을 비난하면서도 이스라엘이 개입하지 않는한 중립을 지킨다는 입장을 견지함.

마. 주 영 쿠웨이트 대사는 연합군이 이미 쿠웨이트 시내에 일부 진입했다고 말함.

3. 전쟁 전망에 관해 당지 언론에 보도된 전문가들의 견해 요지는 아래와 같음.

중아국	장관	차관	1차보	2차보	미주국	구주국	정문국	청와대
안기부								

PAGE 1

91.02.25 05:13 CT

외신 1과 통제관

0158

가. 사우디.쿠웨이트 접경지역에 배치된 이락군은 주로 징집된 병사들로 구성되어 있으므로 공격이용이했을 것이나, 금번 공격의 결정적 관건은 REPUBLICAN GUARD 를 어떻게 대처하느냐에 달려있을 것임.

나. 전쟁기간에 관하여는 연합군의 지속적인 단합하에 이락군에 대한 기선을 제압하기 위한 격렬한 전투가 초기 수일간 내지 약 2주일간 성공적으로 진전되면, 이어연합군의 우세가 확보되어 전쟁이 종료될 수 있을것으로 전망함.

다. 미국은 금번 전쟁에서 군사적으로 승리할것이나 정치적으로는 전후 극히 어려운 국면에 처하게 될 것이며, 이에 반하여 소련은 자국이 평화를 위한 노력을 경주했음을 강조하면서 역내에서 유리한 위치를 확보할 수 있을것임.끝

(대사 오재희-국장)

외 무 부

종 별 : 지 급

번 호 : SBW-0571 일 시 : 91 0224 2030

수 신 : 장 관(중일,미북,국방,기정)

발 신 : 주 사우디대사대리

제 목 : 걸프전

1. 2.24 1650 정례 기자 브리핑에서 미중앙사 사령관 슈워즈코프 장군이 밝힌 주요내용 다음과같음

- 2.24 0400 다국적군은 이라크군을 쿠웨이트로부터 축출하기 위해 대규모 지상.해상및 공중 공격을 개시했음

- 동공격은 다국적군의 협동 노력임을 강조하며, 현재까지 공격에 참여한 국가는미국,사우디,불,UAE,바레인,카타르,오만,시리아 및 쿠웨이트임

- 금번 공격에서 미해병,미육군 낙하산부대, 특수부대는 프랑스 공군과 함께 공격첫날의 모든 목표물에 이미 도달 하였으며, 공격을 계속하고 있음

- 금일 오후 미 기계화부대는 영국, 사우디, 쿠웨이트, 이집트 및 시리아군과 함께 공격을 개시하여 북쪽으로 빠른 속도로 진격하고있음

- 금일 오후 미해병 기동부대와 이라크군 기갑부대와의 접전을 제외 하고는 이라크군과의 전투는 미미했다고 할수있음. 이라크군 기갑부대와의 전투에서는 야포, 탱크 및 항 공기의지원을 받아 적군을 격퇴 시켰으며, 아군 탱크 몇대가 파괴되었음

- 미국, 영, 사우디, 쿠웨이트, 이태리, 카나다, UAE, 바레인 및 카탈공군은 지상군을 지원 하기위한 공습을 수행했으며, 주요 전략 목표물에 대한 공격을계속함

- 지상 작전후 10시간내에 이라크군 5,500 명 이상을 포로가 잡혔으며, 아군의 사상 자는 극히 미미함

- 현재까지 공격은 매우 성공적으로 진행되고있으며, 아군는 위대한 임무를 수행하고 있음

- 현재까지 이라크군이 생화학무기를 사용했다는 보고는 없으며, 공화국수비대와의 접전이 있었음

2. 동장군은 기자회견 서두에서 미체니 국방장관이어제 기자회견에서 밝힌

중아국 장관 차관 1차보 2차보 미주국 정와대 안기부 국방부
대책반 V

PAGE 1 91.02.25 05:19 CT
외신 1과 통제관 ·

0160

일일브리핑의 잠정 중단 내용등을 언급한 후 동브리핑 내용이 제한적이고, 야전군 사령관들의 예비보고를 토대로한 일차 자료이기 때문에 앞으로 변경될수 있다고 언급했음

(대사 대리 박명준-국장)

외 무 부

종 별 : 지 급

번 호 : SBW-0572 일 시 : 91 0224 2145

수 신 : 장 관(중일,미북,국방,기정)

발 신 : 주 사우디대사대리

제 목 : 스커드미사일 공격

금 2.24. 2130경 이라크는 리야드를 향해 다시 스커드 미사일 1발을 발사했으나, 패트리오트 미사일에의해 요격되었음

(대사대리 박명준-국장)

중아국 미주국 안기부 국방부 대책반

PAGE 1

91.02.25 05:21 CT

외신 1과 통제관

0162

외 무 부

종 별 :

번 호 : NZW-0052 일 시 : 91 0225 1200

수 신 : 장 관(중동일,미북,아동)

발 신 : 주 뉴질랜드대사

제 목 : 걸프사태

1.BOLGER 주재국 수상은 2.24 걸프에서의 지상전개시는 후세인 대통령의 쿠웨이트로부터 무조건 철수 거부에 따른 불가피한 결과라고 논평함으로써 연합군의 지상전 개시 결정을 지지하였음.

2.BOLGER 수상은 2.24 MAJOR 영국 수상으로부터지상전이 불가피한 것으로 보인다는 내용을 통보받았으며, 또한 미국무성으로부터 주미 뉴질랜드대사관을 통해 지상전 개시에 대해 공식 통보받았다고 함.

(대사 서경석-국장)

중아국 장관 차관 1차보 2차보 아주국 미주국 정문국 청와대
총리실 안기부 대책반

PAGE 1

91.02.25 10:21 WH
외신 1과 통제관 · 0163

外務部 걸프事態 非常對策 本部

題 目: 多國籍軍 現況

1991. 2 . 25.

多國的軍 構成에 관한 駐美, 駐英, 駐佛, 駐사우디, 駐카이로 公館의 報告와 外信報道를 基礎로한 分析結果는 아래와 같음.

1. 多國籍軍 參加國數

ㅇ 多國籍軍 參加國數에 대한 一致된 意見은 없으며 一般的으로 가장 많이 言及되고 있는 28個國도 그 構成에 있어서는 共通된 意見이 없음.

ㅇ 開戰 初期에는 美國 支持 聯合國들의 規模를 誇示하기 위해서 多國籍軍 參加國에 대한 數字를 重視하였지만 일단 汎世界的으로 反이라크 連帶가 形成된 이상 多國籍軍 參加國 數字는 그 意味가 退色한 것으로 보임.

- 26個國 : 駐 사우디 大使館
- 28個國 : 부쉬 大統領 年頭 敎書, 盧泰愚 大統領 年頭記者會見, 美國務部 近東局, 美國防部, 駐英大使館
- 29個國 : 美國務部 代辯人室.政治軍事局, 駐佛 大使館
- 31個國 : AP 通信
- 32個國 : 駐 카이로 總領事館
- 36個國 : 駐 英 大使館

2. 分 析

가. 共通 包含 國家 : 25個國

- 西方 3個國(美國, 캐나다, 濠洲)
- 西歐 8個國 (英, 佛, 伊, 벨기에, 和, 스페인,希, 덴마크)
- 아랍8個國 (사우디, 쿠웨이트, 오만, 카타르, 바레인, UAE, 이집트, 시리아)
- 아시아 2個國 (파키스탄, 방글라데시)
- 아프리카 3個國 (모로코, 세네갈, 니제르)
- 南美 1個國 (아르헨티나)

나. 論難 對象國家

1) 獨 逸

. 駐美 大使館 및 駐 카이로 總領事館 報告에 의하면 地中海

0164

政府綜合廳舍 810號 電話: 730-8283/5, 730-2941. 6. 7. 9, (구내)2331/4, 2337/8 Fax: 730-8286

東部에 掃海艇 派遣한 것으로 되어 있으나 戰鬪目的은 아니고 觀察 目的으로 보임.

. 美國務部 代辯人室.政治軍事局 및 NSC 는 包含, 美國務部 近東局, 美國防部는 不包含.

2) 뉴질랜드

. AP 通信 報道에 의하면 C-130 軍輸送機를 派遣한 것으로 되어있음.

. 美國務部 近東局.政治軍事局은 包含, 美國務部 代辯人室, 美國防部는 不包含.

3) 포르투갈, 노르웨이, 체코

. 美國政府는 3個國 모두 不包含.

. AP 通信은 3個國 모두 艦艇내지 兵力을 派遣한 것으로 報道하고 있으며 大使館 報告는 대체로 3個國을 多國的軍에 包含하고 있음.

4) 蘇聯, 터키

. 美國 政府는 不包含.

. 기타 대부분 報告는 兩國을 艦艇 派遣國으로 把握하고 있으나 美國은 同 艦艇을 戰鬪 目的이 아닌 觀察 目的으로 把握하고 있음.

5) 폴랜드

. 美國務部 代辯人室은 包含, 近東局.政治軍事局 및 美國防部는 不包含.

. 기타 報告는 不包含, 駐佛 大使館만 艦艇 2隻 派遣으로 報告

. 폴란드가 醫療陳 派遣國으로 分類되어 있고 同 醫療陳에 病院船 2隻이 包含되어 있음에 비추어 볼때 駐佛 大使館 報告는 이 病院船을 艦艇으로 把握했을 可能性이 있음.

6) 온두라스

. 駐 카이로, 駐 佛 報告에는 150名 規模의 兵力 派遣國으로 把握되어 있는바, 주 과테말라 大使館에 確認한 結果, 當初 計劃이 있었으나 野黨 反對와 經濟 事情으로 議會同意 要請 節次도 保留한 狀態라 함.

7) 루마니아

. 2.7. 議會에서 360名 規模의 醫療支援團과 180名 規模의 對化學戰 部隊를 사우디아라비아에 派遣하는 同意案 議決, 通過시킴.

. 루마니아의 上記 決定은 最近의 것으로서 어느 公館 報告에도 集計되지 않고 있음.

0165

다. 기타

o 美國防部는, 2.16. 反 이라크 聯合國이 33個國이라고 發表 함으로써 支援國 5個國 (韓國, 中國, 獨逸, 헝가리, 뉴질랜드)을 包含시킴. 中國이 包含된 理由에 대해서는 具體的 答辯을 回避하고 있는바 다분히 事務錯誤일 것으로 推測된다는 駐美大使館 報告가 있음.

o 駐美.英 大使館 報告에 의하면 韓國은 "戰鬪兵力 派遣國"은 아니지만 "戰鬪 支援 兵力 派遣國"과 "財政支援 供與國"에 包含됨.

o 日本은 어느 分類에도 包含되지 않은것이 눈에 뜨이는바 美, 英은 財政 支援國에 包含시키고 있음.

o 參考로 醫療團 派遣國은 韓國, 헝가리, 싱가폴, 필리핀, 시에라리온, 불가리아, 루마니아(派遣豫定)等 7個國

添 附 1 : 多國籍軍 現況表

添 附 2 : 해밀턴 英國 國防長官 下院提出 書面資料 (駐英 大使館 報告)

0166

<添附 1>

多 國 籍 軍 現 況

(*표는 醫療團도 派遣한 國家)

連番	國別	本部把握	駐사우디大使館報告	駐카이로總領事館報告	駐佛蘭西大使館報告	A P (2.7字)	NSC 資料 / 備考
1	* 미 국	. 병력 : 492,000 . 탱크 : 2,000 . 항공기 : 1,300 . 함정 : 60 (항공모함 6척)	. 병력 : 약500,000 (육.해.공군 파견)	. 병력 : 425,000 . 탱크 : 2,500 . 항공기 및 헬기 1,800 . 함정 : 100 (항공모함 6척)	. 병력 : 430,000 . 탱크 : 2,000 . 전투기 : 1,300 . 전투헬기 : 1,500 . 함정 : 55 (항공모함 6척)	. 병력 : 500,000 . 탱크 : 2,000 . 항공기 : 1,780 (항모탑재기 480대 포함) . 헬기 : 1,700 . 함정 : 120 (항공모함 6척)	. 육.해.공군 파견
2	*캐 나 다	. 병력 : 2,000 . 항공기 : 24 . 함정 : 3	. 해.공군 파견	. 항공기 : 24 . 함정 : 3	. 병력 : 1,700 . 항공기 : 18 . 함정 : 3	. 병력 : 1,850 . 항공기 : 18 . 함정 : 3	. 육.해군 파견
3	*호 주	. 함정 : 3	. 해.공군 파견	. 함정 : 3	. 함정 : 3	. 함정 : 2	. 해군 파견
4	*영 국	. 병력 : 35,000 . 탱크 : 170 . 항공기 : 72 . 함정 : 16	. 병력 : 30,000 . 탱크 : 130 . 항공기 : 50 . 함정 : 16	. 병력 : 25,000 . 탱크 : 170 . 항공기 : 63 . 함정 : 15	. 병력 : 35,000 . 탱크 : 170 . 전투기 : 72 . 함정 : 16	. 병력 : 35,000 . 항공기 : 70 . 함정 : 16	. 육.해.공군 파견
5	프 랑 스	. 병력 : 10,000 . 탱크 : 40 . 항공기 : 40 . 함정 : 14	. 병력 : 15,000 . 항공기 : 30 . 함정 : 14 (항공모함 1척)	. 병력 : 10,000 . 탱크 : 72 . 항공기 : 38 . 함정 : 9	. 병력 : 15,200 . 탱크 : 40 . 장갑차 : 300 . 야포 : 18 . 전투기 : 60 . 전투헬기 : 120 . 함정 : 14	. 병력 : 12,000 . 항공기 : 3개 비행대대 . 함정 : 12-14	.육.해.공군 파견
6	이 태 리	. 항공기 : 8 . 함정 : 6	. 해.공군 파견	. 항공기 : 7 . 함정 : 6	. 전투기 : 8 . 함정 : 6	. 함정 : 6 . 공군 파견 : 8 (터키 배치)	. 해.공군 파견
7	*벨 기 에	. 함정 : 3	. 해군 파견	. 함정 : 3	. 함정 : 3	. 항공기 : 18 (터키 배치) . 함정 : 2	. 해군,터키배치 공군
8	*네덜란드	. 함정 : 3	. 해군 파견	. 함정 : 3	. 함정 : 3	. 함정 : 2	. 해군,터키배치 공군
9	스 페 인	. 함정 : 3	. 해군 파견	. 함정 : 4	. 함정 : 3	. 함정 : 3	. 해군 파견
10	그리이스	. 함정 : 1	. 해군 파견	. 함정 : 1	. 함정 : 1	. 함정 : 1	. 해군 파견
11	*덴 마 크	. 함정 : 1	. 해군 파견	. 함정 : 1	. 함정 : 1	. 함정 : 1	. 해군 파견

0167

連番	國別	本部把握	駐사우디大使館報告	駐카이로總領使館報告	駐佛蘭西大使館報告	A P	NSC 資料 / 備考
12-17	GCC국(사우디,오만, 쿠웨이트, 바레인, UAE, 카타르)	. 병력 : 150,500 . 탱크 : 800 . 항공기 : 330 . 함정 : 36	. 육.해.공군 파견	. 병력 : 50,000 . 탱크 : 520 . 항공기 : 334	. 병력 : 165,300 . 탱크 : 750 . 항공기 : 260 . 전투헬기 : 203	. 병력 : 150,500 . 탱크 : 800 . 항공기 : 330	. 육.해.공군 파견
18	이 집 트	. 병력 : 35,000 . 탱크 : 400	. 병력 : 35,000	. 병력 : 35,000 . 탱크 : 450	. 병력 : 35,600 . 탱크 및 장갑차 400 . 함정 : 16	. 병력 : 38,500	. 육군 파견
19	시 리 아	. 병력 : 19,000 . 탱크 : 300	. 병력 : 30,000	. 병력 : 20,000 . 탱크 : 270	. 병력 : 19,800 . 탱크 : 300	. 병력 : 21,000	. 육군 파견
20	*파키스탄	. 병력 : 7,000 (6천명 추가파견 예정)	. 육군 파견	. 병력 : 8,000	. 병력 : 5,000	. 병력 : 13,000 (군사고문단6,000)	. 육.해군 파견
21	*방글라데시	. 병력 : 2,000 (3천명 추가파견 예정)	. 육군 파견	. 병력 : 6,000	. 병력 : 2,500	. 병력 : 2,000	. 육군 파견
22	모 로 코	. 병력 : 1,700	. 병력 : 1,700	. 병력 : 1,500	. 병력 : 6,700	. 병력 : 1,700	. 육군 파견
23	세 네 갈	. 병력 : 500	. 육군 파견	. 병력 : 500	. 병력 : 500	. 병력 : 500	. 육군 파견
24	니 제 르	. 병력 : 480	. 육군 파견	. 병력 : 500	. 병력 : 500	. 병력 : 480 . 1개 비행대대	. 육군 파견
25	아르헨티나	. 병력 : 100 . 함정 : 2	. 해군 파견	. 함정 : 2	. 병력 : 100 . 함정 : 2	. 병력 : 100 . 함정 : 2	.육군 파견
26	포르투갈	. 함정 : 1		. 함정 : 1	. 함정 : 1	. 함정 : 1	미국정부는 불포함
27	노르웨이	. 함정 : 1	. 해군 파견	. 함정 : 1		. 함정 : 1	미국정부는 불포함
28	*체 코	. 병력 : 200		. 병력 : 300	. 병력 : 200	. 병력 : 200	對화학전 부대 미국정부는 불포함
29	소 련	. 함정 : 2 (관찰목적)	. 함정 : 철수시킴	. 함정 : 4	. 함정 : 2	. 함정 : 2	미국정부는 불포함
30	터 키			. 함정 : 2			자국방위군
31	*폴 란 드				. 함정 : 2		미국무부 근동국, 정치군사국은 불포함
32	*뉴질랜드					. 항공기 : 2 (C-130 수송기)	미국무부 근동국, 정치군사국은 포함

0168

連番	國 別	本 部 把 握	駐사우디大使館報告	駐카이로總領事館報告	駐佛蘭西大使館報告	A P	NSC 資料 / 備考
33	독 일			. 함정 : 5		. 항공기 : 18 (터키 배치)	미국무부 근동국, 미국방부는 불포함 미국무부대변인실. 정치군사국은포함
34	온두라스			. 병력 : 150	. 병력 : 150		미국정부는 불포함
계		총 28개국 . 병력 : 755,480 . 탱크 : 3,710 . 항공기 : 1,774 . 함정 : 153 (항공모함6, 1척 추가파견 예정)	총 26개국	총 32개국 . 병력 : 581,950 . 탱크 : 3,982 . 항공기 : 2,266 (헬기포함) . 함정 : 159 (항공모함 6)	총 29개국 . 병력 : 718,250 . 탱크 : 3,660 . 항공기 : 3,541 (헬기포함) . 함정 : 163 (항공모함 6)	총 31개국 . 병력 : 781,030 . 탱크 : 2,800 . 항공기 : 3,944 이상 (헬기포함) . 함정 : 172 (항공모함 6)	

0169

(添 附 2)

해밀턴 英國 國防長官 下院 提出 書面 資料

陸.海.空軍, 醫療支援團 派遣 및 實質的 支援 供與國 (36個國)

1. 西方 4個國 (美, 캐나다, 濠州, 뉴질랜드)
2. 西歐 11個國 (英, 佛, 伊, 벨기에, 和, 스페인, 希, 덴마크, 노르웨이, 스웨덴, 포르투갈)
3. 아랍 8個國 (사우디, 쿠웨이트, 오만, 카타르, 바레인, UAE, 시리아, 이집트, 시리아)
4. 아시아 4個國 (파키스탄, 방글라데시, 韓國, 싱가폴)
5. 아프리카 4個國 (모로코, 세네갈, 니제르, 시에라리온)
6. 南美 1個國 (아르헨티나)
7. 東歐 4個國 (체코, 루마니아, 폴란드, 헝가리)

0170

기 M복

외 무 부

종 별 :

번 호 : NDW-0339 일 시 : 91 0225 1130

수 신 : 장 관(중동일,아서,대책반)

발 신 : 주 인도 대사

제 목 : 걸프사태(17)

1. 인도 외무부 대변인은 2.24 걸프지상전 개시에 대한 다음 요지 성명을 발표함.

0 인도정부는 소련, 중국, 인도를 비롯한 많은 유엔안보리 이사국들이 걸프전의 평화적 종식을 위해 기울여온 노력이 지상전 개시로 좌절된데 깊은 실망을 금할수 없음.

0 인도정부는 고르바쵸프 대통령의 제안과 이락의 무조건 쿠웨이트 철수의지 표명으로 제공 되었던 기회가 무산되고 제 2차 세계대전 이후 유례없는 규모의 지상전이 개시된 것으로 큰 유감으로 생각함.

0 유엔 안보리 의장은 안보리 다수 이사국의 의견에 따라 소련과 미국 제안의 차이점을 좁히기 위한 회의를 소집할 예정 이었으나 마지막 순간까지의 노력에도 불구하고 몇개 이사국의 반대로 실현되지 못했으며, 이제 안보리는 기능마비 상태가되었음.

- 안보리 의장은 인도, 오지리 및 에쿠아돌에 대해 미.소 제안의 절충안 작성을 요청할 것으로 검토한 바도 있으나 몇개 이사국들은 안보리가 현재로서는 아무런역할을 할것이 없다는 의견을 고집하였음.

0 인도는 걸프지상전 결과, 특히 쿠웨이트 및 이락의 파괴, 동 국민들에게 줄 엄청난 고통 및 무고한 인명 피해등에 대해 생각할때 깊은 우려를 금할수 없음.

2. 비동맹 대표단 바그다드 방문

0 인도, 유고, 큐바, 이란등 비동맹 4개국 외상은 2.24 저녁 테헤란에서 회담을 갖고, 지상전 개시에도 불구, 걸프사태 종식을 위한 외교적 노력을 계속하기 위해 2.25 바그다드 측과의 협의를 위해 대표단을 파견키로 합의함.

(대사 김태지-국장)

√

중아국	장관	차관	1차보	2차보	아주국	미주국	정문국	청와대
총리실	안기부	대책반						

0171

PAGE 1

91.02.26 00:13 DA

외신 1과 통제관

관리 번호 | A1-344

외 무 부

종 별 :

번 호 : FRW-0686 일 시 : 91 0225 1720

수 신 : 장관(동구일,중일,미북,정일,기정동문)

발 신 : 주 불 대사

제 목 : 걸프전(소련입장)

자료응신 41 호)

당지 중동 전략 전문가인 ERIC LAURENT, LE FIGARO 지 논설위원이 표제건에관한 분석한 바를 하기 보고함.

1. 90.8.2 쿠웨이트 침공시 사담 후세인은 그간의 미.소 관계 변화를 인식치 못하고 전통적인 맹방인 소련이 최소한 중립입장을 취할것을 확신하는 오판을하였으며 미국은 소련이 미국주도의 유엔 결의를 유보없이 지지하므로서 국제관계에 있어서 제 2 선으로 완전 후퇴한것으로 판단했을 가능성이 있음.

2. 그러나 세바르나제 전 외상의 대미 밀착, 고르바쵸프의 대서방 저자세등에 대해, 비록 경제력은 약화되었으나 상금 막강한 군사력을 보유하고 있는 소련이 국제 문제에 있어 영향력을 포기함은 불가하다는 국내의 비판적인 여론에 따라 1.16 개전을 계기로 정책을 전환하기 시작함.

더욱이 고르바쵸프에게 개전 사실을 통보한것등은 소 국내 수구파의 발언권을 강화시키는 간접적인 촉진제가 되었음.

3. 쏘련은 걸프전 개전후 미국의 궁극적인 목표가 쿠웨이트 해방을 구실로이락 정권과 군사력을 무력화시켜 GULF 에 군사적으로 장기적으로 안주한다는 것으로 이해, 급기야 친이락 인사인 PRIMAKOV 로 하여금 외교적 노력을 전개케 하여, 현 이락 체제와 국경선의 수호를 위해 진력함.

4. 걸프전을 위요, 과거의 숙적인 소.이란 관계는 개선되었는바, 이는 이란의 우려(전후 이락의 파괴, 분할후 미 영향권에 편입, NATO 회원국인 터키와, 이란과 국경을 같이 하는 핵보유 회교강국 파키스탄을 강화시켜, 이스라엘과 함께 이란 포위등) 와 소련의 이해가 일치하기 때문이므로, 전후 양국은 군사, 정치면에서 동맹에 준하는 관계를 설정하게 될것임.

구주국 장관 차관 1차보 2차보 미주국 중아국 정문국 청와대 안기부

0172

PAGE 1 91.02.26 04:34

외신 2과 통제관 FE

5. 미국이 소련의 마지막 외교 노력을 묵살하고 본래의 목표대로 지상전을 결행하여 소련의 모멸감은 증폭되었으므로 전후, 그간의 밀월 관계가 재차 불신관계로 회귀할가능성이 농후해짐.

6. 또한 금번 전쟁을 통해 고르바쵸프는 소련만이 아랍권을 포함한 제 3 세계의 진정한 후견인이며 평화 지향적이라는 이미지를 구축하는데 성공 하였으며, 이는 전쟁을 통해 고조된 제 3 세계의 전반적인 반미 감정과 함께 전후 군사강국인 소련의 국제적 입지의 쇠퇴를 막을수 있는 하나의 새로운 강점으로 부각될 것으로 보임. 끝

(대사 노영찬-국장)

예고:91.6.30 까지

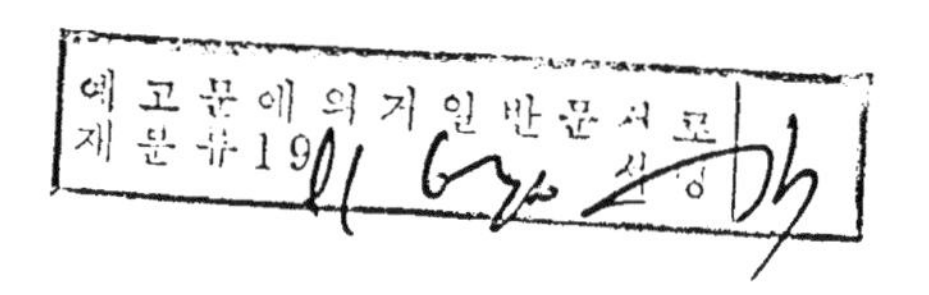
예고문에 의거 일반문서로 재분류 1991. 6. 30. 서명

0173

PAGE 2

-

외 무 부

종 별 : 지 급

번 호 : SBW-0588 일 시 : 91 0225 2000

수 신 : 장관(중일,미북,국방,기정)

발 신 : 주 사우디대사대리

제 목 : 걸프전

2.25 1800 기자 브리핑에서 미중앙사 NEAL 준장이 밝힌 주요내용 다음과 같음

-지상전 이틀째인 현재 연합군은 쿠웨이트 내에서 계속 이라크 군을 공격, 놀란만한 성공을 거두고있음. 적의 저항은 미미함

-미군 피해 상황은 사망 4명, 부상 21명임

-미군,불 및 사우디군은 현재 약 20,000명의 이라크군을 포로로 잡음 (이라크군 1개 대대 전원이 포로가 된 경우도 있음)

-지상전 이후 현재 이라크군 탱크 270대가 파괴됨

-어제 3000회 출격 (그중 1300회는 KTO에 대한 출격)

-해군등은 쿠웨이트 해안에 대한 공격 계속

-2.23 이후 미군기 4대 (AV-8B 2대, AH-64A 1대, A-10 1대)가 격추됨

-금일 오후 1300 현재 쿠웨이트내 600개소가 불타고 있는 것이 확인 되었음,그중 적어도 51개소는 유정임, 쿠웨이트 시내의 시설물들이 조직적으로 파괴되고있음

(대사대리 박명준-국장) DA

중아국	장관	차관	1차보	2차보	미주국	정문국	청와대	총리실
안기부	국방부	대책반						

PAGE 1

91.02.26 04:38 0174

외신 1과 통제관

221쪽

기

외 무 부

종 별 : 지 급

번 호 : SBW-0590 일 시 : 91 0225 2300

수 신 : 장관(중일,미북,국방,기정)

발 신 : 주 사우디대사대리

제 목 : 스커드 미사일 공격

2.25 2040경 이라크가 발사한 스커드 미사일 1발이 다란소재 미군기지에 떨어져 약 12 명의 미군이 사망한 것으로 알려졌음.

끝

(대사대리 박명준-국장)

중아국	장관	차관	1차보	2차보	미주국	정문국	청와대	총리실
안기부	국방부	대책반						

PAGE 1

91.02.26 05:42 DA

외신 1과 통제관

0175

가 제1본

외 무 부

종 별 :

번 호 : DJW-0390 일 시 : 91 0226 1120

수 신 : 장 관(중동일,아동,기정)

발 신 : 주인니대사

제 목 : 걸프 지상전

1. ALATAS 외상은 2.25. 평화적 방법에 의한 걸프사태 해결노력이 실패하고 지상전이 발발한데 대해 깊은 유감을 표명하였음.

2. ALATAS 외상은 유엔 안보리 결의는 이락을 쿠웨이트로부터 철수시키고 쿠웨이트에 합법정부를 회복시키는데 목적이 있는 것이며, 이락을 파괴하고 현 이락 정부를전복시키기 위한 것이 아니라고 주장하였음.

3. 동 외상은 현재 진행되고 있는 전쟁은 물론 전쟁후의 동 지역분쟁 가능성에도관심을 갖고 있다고 부언하고 주재국은 무력에 의한 해결보다 포괄적인 정치적 해결만이 평화에 도달할수 있다고 믿기 때문에 정치 외교적 노력이 계속되어야 한다고 언급하였음. 끝.

(대사 김재춘-국장)

중아국	장관	차관	1차보	2차보	아주국	미주국	정문국	청와대
총리실	안기부							

0176

PAGE 1 91.02.26 20:57 DQ

외신 1과 통제관

외 무 부

종 별 :

번 호 : BUW-0050 일 시 : 91 0226 1700

수 신 : 장관(중근동,아동,정일,기협)

발 신 : 주브루나이대사대리

제 목 : 걸프전쟁

연:BUW-18

주재국 외무성은 2.25. 최근 걸프진전사태에대한 아래내용의 성명을 발표함

ㅇ 이락과 다국적군간 육지전 발발이후 걸프에서의 무력적대행위가 더욱 심화되고 있음에 유감을 표명함

ㅇ 걸프위기 시작이래 브루나이는 이락군의 쿠웨이트철수를 요구한 모든 유엔결의안을 지지해왔음

ㅇ 브루나이는 관련당사자들에게 평화적, 외교적노력에 호응할것을 촉구함

브루나이는 걸프지역에서의 현 적대행위가 종식되고 동지역의 핵심문제가 다루워지길 거듭 언급함.끝

(대사대리 김영준-국장)

중아국	1차보	2차보	아주국	경제국	정문국	청와대	총리실	안기부

PAGE 1

91.02.26 21:28 DN

외신 1과 통제관

0177

가

외 무 부

종 별 : 지 급

번 호 : SBW-0593 일 시 : 91 0226 1620

수 신 : 장관(중일,미북,국방,기정)

발 신 : 주 사우디대사대리

제 목 : 주재국 정세

2.25 오후 파드국왕 주재하에 개최된 주례 각료회의가 끝난후, 걸프전쟁과 관련,발표된 주요내용은 다음과같음

-지상공격에서의 극적인 성공에 만족표명

-사우디군,우방국 및 이라크군대의 최소한의 사상자로 쿠웨이트가 해방되기를 희망함, 이라크 군대도 아랍국의 자손임

-유엔 안보리 결의안에 따라 쿠웨이트로부터 이라크군을 무조건 철수하도록 이라크 통치자를 설득시키려는 모든 외교적노력이 실패했을때, 쿠웨이트 점령 이라크군에 대한 지상공격이 개시되었음

-모든 전쟁 포로들은 이슬람교리에 따라 대우받을 것음.

(대사대리 박명준-국장)

중아국	장관	차관	1차보	2차보	미주국	정문국	청와대	총리실
안기부	국방부	상황실						

PAGE 1 91.02.26 22:09 DN

외신 1과 통제관 0178

원 본

외 무 부

종 별 :

번 호 : BAW-0101 일 시 : 91 0226 1600

수 신 : 장관(미북,아서)

발 신 : 주방대사

제 목 : 걸프지상전에 관한 성명보도

대: WBA-0055

대호건 주재국 영자지 BANGLADESH OBSERVER 2.26자 4면에 걸프지상전 개시에 따른 아국 정부성명 보도되었으며 동 신문사본 차파편 송부하겠음.끝.

(대사 이재춘-국장)

미주국 2차보 아주국 중아국 정문국 청와대 총리실 안기부

0179

PAGE 1

91.02.26 22:14 DN

외신 1과 통제관

외 무 부

종 별 :

번 호 : UNW-0451 일 시 : 91 0226 0700

수 신 : 장관 (국연,중근동,해기,기정)사본:노창희 대사

발 신 : 주유엔대사

제 목 : 걸프 사태 (안보리)

1. 이락측 철군 용의 표명과 관련, 안보리 공식 비공개 회의가 소련의 요청에 따라 2.25.23:15-2.26.00:40 간 개최되었으며 이어 비공식협의가 03:30 까지 약 3시간동안 개최된바 요지 아래 보고함.

2.공식 비공개 회의

가.소련대사의 모두 발언에 이어 예멘, 미국, 인도,쿠웨이트, 이락, 영국, 중국, 자이르, 쿠바, 벨지움이 발언함.

나. VORONTSOV 소련대사는 고르바쵸프 대통령이 수시간전 후세인 이락대통령으로부터

1) 이락정부는 안보리 결의 660호에 따라 쿠웨이트로 부터 이락군을 철수할것을결정하였음.

2) 이에따라 이락군이 90.8.2. 이전의 위치로 철수하도록 명령을 시달하였음.

3) 안보리로 하여금 조속히 휴전 (CEASEFIRE) 조치를 취해주도록 요청함.

4) 휴전과함께 이락군은 가능한 최단 기간내에 철군을 완료함 등을 요지로 하는메세지를 접수하였으며 소련은 이락이 이미 철군을 개시하였다고 발표한점에 유의한다고 하면서 안보리가 적절한 결정을 채택할것을 요망함.

다.이어 이락대사 (약 30분 늦게 참석)는 소련대사 설명 내용을 재확인 하면서 아지즈 외상이 소련외상에게 동 메세지를 전달하였음을 밝히고 휴전에 필요한 조치와이락군의 안전한 철군 보장조치를 안보리가 조속히 강구해 줄것을 요망함.

라.예멘, 쿠바, 인도는 이락의 철수 결정을 환영하면서 이에따른 안보리 결의 채택 지지입장을 표명한 반면, 미국, 영국, 쿠웨이트등 다국적군 측은

1) 철군의사 통보가 이락 정부에 의해 공식적으로 통보되지 않았다는점

2) 철군의사와 반대되는 적대행위가 강화되고 있다는점

국기국	장관	차관	1차보	2차보	미주국	중아국	정문국	대사실
청와대	총리실	안기부	공보처					

0180

PAGE 1

91.02.27 02:33 DQ

외신 1과 통제관

3) 이락측이 안보리 결의 660호 준수만을 언급하고 있는바 여타 결의안을 모두 준수해야 한다는점

4) 본국정부의 훈령이 필요하다는점등을 들어 안보리의 결의 채택에 반대함.

마. 주요 발언 요지

0 예멘

-휴전, 이락군의 최단시일내 철수, 유엔에 의한 철군감시 등을 골자로 하는 안보리 결의안을 조속 채택할것을 제의

0 미국

-현재로서는 군사작전 계속 수행, 이를 변경시킬 이유 없음.

-소련측이 설명한 이락의 철수 결정의 진위를 가릴 방법이 없음.

-이락이 철군 용의와는 반대로 SCUD 미사일 공격 강행함

-과거 이락의 DUPLICITY STATEMENT 사례에 비추어 후세인 대통령이 직접 (PERSONALLY) 그리고 공개적으로 (PUBLICLY) 이를 밝혀야 될것임.

0 인도

-소련측이 전달한 이락측 메세지는 의심의 여지없이 분명함.

-금번 제안은 다국적군 측 제안에 매우 근접해있으므로 이를 지지

0 쿠웨이트

-이락이 12개 안보리 결의 모두를 수락한다는 입장을 서면으로 안보리 의장 또는 사무총장에게 공식 통보 필요

- 이락의 수많은 기만 사례 지적

- 안보리 결의 660호 만 선별적으로 수락하는것은 용납 불가 (예컨데 쿠웨이트 병합 철수에 관한 662호등 불언급)

0 이락

-이락정부는 안보리 결의 660호를 충실히 이행하기로 결정하였음. (소련대사 설명 재확인)

-쿠웨이트의 존재를 GEOGRAPHICAL FACT 로서 인정함.

-안보리 결의 660호가 모든 결의의 모체가 되는것이므로 이의 이행을 보장코자 하는것임.

-여타 결의안은 상당수가 이미 시행되고 있다고 봄.

0 영국

0181

-안보리 결의 660호와 여타 결의안은 불가분의 관계이며, 부분적으로 수락하는것은 용납 불가

-소련측을 통한 메세지를 경시코자 하는것은 아니나, 갑작스러운 사태발전임에비추어 어떠한 조치를 취하기 앞서 본국 정부의 공식 훈령을 받아야함.

0 중국

-이락의 철군 결정을 POSITIVE 한것으로 평가,환영함.

-걸프사태의 조기 평화적 해결을 지지하는바,안보리가 이락의 결정에 진지한 고려를 하기 희망함.

0 쿠바

-예멘이 제시한 요지의 안보리 결의안 채택 지지

-660호 수락 결정이 여타 결의안 불수락을 의미하는것도 아님.

-안보리의 조치 없을경우 이는 SCANDALOUS한것임.

0 벨지움

-만약 안보리 결의안 채택시 (서문 또는 본문)660호 및 여타 결의안을 이락이 모두 수락하기로했다는 식으로 규정할 경우 이락의 수락 여부 문의

3.비공식 협의

가.상기 공식 비공개 회의시 각국 입장이 되풀이된바, 미,영,벨지움, 프랑스는 분명하고도 공식적이고 확인가능한 철군의사 표명과 모든 안보리 결의안의 준수를 재촉구한 반면, 인도,쿠바, 예멘은 660호 이행문제를 여타 결의안 이행과 반드시 결부시킴이 없이 먼저 안보리가 검토할것을 주장함.

나.소련은 이락이 660호를 수락하겠다고 한 이상,여타 결의안 문제로 인해 철군하지 말라고 할수도 없지 않은가 라고 말하고, 철군일정은 최단기간이어야겠으나 다국적군 측이 제시한 1주일 보다는 좀더 걸리지 않겠는가 하는 입장을 표명함.

다.안보리 의장은 각 이사국에게 조속히 본국정부와 상의토록 요망하면서 결의안 제출문제에 관하여는 관계국 (예멘, 인도등이 문안제시 의사 표명) 들과 상의한것이라고 언급함.

4.안보리는 2.26.(화) 11:00 비공식 협의를 재개 예정임. 끝

(대사 현홍주-국장)

첨부: FAX (UNW(F)-079)

1. 소련정부의 지상전 개시관련 성명 (2.25)

2. 이락의 소련제안 수락 서한(2.24)

PAGE 4

0183

가

외 무 부

종 별 : 지 급

번 호 : UKW-0534 일 시 : 91 0226 1830

수 신 : 장관(중근동,미북,구일)

발 신 : 주영대사

제 목 : 걸프사태

1. 사담후세인은 금 2.26(금) 중 쿠웨이트로 부터의 철수를 선언한데 대해 메이저 수상은 금일 하원에서 전쟁이 종식되기 위해서는 이락이 항복하고, 모든 유엔결의를 수락해야 한다고강조함.

2. TOM KING 국방장관도 하원 발언에서 연합군의 작전결과 이락군이 여러지역에서 퇴각하고 있으나, 전반적 철수의 증거가 없다고 강조하면서 사담이 공개적으로그리고 명백히 모든 유엔결의를 받아들일 것을 요구함. KING 국방상은 또한 쿠웨이트 점령중이거나 동점령을 지원하기 위해 작전에 참여하고 있는모든 이락군이 무기와 장비를 포기하도록 요구하고,그렇지 않을경우 적대행위자로 취급할 것이라고 선언함.

3. 금 2.26.저녁 당지 TV들은 수복된 쿠웨이트시로부터의 보도를 방영하고 있음.끝

(대사 오재희-국장)

중아국	장관	차관	1차보	2차보	미주국	구주국	정문국	청와대
총리실	안기부	대책반						

0184

PAGE 1

91.02.27 08:13 AQ

외신 1과 통제관

외 무 부

종 별 :

번 호 : CNW-0258 일 시 : 91 0226 1400

수 신 : 장 관(기협,통일,미북,정일,동자부) 사본:박건우 대사

발 신 : 주 카나다 대사대리

제 목 : 걸프 사태(자료응신 제 22호)

1. 안참사관은 2.26.(화) 주재국 외무무역부 에너지.환 경과장 DE HOOG 을 면담, 걸프전쟁종료 이후의 국제 원유 동향에 관해 파악한바를 아래와 같이 보고함.

가. 국제원유 가격 전망

0 지상전이 시작된 2.25. 현재 원유 가격이 배럴당약 18 미불 (WTI 기준) 로 걸프전 초기에 비해하락한 것에 비추어 보더라도 앞으로 국제원유가는 상승하는 상황은 없을 것으로 보며, 종전후 원유공급 초과 현상이 초래되어 현재의 18 불에서 추가 하락할 것으로 전망됨.

나. 쿠웨이트. 이락 원유 시설 복구 및 수출 가능시기전망

0 쿠웨이트 경우 일부시설 복구에는 1 년 이상 소요될 것이나 수개월후에는 원유 수출이 가능할것으로 봄.

0 이락 경우는 시설의 파괴정도, 전쟁 종료의 양상이 불분명하여 시설 복구 및 원유수출 재개시기를 예측하기가 현재로서는 곤란하며 쿠웨이트보다는 훨씬 더 많은 시일이 소요될 것으로 보임.

다. 전후 OPEC 총회 변화 전망

0 종전후 전후 복구를 위해 원유 초과 공급 현상이 심화될 것으로 예상되므로 산유량 감축을 둘러싼 OPEC 회원국간의 대립이 커질것으로 보이며 최악의 경우에는 OPEC 이 산유량.가격조정 기능을 당분간 제대로 발휘못할 것으로 전망됨.

0 그러나 중동국가의 감정대립은 이란.이락간의관계에서와 같이 수년간의 전쟁을 겪고 나서도 의외로 빠른 시일내 해소되듯이 예측하기가 어려운면이 있음.

2. 한편, 당지 유력 민간 경제연구소 CONFERENCEBOARD OF CANADA 의 원유 관계 전문가 HALL 과 2.26. 접촉, 파악한바는 아래와 같음.

가. 가격전망

경제국 2차보 의전장 미주국 통상국 정문국 동자부

 0185

91.02.27 10:06 WG

외신 1과 통제관

0 쿠웨이트.이락산 원유의 수출재개까지 최소 수개월이 소요될 것으로 보며 현재 18 미불 (WTI기준)까지 하락한 원유가는 2/4 분기에 17 불까지 하락하였다가 3/4분기에 20 미불, 4/4 분기에 21 미불수준으로 다소 상승할 것으로 봄.

나. 쿠.이락의 원유시설 복구 및 수출 가능시기

0 시설 파괴의 정도가 불분명하나 선적시설 및 송유관은 수개월내 복구가 가능할 것이나 정유시설 복구는 더 오랜 시일이 소요될 것이며, 따라서 원유 수출은 수개월내 가능하나 정제품 수출에는 수개월이 더 소요될 것으로 봄.

다. OPEC 전망

0 현재의 국제원유시장은 이미 공급 과잉 상태를 보이고 있는바, OPEC 쿼타량 이상 생산해온 사우디 및 베네주엘라가 종전후 과연 감산할수있을 것인지 불확실한 가운데 산유량 감축을 위한 OPEC 회원국간의 대립이 심화될 것으로봄.

0 90백만 배럴을 해상 비축한 것으로 알려진 사우디를 비롯 세계가 소비국이 걸프사태를 계기로 증가시킨 원유 비축량을 어느수준으로 내릴 것인지 여부등 적정 비축수준 결정문제도 종전후 주요관심사가 될 것으로 보임.

3. 주재국 에너지.광업 자원부 국제원유과장과 2.27. 면담 예정인바, 결과 추보예정임.끝

(대사대리 조원일 - 국장)

가

외 무 부

종 별 :

번 호 : CNW-0262 일 시 : 91 0226 1830

수 신 : 장 관(중근동,미북,정일) 사본 : 박건우대사

발 신 : 주 카나다 대사대리

제 목 : 걸프전 이락철수 관련 반응

1. 2.26.(화) 멀루니 수상은 이락 사담 후세인의 쿠웨이트 철수 발표와 관련, 후세인의 발표가 이락측의 손해배상, 쿠웨이트 불법합병 철회등을 규정한 유엔의 모든 여타 관련결의와 2.22. 자 연합국측 제시 조건의 수락을 결하고 있어 그 진의가 의심스럽다고 지적하고 카정부는 이락측으로 부터 확실한 입장 표명을 접수하기 위하여 곧 유엔 안보리의 개최를 지지하며 아울러 이락군의 확고한 쿠웨이트 철수와 모든유엔 결의의 이행시까지는 전쟁이 계속될것임을 밝히는 성명을 발표함.

2. 관련 발표문 전문 별첨 송부함.

첨 부 : CNW(F)-0022

(대사대리 조원일 - 국장)

중아국	장관	차관	1차보	2차보	의전장	미주국	정문국	청와대
총리실	안기부	대책반						

0187

PAGE 1

91.02.27 09:16 WG

외신 1과 통제관

02/26/91 18:45 613 232 0928 001

Office of the Prime Minister | Cabinet du Premier ministre

CNW(F)-0022 910226 1830
(CNW-0262의 첨부물)

NOTES FOR A STATEMENT

BY

PRIME MINISTER BRIAN MULRONEY

OTTAWA

FEBRUARY 26, 1991

CHECK AGAINST DELIVERY

1/2

0188

Ottawa, Canada K1A 0A2

-0 P01 LENTNPROTOCOL

There is still considerable uncertainty arising from statements from Baghdad yesterday evening and earlier today. Saddam Hussein has apparently ordered his forces to leave Kuwait and some have begun to do so. However, he has not indicated his acceptance either of all other relevant U.N. resolutions or of the Coalition position issued Friday, February 22.

These omissions are very important. The U.N. resolutions address the issue of restitution for the damage Saddam Hussein has caused to his neighbours. They also address potential violations of the Geneva Conventions by Iraq while occupying Kuwait, including with respect to the taking of hostages, torture, forced deportations, and the summary execution of civilians. Most important, the U.N. resolutions also require Saddam Hussein to renounce Iraq's illegal annexation of Kuwait, which his statement today does not do.

These omissions raise serious questions about Saddam Hussein's intentions. This is a man who has attacked Iran and Kuwait and who is now fighting a war against virtually all of his neighbours and the entire world community. He has been given repeated chances to stop the fighting and to implement relevant U.N. resolutions. He has rejected every opportunity to do so. He is not a man to whom the benefit of the doubt can be given. But our responsibility is to give peace every chance.

In these circumstances, the Government of Canada would support a meeting of the United Nations Security Council to be convened as soon as possible for the explicit and exclusive purpose of receiving an authoritative statement from Iraq of its complete acceptance of all U.N. resolutions and those operational aspects of the Coalition position of Friday, February 22 that are still germane to ending the conflict. Only when such a clear, authoritative statement is given to the United Nations, will Canada support a ceasefire.

The choice, once again, between war and peace lies with Saddam Hussein. The Government of Canada calls on him to act immediately and definitively so that the fighting can end. This is not a war with the Iraqi people. And this is not, and never has been, a war with the Arab world. It has been a war fought under the authority of the U.N. to end Saddam Hussein's aggression against Kuwait and to defend the rule of law.

From the beginning Canada's goal has been clear: the definitive withdrawal of all Saddam Hussein's forces from Kuwait and the implementation of all relevant U.N. resolutions. That remains our position. Nothing more nor less. When that happens, the war will be over. In the meantime, Canada will continue to carry out fully its responsibilities as a member of the Coalition.

2/2

0189

관리 번호	91-413

외 무 부

종 별 :

번 호 : SVW-0692 일 시 : 91 0226 2020

수 신 : 장관(중일,동구일)

발 신 : 주 쏘 대사

제 목 : 걸프사태

1.2.26(화) BELONOGOV 외무차관은 현재 유엔 안보리 비공개회의가 진행중이며 쏘련 정부는 걸프사태의 조속한 해결을 위한 제안을 한바, 긍정적으로 받아들여지기 바란다고 언급함. 한편 이그나태코 대변인은 미국측에 불리한 결의안이 유엔안보리에 의해 채택될경우 미측이 VETO 권을 사용할 가능성을 배제하지 않았음

2. 이라크군은 현재 대규모의 병력을 철수시키고 있으며, 쏘련위성을 통해 관측된 이라크군의 철수속도로 미루어 보아 9 일내에 완전한 철수가 가능할 것으로 본다고 함

3. 이라크군의 철수후 페만의 안정을 위해 유엔이 평화유지군을 파견할 경우 쏘측이 이에 참여할 것이냐는 질문에 대해 쏘측은 근본적으로 걸프사태관련 파병은 고려치 않고 있다고 말하고, 평화유지군은 걸프만에서의 적대행위에 참가하지 않는 국가들로 구성되어야 할 것이라고 함. 끝

(대사-국장)

91.12.31 까지

일반문서로 재분류(1991.12.31.)

검 토 필 (1991.6.30.)

중아국	장관	차관	1차보	2차보	미주국	구주국	청와대	안기부

0190

PAGE 1 91.02.27 14:54

외신 2과 통제관 BN

외 무 부

종 별 : 지 급

번 호 : SBW-0598　　　　일 시 : 91 0226 2100

수 신 : 장관(중일,미북,국방,기정)

발 신 : 주 사우디대사대리

제 목 : 걸프전

1. 2.26 1830 기자 브리핑에서 미중앙사 NEAL 준장이 밝힌 주요내용은 다음과 같음

-군사작전은 계획이상으로 진행되고 있음

-전쟁은 끝나지 않았음, 이라크군은 아직도 쿠웨이트시를 포함 쿠웨이트에 남아서 계속 공격을하고 있음, 이라크군은 계속 연합군과 쿠웨이트 국민에게 위협이되고있음

-이라크군은 철수하는것이 아니고, 연합군의 공격을 받아 퇴각하는것임, 이라크군은 무기를 버리지않고 있음

-연합군은 지상, 해상 및 공중공격을 계속하고있음

-2.25 2023 이라크의 스커드미사일 공격으로 동부지역의 미군막사가 동탄두에 의해 파괴되어 현재 미군 28명이 사망하고, 100여명 이상이 부상당함

-연합군은 이라크군 21개 사단을 괴멸시키거나 무력화 시켰음, 이라크군은 현재퇴각하고 있음, 쿠웨이트 외각의 쿠웨이트 국제공항에서 치열한 탱크전이 진행중에 있음

-공화국 수비대가 퇴각하는 움직임은 없으며, 공화국 수비대와 교전중에 있음

-지상전 발발 이래 현재 이라크군 탱크 400대 이상을 파괴시키고, 이라크군 포로는 30,000명 이상임

-미군 피해는 사망 4명, 부상 21명임 (스커드 미사일 공격에 의한 피해는불포함)

-어제 공중 출격회수는 3000회 였으며, KTO에 대한 출격회수는 1400회였음

-해군은 계속 쿠웨이트 해안에서 작전을 수행중임

-사담은 유엔 결의안을 수락해서 전쟁을 종식시킬 의사를 나타내지 않고 있음, 연합군은 사담이 유엔 결의안을 준수하고 이라크군을 패퇴 시킬때까지 모든 수단을 이용할것임

-현재 불타고있는 유정은 590개소이며, 이라크는 계속 유전관련 시설을

중아국	장관	차관	1차보	2차보	미주국	정문국	청와대	총리실
안기부	국방부	대책반						

PAGE 1　　　　91.02.27 20:16 DA　0191

외신 1과 통제관

파괴시키는등 쿠웨이트내 시설을 파괴시키고 있음

2. 1900시에 있은 기자 브리핑에서 사우디군 RABAYAN 대령의 밝힌 주요 내용은 다음과 같음

-다국적군 피해는 사망 13명, 부상 43명임

-2.25 다란에서 이어, 2.26 0130경 이라크는 카타르를 향해 스커드 미사일 1발을 발사했음, 동미사일은 걸프만에 떨어짐, 현재까지 사우디를 향해 발사한 스커드 미사일은 41발이며, 바레인과 카타르를 향해 각각 1발을 발사함

-어제 730명 (대대장 포함 장교 121명)의 이라크군 1개 대대가 사우디군에 부항해 왔음

(대사대리 박명준-국장)

0192

한국 2. 27.

軍縮회담 제의

北韓·美·蘇등 전문가참여

…발표, 전체 북한군및 민병조직에 전투동원태세를 갖출것을 명령했다.

북한은 이날 중앙및 주要방송을 통해 「팀스피리트」훈련은 공화국 북반부를 선제타격하기 위한 예비전쟁이며 핵시험전쟁」이라고 비난하면서 「이에 대처하기 위해 조선인민군 육해공군·조선인민경비대 전체부대들과 노농적위대·붉은 청년근위대 전체 대원들은 만반의 전투동원태세를 갖출 것을 명령한다」고 말했다.

…정과 인플레 심리확산 억제를 올해의 최대정책과제로 추진키로 했다.

정부측에서 崔珏圭경제기획원장관을 비롯한 경제부처 장관과 民自黨에서 羅雄培정책위의장및 국회 경제관련 상임위원장들이 참석한 이날 회의에서는 이를 위해 올 상반기중 모든 공공요금및 개인 서비스요금의 인상을 억제하고 국내유가를 현재수준으로 동결하는 한편 5천억원규모의 정부예산을 절약하거나 집행을…

…北韓산 벙커C유의 반입가격은 톤당 5백80달러로 모두 58만달러규모이다.

중앙 국악관현악단 北韓주민접촉 승인

정부는 28일 朴範薰중앙국악관현악단 이사장이 오는 5월1일부터 5일까지 일본 후쿠이市에서 열리는 「環日本海 국제예술제」에 참가, 북한예술인들과 접촉하기위해 신청한 북한주민 접촉을 승인했다.

記者의 눈

33번째 多國軍

【安[illegible] 사회부기자】

종전으로 치닫는 걸프전쟁은 우리의 위상을 돌아보고 재확인하는 계기가 됐다.

지난달17일 걸프전쟁이 발발한후 우리정부는 미국의 눈치를 살피며 참전군 공중수송, 유엔의 한국전참전에 대한 보답이라는 명분속에 전후복구사업 진출을 노린다는 실리를 재며 다국적군지원·참여방안을 결정해나갔다.

5억달러의 전비를 내고 군의료진 파견에 이어 공군수송기 5대와 1백60명의 병력을 추가파병한후 국방부는 「우리도 다국적군지원국에서 떳떳이 당당한 33번째 다국적군 참가국이 됐다」고 말했다.

그러나 지상전이 시작된 24일 노먼·슈와르츠코프다국적군사령관은 美·英·佛·蘇등 다국적군 28개국은 지상전을 개시했다」고 말했다. 33개국은 고사하고 29개국도 아니었던 것이다. 전쟁국이 될 다국적군이 되느냐 지원국으로 머무르고 말 것이냐 하는 자리매김에서 한국은 뒷전으로 밀려났고 전후의 경제복구참여도 영향을 받게될 전망이다.

우리 형편에서 힘자라는대로 돕겠다고 제몫 찾기는 분명한 상황이되자 「정부가 눈치만 보지말고 좀더 당당했어야 했다」 「관계부처끼리도 손발이 맞지않았다」는 자성과 지탄의 소리가 들리고 있다.

또 사우디에 군의료진을 보낸후 전쟁연구단 파견등을 언론에 흘려 불필요한 견제를 받은 것이 의료진과 공군수송단원들의 현지대우에까지 영향을 미친 요인이 됐다는 지적이다. 외국의 전쟁을 자국의 국익·안보를 위해 연구하지 않는 나라가 없는데도 유독 전쟁연구단을 파견한다고 떠들어 대외관계에서 애로를 자초했다는 것이다.

미국이 다른 우방국들과 달리 우리에게는 지상전 시작전 또는 시작과동시에 작전개시를 알려주지 않은 데 대한 섭섭함과 불만도 크다. 6시간후에야 주한美대사와 韓美연합사령관이 청와대를 방문, 보고했는데 대통령이 보도내용과 크게 다를 바 없는 전황을 일요일에 뒤늦게 들었어야 했느냐는 것이다.

앞으로 또 얼마나 무시를 당하고 섭섭한 일을 겪을지 알 수 없지만 대의명분과 함께 실리를 거두려면 우리는 군사외교에서 보다 당당해야 한다고 생각된다.

0193

외 무 부 7b

종 별 : 지 급

번 호 : SBW-0600 일 시 : 91 0227 1100

수 신 : 장 관 (중일,미북,국방,기정)

발 신 : 주 사우디 대사대리

제 목 : 주재국 반응

2.25 및 2.26 사담후세인의 쿠웨이트로 부터 이라크군 철수발표와 관련 주재국 관계 당국은 아래와같이 주재국 입장을 밝혔음

-사우디는 2.25 및 2.26 이라크 지도자에 의해 발표된 성명을 주시해왔음, 그러나 동 성명서에서 이라크의 쿠웨이트 점령에 관한 유엔 안보리 결의안과 아랍 및 이슬람 결의안을 이라크가 수락한다는 내용을 발견하지 못했음

-사우디정부는 이라크 성명서가 요구사항 등을 만족시키지 못하고 있다고 생각함

(대사대리 박명준-국장)

중아국	장관	차관	1차보	2차보	미주국	정문국	청와대	총리실
안기부	국방부	대책반						

PAGE 1

91.02.27 22:07 DA

외신 1과 통제관

0194

외　무　부

종　별 : 지　급

번　호 : SBW-0606　　　　　　　일　시 : 91 0227 1500

수　신 : 장관(중일,미북,국방,기정)

발　신 : 주 사우디대사대리

제　목 : 쿠웨이트 정부입장발표

사담의 쿠웨이트로부터의 이라크 철군발표와 관련, 당지 TAIF 소재 임시정부 관방담당 국무장관은 2.26 기자들에게 쿠웨이트 정부 입장을 다음과같이 밝혔음

-사담의 철군발표는 또하나의 책략임

-사담은 단지 자신의 목숨만을 구하려고 노력하고 있음

-쿠웨이트 정부는 완전하고 무조건적인 철군과 12개의 유엔 안보리 결의안 이행이외의 어떤것도 받아들이지 않을 것임

-사담은 확실한 원칙에 따른 안정된 정책비견이 결여되어 있음, 사담은 매일 입장을 바꾸고 있음

-지금까지 이란,쿠웨이트 및 이라크에 대해 취한 행동은 아무런 의미가 없음

현재까지 쿠웨이트에 들어간 JABER AL-SABAH 국왕 측근들은 없음

(대사대리 박명준-국장)

중아국　장관　차관　1차보　2차보　미주국　정문국　청와대　총리실
안기부　국방부　대책반

0195

PAGE 1　　　　91.02.27　22:11 DA

외신 1과 통제관

외 무 부

종 별 : 지 급

번 호 : SBW-0607 일 시 : 91 0227 1600

수 신 : 장관(중일,미북,국방,기정)

발 신 : 주 사우디대사대리

제 목 : 쿠웨이트 계엄령 선포

1.쿠웨이트 국왕은 쿠웨이트에 2.26부터 3개월간 계엄령을 선포했다고 2.26 타이프에서 발표했음

2.동 계엄령 선포에따라 SAAD AL-SABAH 황태자겸 수상이 MARTIAL LAW GOVERNOR GENERAL로 임명 되었음

(대사대리 박명준-국장)

중아국 장관 차관 1차보 2차보 미주국 정문국 청와대 총리실
안기부 국방부 대책반

0196

PAGE 1

91.02.27 22:50 DA
외신 1과 통제관

기 Ma

외 무 부

종 별 :

번 호 : LYW-0130 일 시 : 91 0227 1500

수 신 : 장관(마그)

발 신 : 주 리비아 대사

제 목 : 걸프 사태

주재국 외무장관은 2.26. 스페인, 이태리및 프랑스대사를 불러 이라크가 쿠웨이트에서 철수를 선언 하였으므로 이라크에 대한 폭격이 그목적을 달성한 이상 더이상의 폭격은 용납할수 없으며, 주재국과 동국과의 관계에 영향을 미칠지 모른다고 하였다고 함.

끝

(대사 최필립-국장)

중아국	장관	차관	1차보	2차보	미주국	정문국	청와대	총리실
안기부	대책반							

0197

PAGE 1 91.02.28 07:01 DA

외신 1과 통제관

외 무 부

종 별 : 지 급

번 호 : SBW-0609 일 시 : 91 0227 2130

수 신 : 장관(중일,미북,국방,기정)

발 신 : 주사우디대사대리

제 목 : 걸프전

2.27 1900 기자브리핑에서 사우디군 RABAYAN 대령의밝힌 주요내용은 다음과 같음

-쿠웨이트시는 적으로부터 해방되었음, 사우디부대는 쿠웨이트시에 있는 사우디대사관에 국기를게양했음

-해상에서는 계속 쿠웨이트 해안 기뢰제거 작전이진행되었음

-지난 24시간동안 미군은 이라크군 탱크100대를, 영국군은 탱크 150-200대 및장갑차100대를 각각 파괴시켰음

-현재 이라크군 포로는 약 45,000-50,000명임

-현재까지 공중 출격회수는 106,000회임

(대사대리 박명준-국장)

중아국	장관	차관	1차보	2차보	미주국	청와대	총리실	안기부
국방부	대책반							

PAGE 1 91.02.28 08:08 AQ 0198

외신 1과 통제관

외 무 부

종 별 : 지 급

번 호 : SBW-0613 일 시 : 91 0227 2330

수 신 : 장관(중일,미북,국방,기정)

발 신 : 주사우디대사대리

제 목 : 걸프전

2.27 2100 기자 브리핑에서 미중앙사 슈워즈코프 사령관이밝힌 주요내용 다음과같음

-CHART에 의거 지상전 발발 이전의 이라크군과 다국적군의 배치현황, 지상전발발이후 현재까지 다국적군의 쿠웨이트로의 진격상황등을 설명

-지상전 발발 이전인 2.23 적의 동정 정찰을 위해 특수부대를 이라크 영토 깊숙히 부입한바 있음

-금일 아랍군이 동쪽과 서쪽에서 쿠웨이트시로진격, 쿠웨이트시를 탈환하였으며,또한미해병대도 쿠웨이트 공항을 탈환하였음

-금일 전투에서 이라크군 21개사단을 괴멸시키거나 무력화 시킴

-이라크 공화국 수비대와의 전투가 진행중이며, 동수비대가 전투를 계속하는한연합군은 전투를 계속할예정임

-군사상 목적으로 북부에 대한 공습을 계속하고있음

-지난 1.17 공습이후 현재까지 미군사상자는 사망79명 (지상전28명), 부상213명(지 상전89명), 실종44명(지상전5명)

(2.25 스커드 미사일 공격의한 사상자수 포함)

-현재까지 파괴되거나 포획된 이라크군 탱크는 3,008대 (총4,230대중), 장갑차는1,856대 (총2,870대중), 야포는 2,140문 (총3,100문중)임

-1.17 부터 현재까지의 이라크군 포로는 50,720명 (1.17-2.23간 2,720명, 2.24-27간 48,000명)임

(대사대리박명준-국장)

중아국	장관	차관	1차보	2차보	미주국	정와대	총리실	안기부
국방부	대책반							

0199

PAGE 1

91.02.28 08:14 AQ

외신 1과 통제관

GLGL
o0054 ASI/AFP-BQ74-----
b i War-U.S.-ceasefire lead 02-28 0119
Bush orders suspension of all combat operations againbst Iraq

WASHINGTON, Feb 27 (AFP) - President George Bush said Wednesday that the U.S.-led coalition would cease all offensive operations at midnight Washington time (0500 GMT Thursday).

Mr. Bush, in a televised address to the nation, said: "Iraq's army is defeated. Our military objectives are met."

In his seven-minute address, Mr. Bush declared: "Kuwait is liberated; Iraq's army is defeated."

Pointing out that it was just 100 hours since the allied ground war against Iraq had begun, Mr. Bush said: "All United States and coalition forces will suspend offensive combat operations."

hfw/cs
AFP 280213 GMT FEB 91
AFP 280215 GMT FEB 91

0200

외 무 부

종 별 :

번 호 : FRW-0718 일 시 : 91 0227

수 신 : 장 관 (중일,구일,미북,정일,기정동문)

발 신 : 주 불 대사

제 목 : 걸프전 (주재국 각의)

1. 금 2.27 개최된 주재국 각의서 미테랑 대통령은 다국적군의 진주가 이락 보토까지 확대 되어서는 안될 것이라 고 말함.

2. 동 대통령은 이어 사담 후세인이 걸프 사태 관련 12개 결의안 전체를 수락하는 공식 문서를 유엔에 제출하면 안보리 협의를 거쳐 교전을 중지 해야할것이라 고부언함.끝

중아국 ⊘ 1차보 2차보 미주국 구주국 정문국 청와대 총리실 안기부

0201

장관 차관

PAGE 1

91.02.28 09:12 WG

외신 1과 통제관

외 무 부

종 별 :

번 호 : DEW-0105 일 시 : 91 0227 1700

수 신 : 장 관(중동일,구이,국연,기정) (사본:주 싱가폴대사-직송필)

발 신 : 주 덴마크 대사대리

제 목 : 걸프 사태

1. 2.26 주재국 KUND ENGAARD 국방장관은 유엔이 주재국에 대해 유엔 걸프만 평화유지군 파견을 요청해 왔으며, 주재국은 이에 응하여 우선 1차로 13명을 파견한후 추후 약 100명을 추가 파견키로 동의했다고 말함.

2. 한편 당지 언론보도에 의하면 덴마크, 스웨덴, 노르웨이, 핀란드등 북구 4개국은 약 240명의 유엔 평화유지군을 공동 파견할 준비중이라함.끝.

(대사대리-국장)

중아국	장관	차관	1차보	2차보	구주국	국기국	청와대	총리실
안기부								

PAGE 1 91.02.28 09:28 WG

외신 1과 통제관 0202

외 무 부

종 별 :

번 호 : UKW-0544 일 시 : 91 0227 1930

수 신 : 장 관(중동일,미북,구일,기정)

발 신 : 주 영 대사

제 목 : 걸프사태

1.메이저 수상은 금 2.27(수) 당지주재 쿠웨이트대사를 면담한 후, 수상실 앞에서 가진 회견에서 쿠웨이트시가 완전히 수복되었으며, 연합군의 많은 병력이 이미 쿠웨이트 시에 진주해 있고, 여타군사작전이 극히 잘 진전되고 있다고 밝힘

2.메이저 수상은 사담의 제거 가능성을 묻는질문에 대해 안보리 결의의 완전한 수락이 있어야 한다는 기본입장만 재 강조했으며, 이락영토내 영국군 작전기간에 대해서는 영국이 이락영토를 점령할 의향이 전혀 없으며, 사태가 조만간 정상화 될 것이나 얼마나 오래 걸릴지는 분명치않다고 말함

3.이락이 2.27 주유엔대사를 통해, 휴전을 조건으로 안보리 결의 662,674등 일부 유엔결의를 수락한다고 밝힌데 대해, 메이저 수상과 허드 외상은 이락이모든 유엔결의를 수락해야 한다는 기존입장을 재강조하면서 전쟁은 계속되고 있다고 말함

4.수상은 한편 주쿠웨이트 영국대사 MR. MICHAELWESTON 이 2.28(목)중 쿠웨이트에 도착 예정이라고 밝혔음. 외무성 대변인은, 작년 12.16 서방대사로서는 마지막으로 쿠웨이트를 떠난 WESTON대사가 2등서기관 1 명을 대동하고 현지도착예정이라고 말하고, 그간 영국정부는 주쿠웨이트 대사관의 참사관 1 명을 TAIF 의 쿠웨이트 정부와의 관계를 위해 주 사우디 대사관에 주재시켜 왔다고 설명함

5.허드 외상은 미측과의 긴급 협의를 위해 금2.27 방미함.끝

(대사 오재희-국장)

중아국	장관	차관	1차보	2차보	미주국	구주국	정문국	청와대
총리실	안기부	대책반						

0203

PAGE 1 91.02.28 09:52 WG

외신 1과 통제관

관리 번호	91-418

외 무 부

종 별 :

번 호 : CNW-0269 일 시 : 91 0227 1930

수 신 : 장 관(중근동, 미북, 정일) 사본 : 박건우대사

발 신 : 주 카나다 대사대리

제 목 : 걸프전 종전 임박관련 주재국반응

(자료응신 제 24 호)

1. 외무부 STORMS 중동과 부과장은 2.27.(수) 조창범 참사관과 오찬시 연합국측의 쿠웨이트 수복에 따라 금일 카 정부는 주 쿠웨이트 대사관 활동 재개 문제를 검토 하였으며, 이에 따라 주 쿠웨이트 대사 및 일부 공관원(그간 대사 및 공관원 1 명은 주 바레인 대사관에 잔류하고 여타 직원들은 본부의 중동 TASK FORCE 근무) 이 곧(AS SOON AS FEASIBLE) 현지 대사관으로 복귀할 것이라고 하였음. 또한 쿠웨이트 현지 고용원들은 이미 대사관으로 복귀 그간 폐쇄했던 공관 건물을 다시 점검한바, 일부 좀도둑의 흔적이 있었으나 주요 안전시설등에 훼손이 없었다고 함.

2. 한편 동인은 종전 임박관련 유엔결의에 따른 이락측의 손해배상 문제와 전후 복구사업 참여 대책을 우선적 과제로 들면서, 카 외무부는 그간 쿠웨이트내카 국민, 기업등 카측이 입은 피해를 기초로앞으로 카측이 요구할 손해 배상 청국액 산정을 위한 기술적 검토를 진행하고 있으며, 아울러 전후복구사업 참여 문제와 관련 앞으로 쿠웨이트 당국이 각국의 전쟁 기여 정도에 따라 적절히 배분할 것으로 보나 연합군 참여 및 지원 국가간에 치열한 경쟁이 불가피 할것이라면서, 과거 쿠웨이트와 관련이 있던 일부 카나다기업들은 이미 쿠웨이트 당국과 개별 접촉 주요 복구사업의 수주 계약 협사을 개시하고 있는 상태라고 하였음. 끝

(대사대리 조원일 - 국장)

예고문 : 91.6.30. 까지

예고문에 의거 일반문서로 재분류19 91.6.30 서명

중아국	장관	차관	1차보	2차보	미주국	미주국	정문국	청와대
안기부								

0204

PAGE 1 91.02.28 10:58

외신 2과 통제관 BW

원 본

외 무 부

종 별 : 지 급

번 호 : JAW-1168 일 시 : 91 0228 1633

수 신 : 장관(미북,중근동,아일,정일)

발 신 : 주일대사(일정)

제 목 : 미대통령 정전제안에 대한 주재국 담화

페만 전쟁 정전에 관한 부쉬 미대통령의 제안및 쿠웨이트 해방에 즈음한 주재국 내각관방장관의 담화(2.28) 내용을 아래 보고함.

- 아래

1. 미국의 정전제안을 마음으로부터 환영함. 또한 쿠웨이트 해방이 실현된 것에대하여 쿠웨이트 정부 및 국민에 대해 마음으로 부터의 축의를 표함. 동시에 쿠웨이트 국민, 다국적국병사를 비롯해 쿠웨이트 해방을 위해 다대하 희생을 치렀던 분들에 대해 마음으로부터 경의를 표함.

2. 이것은, 다국적군에 참가하고 있는 각국을 비롯한 국제사회 전체의 연대 협력에 의한것이며, 이를 계기로 페만 지역에 있어서 진정한 국제평화와 안전이 달성될것을 간절히 희망함.

3. 우리나라로서는, 이라크가 국제사회의 전체의사에 입각한 미국제안을 수락하여 페만지역의 평화회복을 위해 협력할 것을 강력히 요구함.

4. 우리나라는, 지금까지 평화회복을 위한 국제사회의 노력 및 주변국등을 적극적으로 지원해 왔으나 금후의 쿠웨이트의 복구, 부흥을포함한 중동지역의 평화와안정달성을 위해 계속하여 적극적으로 협력해 갈 생각임.끝

(대사 이원경-국장)

미주국 장관 차관 1차보 2차보 아주국 중아국 정문국 청와대
총리실 안기부

0205

PAGE 1

91.02.28 19:39 AO

외신 1과 통제관

관리 번호	91-551

외 무 부

종 별 :

번 호 : SVW-0725 일 시 : 91 0228 2140

수 신 : 장관(중동일,동구일,기정,사본:주쏘대사)

발 신 : 주 쏘 대사대리

제 목 : 걸프전 휴전

주재국 BESSMERTNYKH 외상은 표제관련 2.28(목) 외무성 프레스센터에서 기자회견을 가졌는바, 아래 보고함.

1. 동외상은 걸프전 휴전공표 직전 수시간전에 베이커 미국무장관과 전후 중동질서 모색 관련 전화로 긴급 협의를 가졌다고 밝히면서 아래갑이 언급함

-쿠웨이트 주권독립 및 영토회복을 환영함

- 동 지역에서의 전투행위 재발을 방지하는 것이 긴요함

- 이라크-쿠웨이트 분쟁의 최종적 해결을 위해 조속한 시일내에 안보리를 개최해야 함. 안보리 회의 소집전에 상임 이사국회의를 먼저 갖기로 미국측과 합의하였음

-향후 무력행위 재발 방지를 위한 안보체제 구축이 시급하다고 보며 쏘련은이를 위해 동 지역 주요국가 및 미국을 비롯한 서방측과 활발한 접촉을 가질 것임

-중동지역의 장래는 일차적으로 동지역 주민이 결정하여야 할 것이며 이라크를 배제해서는 안될 것임

2. 동외상은 회견후 기자들의 질문에 답한바, 문답요지는 아래갑음

- 쏘련의 후세인 대통령의 정치적 장래에 대한 관심 유무:쏘련은 이라크 국민 및 국민이 지지하는 지도자와 관계를 맺어나가야 한다고 봄

-전후 이라크의 역할: 쏘련은 금후 이라크의 건설적이고 존경받을 수 있는 역할을 환영함

-전쟁에 대한 평가: 금번 전쟁은 동 지역이 분쟁의 근원지임을 새삼 상기시킴. 따라서 동 지역과 관련된 무든 문제가 신속히 해결되기를 바라며 쏘련은 이를 위해 계속 노력할 것임

- 루키아노프 연방최고회의 의장이 금번 휴전성립은 고대통령의 평화해결의결과라고 지적한데 대한 평가: 고대통령의 계획의 결과라기 보다는 집단적

중아국 장관 차관 1차보 2차보 미주국 구주국 청와대 안기부
국방부

0206

PAGE 1

91.03.01 07:23
외신 2과 통제관 CA

노력의 결과로 보아야 함.

-고대통령이 2.26 백러시아 방문중 미.쏘 관계가 "FRAGILE' 하다고 언급한 의미:양국관계가 때로는 'FRAGILE' 할수도 있으나 전체적으로 보아 협력이 유지되고 있다고 보며 쏘련은 이같은 미.쏘 협조 체제를 계속 유지하고저 함

-쿠웨이트에 대사관 재개 여부:조속한 시일내에 대사관 재개 계획임

-금후 쏘련, 이라크 관계:종전과 다르리라 생각되나 전체적으로 '건설적'인관계를 유지해 나가고자 함. 끝

(대사대리-국장)

91.12.31 일반

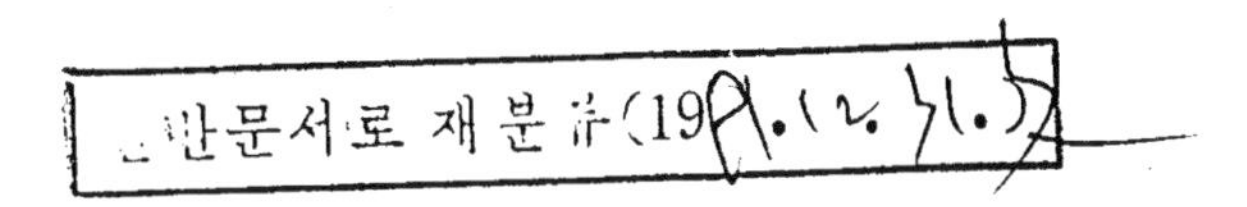

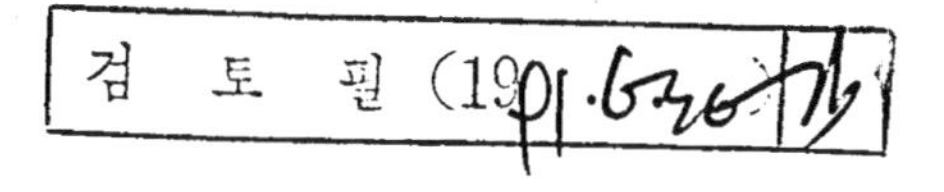

0207

원 본

외 무 부

종 별 :

번 호 : HOW-0099 일 시 : 91 0228 1400

수 신 : 장 관(중동일,구일,정일)

발 신 : 주 화란 대사

제 목 : 걸프전후 중동평화 (자료응신 제 91-32호)

1. 주재국 반 덴 브룩 외무장관은 2.27 의회 (상원)에서 주재국으로서는 걸프전후 연 합군의 철수에 뒤따를 유엔평화 유지군에 참여할 용의가있다고 말하고, 다만 동평화유지군 구성에는 아랍국 군대에 우선권이 부여되는 것이 바람직할것이라는 견해를 표명 함.

2. 동 장관은 또한 걸프지역의 재건을 위하여는 아랍부국과 서방측의 공동노력이 필요할 것이며, 동 지역의 민주주의, 자유, 기본권을 다루기 위한 대화가 개시되어야 할 것이라고 언급함.

3. 동 장관은 이어 중동평화문제는 팔레스타인문제의 해결을 필요로 하고 있다고말하고, 유엔후원하의 국제평화회의로 이어지는 이스라엘-팔레스타인 대화가 개시되어야 할 것이나, 그와 같은 국제평화 회의는 성공가능성이 확실한 경우에 개최되어야 할 것이며, 불연이면 오히려 사태의 악화를 초래할 것이라고 주장하였음.

4. 한편, 동 장관은 PLO 특히 아라파트의 역할과 관련, 걸프사태 과정에서 아라파트가 취한 이락 지지입장으로 인해 아라파트에 대한 신뢰에 매우 유보적인 입장을 갖지 않을 수 없다고 말하고, 사담 후세인 대통령과 마찬가지로 아라파트의 정치적 생존은 중동문제 해결에 장애가 될 것이라면서 팔레스타인대표는 팔레스타인 스스로 결정 해야 할것이나, 아라파트가 계속적인 지지를 받을 경우,그들문제 해결을 더욱 어렵게 할 것이라고 언급하였음. (PLO 에 대한 상기 반 덴 브룩장관 언급은 걸프 사태 이전 주재국의 PLO 에대한 동정적 접근 입장에서 선회하는 것으로 주목됨.)

(대사 최상섭-국장)

중아국	장관	차관	1차보	2차보	구주국	정문국	청와대	총리실
안기부								

0208

PAGE 1 91.03.01 10:48 WG

외신 1과 통제관

외 무 부

종 별 :

번 호 : ECW-0201 일 시 : 91 0228 1700

수 신 : 장 관 (구일,중동일,북미,통이,경일, 주 EC 회원국대사-직송필)

발 신 : 주 EC 대사

제 목 : GULF 종전에 따른 EC 회원국 동향

연: ECW-0180, 0197

GULF 전쟁이 사실상 끝나감에 따라 동지역에서의 정치, 안보, 경제등 분야에서의 전후처리문제와 관련, EC 회원국들은 긴밀한 협의를 계속하고 있으며, 3.4. 룩셈부르그 개최 EC 일반이사회 (외무장관 회의) 에서 동문제가 집중 논의될 것으로 보이는바 관련동향을 아래 보고함

1. EC 는 이라크의 쿠웨이트 침공이후 전쟁발발시까지 일관된 공동의 입장을 정립하지 못함에따라 영국은 미국의 입장을 적극 지지하고, 불란서는 독자적인 평화안을 제시하고, 여타국은 파병자체를 반대하는등 시의적절하고 효과적인 대응을 하지 못하고 분열된 모습을 보였으며, 개전이후에도 독일에서 대규모의 반전데모와 벨지움등 일부국가가 영,불등에 대한 파병비용 지원을 거부하는등 EC의 공동 외교안보 정책부재 현상이 적나라하게 들어난데 대하여 허탈감과 자성론이 강하게 대두되고 있어 공동 외교안 보정책 수립을 비롯한 정치동맹 추진을 가속화하는 계기가 될것으로 기대하고 있으며 지금까지 동 문제에 대하여 소극적인 입장을 보여온 영국도 기본적인 입장변화를 보이고 있음

2. EC 회원국중 미국과 함께 금번 전쟁시 큰기여를 한 영국및 프랑스는 종전처리 문제관련된 일련의 협상 테이블에서 기여에 상응한목을 할수 있을것으로 비교적 느U한 입장이나 소규모 파병 또는 재정지을 한 이태리, 독일 및 여타국등이 초조한 입장을 보이고 있으며 동 지역안보문제와 복구사업에 미국의 독주를 견제하기 위하여 EC 회원국 전체의 영향력 행사가 필요하다고 주장하고 있음

3. EC 회원국들은 금번 전쟁에서의 미국의 절대적인 기여와 주도적인 역활을 인정하지 않는것은 아니나 쿠웨이트등 중동국가등이 역사적 지리적 문화적으로 구라파 국가들과 긴밀한 관계를 유지해 왔다는 사실에 비추어 볼때 미국의 동 지역에대한

구주국 1차보 2차보 미주국 중아국 경제국 통상국 정문국

0209

91.03.01 10:55 WG

외신 1과 통제관

전략적, 경제적 차원의 관계유지와는 구별되어야 하며 개전전부터 아랍세계에서 이루어놓은 EC 회원국 기업들의 기존의 역할과 업적이 계속하여 보호되어야 한다는데 의견을 같이하고 있음

4. 한편 상기와같이 GULF 전후 처리문제에 있어 EC 국가들이 일관되고 공통된 입장을 취하여야 한다는 대전제에는 동의하면서도 불란서가 독자적으로 전후 동 지역안보체제 설치와 관련된 안을 제시하겠다는 입장표명을 한바있으며, 영국은 동 지역국가와의 역사적, 경제적관계가 여타 EC 회원국보다 훨씬 더긴밀하다고 주장하면서 동 지역안보 체제설치에 적극적으로 기여할 의사가 있음을 밝힌바 있고, GULF 전쟁으로 인하여 대서방 감정이 악화된 알제리, 모로코, 튀니지등을 선무하기 위하여 팔레스타인 문제해결을 위한 UN 주관하의 국제회의 개최를 불란서, 이태리, 스페인등이 주장하는등 EC 회원국내의 이해관계가 복잡하게 얽혀있기 때문에 동 문제와 관련하여 EC 가 과연 어떻게 공동입장을 마련할 것인지에 대하여 회의적인 입장을

표명함

5. 한편, EC TROICA 는 GULF 전쟁의 급진전으로 인하여 연초 카이로그룹 국가, 아랍, 마그레브 국가및 이스라엘 외무장관의 일련의 연석회의를 금번 EC 일반이사회 개최이후로 연기하였음. 끝

(대사 권동만-국장)

관리 번호 91-430

원 본

외 무 부

종 별 :

번 호 : CNW-0278 일 시 : 91 0228 1900

수 신 : 장 관(미북,중동일,정일,기정) 사본 : 박건우 대사

발 신 : 주 카나다 대사대리

제 목 : 걸프전쟁

연 : CNW-0235

1. 조공사는 2.28.(목) 외무부 BALLOCH 정책개발국장을 면담하여 걸프전쟁에 관해 탐문한바, 동 국장은 향후 카측의 대책 방향등에 관해 다음과 같이 언급함.

2. 미국, 카나다등 연합국측은 배상문제를 잇슈화하여 앞으로 사담훗세인대통령을 견제하기 위한 방편으로 삼을 것이며, 전범(정부요인, 주요지휘관 및잔학행위 자행 하급 군인) 처벌문제 잇슈화 여부, 휴전이행, 휴전후 유엔 옵서버 파견 및 평화유지군 부입문제, 쿠웨이트에 대한 인도적 지원문제등을 연합국측간에 협의하게 될것임. 작금 베이크, 클라크 외상간의 전화협의에 이어 마샤 외무차관이 명 3.1. 워싱턴을 방문하여 이 문제에 관해 협의하고 클라크 외무장관도 내주초 워싱턴을 방문 미측과 다시 이문제를 협의 예정임.

3. 현재 바레인 체재중인 주 쿠웨이트 카나다 대사는 명 3.1. 군용기편으로쿠웨이트에 부임했다가 3.2.(토) 사우디 타이프 체재중인 쿠웨이트 국왕을 알현 예정임. 쿠웨이트 국왕은 약 6 주전 미국 CLEVELAND 병원에서 심장수술을 받았는바 건강문제 때문에 당분간 타이프에 머물것으로 보임.

4. 사담 후세인 대통령의 국내정치적 지위는 급격히 약화될 가능성이 있음.최근 바그다드 방송에서 주요 결정내용 발표시 훗세인 대통령을 인용하는 경우가 줄어들고 있는 현상화 기타 첩보를 종합해보면 벌써 국민간에 훗세인에 대한불신감이 생기고 있다는 증거가 있음.

5. 현재 철저하게 포위되어 있는 REPUBLICAN GUARD(RG) 는 전력이 거의 붕괴(DECIMATED)되고 사상자가 극히 많음(최근 수일간 카나다 공군도 RG 공격에 가담). 장교단, RG, BAATH PARTY 와 후세인의 친족은 자기 집단의 보존을 위해 훗세인 대통령을 멀리하게 될 가능성이 있지 않을까 짐작(SUSPECT)됨.

미주국 장관 차관 1차보 2차보 구주국 중아국 정문국 청와대 안기부

0211

PAGE 1 91.03.01 12:02

외신 2과 통제관 DG

6. 걸프사태와 관련해서 이지역과 접경해 있고 다수 회교인구를 가지고 있는 소련의 관심과 역할을 인정하지 않을수 없긴하나 종전이나 앞으로나 소련의역할은 그렇게 크다고는 볼수 없음.

7. 금번 걸프사태로 피해가 극심(경제생산력이 50- 70 프로 감소되었다는견해도 있다고함)한 죨단에 대하여 미국은 경제지원을 주저할 것이나 카나다로서는 경제지원을 공여할 계획이며 다음주 클라크외상의 중동 방문시에 죨단도 방문할 가능성이 있음.

8. 사미르 이스라엘 수상이 3 월 둘째주에 카나다를 방문 예정인바, 카나다는 계속 이스라엘측이 팔레스타인 문제에 관해 과격한 입장을 완화하여 온건한입장을 취하도록 종용할 것임. 카나다는 또 PLO 에 대해서도 금번 이락 지지로인해 PLO 의 국제적 지지기반이 크게 약화되었음을 고려, PLO 측에도 온건한입장을 취하도록 종용하고 있음. 금번 걸프사태가 마무리 된후 팔레스타인 문제가 크게 부각될 것이나 현 LIKUD 이스라엘 정부 재임기간중 큰 진전을 기대하기는 어려움.끝 (대사대리 조원일 - 국장)

예고문 : 91.12.31. 까지

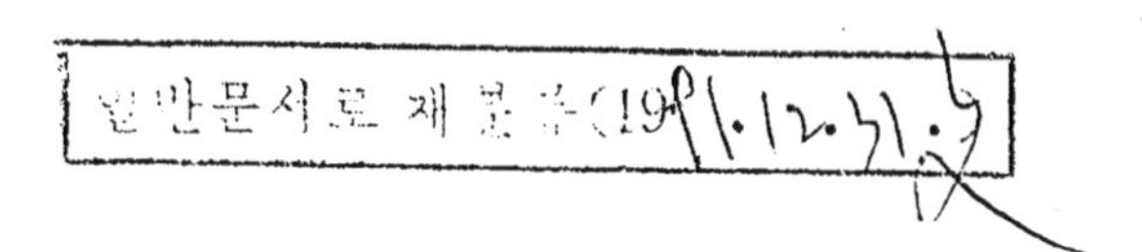

외 무 부

종 별 :

번 호 : MGW-0107 일 시 : 91 0301 1800

수 신 : 장 관(아이,미북)

발 신 : 주 몽골대사

제 목 : 걸프전 관련 주재국 입장

주재국 외무성 대변인은 금 3.1 걸프전 관련 하기요지 성명서를 발표했음.

1.다국적군에 의한 쿠웨이트의 독립 및 주권회복은 정의의 승리이며, 유엔과 국제사회의 승리임

2.몽골정부는 처음부터 무력에 의한 쿠웨이트 합병을 지난 1.17 성명을 통해 비난한 바 있음.

3.정치적 방법을 통한 쿠웨이트 독립 및 주권회복 노력은 처음부터 있었으며,걸프전은 인류역사의 교훈이 되었음

4.몽골정부는 금번사태가 국제법의 기본원칙 준수의 중요성을 다시한번 시현한 것이라고 평가하고, 대소 모든 국가의 주권과 독립을 존중함.(대사-국장)

아주국 장관 차관 1차보 2차보 미주국 정문국 청와대 총리실
안기부 대책반

0213

PAGE 1

91.03.02 07:46 WH

외신 1과 통제관

원 본

외 무 부

종 별 :

번 호 : CAW-0336 일 시 : 91 0301 1805

수 신 : 장 관(미북,중일,중이)

발 신 : 주 카이로 총영사

제 목 : 걸프전 휴전관련 언론동향

걸프휴전 관련 3.1. 당지 주요언론은 사설로 이를 환영하고 지금이야말로 현실적이고 효과적인 아랍유대를 복원하고 전화를 재건할때라고 논평함.

1. AL-AHRAM 지

모든 연합군 (COILITION)은 미국의 작전 중지는 파괴적 비극에 종지부를 찍고 희망을 소생시키는 조치라고 환영함. 지금 고집과 폭력과 대결의 삽화는 지났으며 이것은 영원히 지나가기를 바람. 모든 관계당사국은 침략과 침공을 반대하는 새로운 시대를 맞이해야 함. 더이상의 권력, 지배 및 패권을 위한 환상은 있을수 없으며 국제사회는 새로운 법과 원칙을 강요하고 있음. 따라서 역내 안보문제 구축이 급선무이나 파레스타인문제 해결에도 소홀함이 없어야 함.

2. AL-AKHABAR 지

쿠웨이트해방 환희는 이락에 가해진 재앙의 고통을 극소화 시키지는 못하나, 동해방으로 그간 파괴적인 악몽에 시달려온 이락 국민도 행방되었기를 희망함. 쿠웨이트를 도운 모든나라는 공관 재개를 서두를 것이나 침략자편에있었던 자들은 어떤 죄의식을 갖게 될것인가

3. AL GOMHURIA 지

6주간 영웅적 서사시가 펼쳐진후 국제사회의 협력으로 쿠웨이트가 해방되고 정통 정부가 복원되므로 무력에 의한 타국의 영토점령과 합병을 불인하는 중요한 국제원칙이 확인됨.끝.

(총영사 박동순-국장)

미주국 장관 차관 1차보 2차보 중아국 중아국 정문국 청와대
총리실 안기부

0214

PAGE 1 91.03.02 08:42 WG

외신 1과 통제관

7b

예고

외 무 부

종 별 :

번 호 : DJW-0419 일 시 : 91 0302 1130

수 신 : 장 관(중동일,아동)

발 신 : 주인니대사

제 목 : 걸프전 휴전

1. ALATAS 외상은 2.28. 걸프지역에서 모든 군사행동을 중지한 미국의 발표를 환영한다는 아래 요지의 성명을 발표하였음.

0 쿠웨이트가 유엔 결의안에 따라 독립을 회복한것을 기쁘게 생각함.

0 인도네시아는 유엔 안보리의 조속한 회의 개최 계획을 환영하며,동 회의에서 이락은 모든 유엔결의안을 준수한다는 입장을 밝혀야 할것임.

0 유엔 안보리는 걸프전 해결의 정치적 측면과 후속조치에 관해 즉각 협의해야 함.

2.한편, WIRYONO 외무성 정무차관보는 3.1. 이락과 쿠웨이트의 관계가 정상화 될때까지 동국 주재 인니대사관 개설을 연기할 것이라고 밝혔음.끝.

(대사 김재춘-국장)

중아국	장관	차관	1차보	2차보	아주국	미주국	정문국	청와대
총리실	안기부							

0215

PAGE 1

91.03.02 18:49 DQ

외신 1과 통제관

관리 번호	91-433

외 무 부

종 별 : 지 급

번 호 : JAW-1201　　　　일 시 : 91 0302 1625

수 신 : 장관(중근동,아일,미북)

발 신 : 주 일 대사(일정)

제 목 : 페만 종전과 일정부의 대응(1)

연 : JAW-0916

1. 기이후 수상은 작 3.1. 참원본회의에서, 페만전쟁 종결에 즈음, 아래요지 발언함.

0 금후 페만지역의 안정을 위하여는 다국적군이 계속 일정기간 주둔할 필요가 있음

0 페만 지역을 포함, 중동전체의 진정한 평화의 확립을 위하여는 팔레스티나 문제의 해결이 불가결함

0 페만 각국의 부흥에 대한 일본의 협력에 대하여는 역내 국가의 이니셔티브를 존중하는 것이 중요하고 그 여망에 입각, 관계각국 및 유엔과 협력하여 가능한한 협력해 나감

0 페만 원유유출, 유정 소실에 의한 환경파괴 대책과 관련, 정부는 전문가를 포함한 현지 조사단의 파견을 검토하고 있음

2. 또한 나카야마 외상도 상기 본회의시 페만지역에 다수 노동자가 진출해 있는 아시아 각국도 경제적 타격을 받고 있으므로 이들국가에 대한 경제원조도 검토하고 있다고 말함

3. 일정부는 페만지역에 대한 향후 국제공헌책으로서 1) 긴급원조, 2) 경제부흥, 3) 환경오염 방지, 4) 군비관리, 5) 중동지역의 포괄적 평화에 기여한다는방침을 추진중인 것으로 보이는바, 이와 관련 아래와 같은 구체안이 나오고 있음

0 페만지역의 환경 파괴 방지대책을 모색하기 위한 정부조사단을 내주중 사우디, 바레인, 카타르, UAE, (쿠웨이트 제외)에 파견함.

(3.1. 외무보도관 기자회견)

0 쿠웨이트에 콜레라 발생의 위험이 있어, 국제긴급 원조대의 파견을 검토함.

(3.1. 외상, 중원 외무위원회 발언)

중아국	장관	차관	1차보	2차보	아주국	미주국	경제국	정문국
청와대	안기부							

0216

PAGE 1　　　　91.03.02 19:12

외신 2과 통제관 BW

0 쿠웨이트에 물, 의약품등 긴급 인도적 원조를 제공함.

(2.28. 수상 및 외상, 주일 쿠웨이트 대사에게 표명)

0 유엔 재해 구조 조정관 사무소(UNDRO)의 요청에 의거, 이라크로 부터 이란에 유입된 피난민 구원을 위해 자동차 5 대, 모포 6 천매, 발전기 16 대, 석유곤로 12 대를 긴급 원조하기로 결정함. 동 물품 수송시 민간원조 단체의 구원물자로 함께 수송함.

(3.1. 정부 결정 보도)

0 국제평화 유지활동과 관련한 정전감시단 참가 문제에 유엔으로부터의 요청이 있을것으로 대비, 이를 검토함. (3.1. 수상, 민사당위원장과 회담시 발언)

4. 나까오 통산상은 3.1. 기자회견에서 전후 부흥과 관련한 일본기업의 수주활동과 관련, 전쟁에 직접 기여하지 않았던 일본이 전후 복구사업 참여에만 관심을 갖는것은 국제적인 오해를 초래할 가능성도 있으므로, 주의를 환기할 필요가 있다고 발언, 관련기업의 신중한 대응을 요청함.

5. 일정부는 중동지역의 부흥과 안전보장 구상에 대한 미국과의 조정을 위해 외무성 사또 정보조사국장, 마쯔나가 전주미대사, 오와다 외무심의관을 미국에 파견하였으며, 나카야마 외상은 90 억불의 추가지원 관련 추경예산안과 관련법안이 3 월 상순 국회통과하는 대로 방미, 미국과 전후 중동지역의 안전보장 및복구 문제등에 관해 논의할 희망을 표명하였음. 이와 관련, 미정부 당국자는 2.28. 일본이 1) 중동부흥 은행과 같은 기구를 통해 관계국에의 재정, 경제지원을 하고 2) 균형있는 아랍, 이스라엘 관계를 구축하기 위해 이스라엘과 정치, 경제관계를 강화하고 3) 중동의 신질서 형성에 이란이 책임을 다하도록 요청하도록, 3 항목에 걸친 기대를 표명한 것으로 당지 언론에 보도됨.

6. 상기 1-3 항 일본의 대응은 현재로서는 검토단계로서, 금후 미국등 관계국과 협의해 가면서 구체안을 확정해 나갈것으로 보이는바, 관련사항을 외무성등과도 접촉, 계속 확인후 추보예정임.끝

(대사 이원경-국장)

예고:원본접수처:91.6.30. 일반

사본접수처:91.6.30. 일반

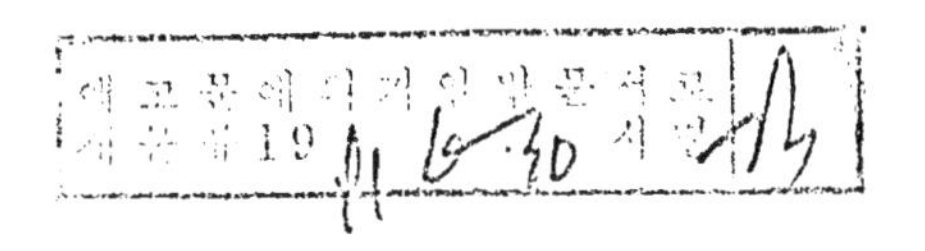

갈 배부.

외 무 부

종 별 :

번 호 : FRW-0731 일 시 : 91 0302 1130

수 신 : 장관(중동일,구일,동구일, 정일,기정동문)

발 신 : 주불 대사

제 목 : 걸프전(주재국 반응)

1. 미테랑 대통령 3.1. 지방 TV 와의 회견서,현재는 유엔중심의 정전과 평정 작업을 하는것이 급선무이며, 이후 제반 중동 문제(팔레스타인,레바논등) 해결을 위한국제적인 노력을 적극화해야 할것이라고 말함.

2. 한편 2.27-28 간 방미, PEREZ DE CUELLAR 유엔사무총장 및 미 BAKER 국무장관, 부시 대통령과 차례로 회담을 갖인 주재국 DUMAS 외상은 3.1 불 기자와 간담 회를 갖고 하기 내용으로 불 정책을 밝힘.

가. 대 이락 무기 공여에 관한 제재는 계속 유지하되 전쟁의 책임이 이락 국민에게 있는것이 아니므로 경제 제재는 인도적인 부문부터 단계적으로 해제하는 융통성이 필요할것임

전쟁 배상 및 전화 복구에 필요한 이락 원유의 수출에 대한 제재 해제 문제도 향후 구체적으로 협의 되어야 함.

나. 불군은 가급적 빠른 시일내 철수할것이나,이는 유엔을 중심으로 다국군 모두가 협의, 결정케될것임

다. 중동 평화 정착을 위해 팔레스타인 문제해결은 더 이상 지연시킬수 없는 명제이므로 각관련국은 배전의 노력을 경주해야 할것이며, 레바논문제도 TAEB 결정(레바논 합법 정부의 군위,권능 강화및 전 외국군의 철수)원칙에 입각,해결의 실마리를찾아야 할것임.

3. 미테랑 대통령의 요청에 의해 주재국 상,하원은 3.26 합동 회의를 갖고, 걸프전 결산, 전후 체제와 불란서의 역할등에 관한 국론 통일 성격의 논의를 갖일것이라함.

4. 불. 이락간 단교로 인한 이락내 이의 보호국으로 주재국은 소련을, 이락 또한불란서내 이익 보호국으로 소련을 지정하는데 상호 합의함.끝

(대사 노영찬- 국장)

중아국 장관 차관 1차보 2차보 미주국 구주국 구주국 정문국
청와대 총리실 안기부

0218

PAGE 1 91.03.02 21:38 DQ

외신 1과 통제관

외 무 부

종 별 :

번 호 : BUW-0053 일 시 : 91 0302 1900

수 신 : 장관(중근동,아동,정일,기협)

발 신 : 주브루나이대사

제 목 : 걸프 전쟁

연:BUW-50

주재국 외무성은 3.1. 쿠웨이트 해방및 걸프전쟁 종료에 대한 아래 내용의 성명을발표함

o 브루나이는 쿠웨이트 국민들의 국가해방의 기쁨에 동참함. 브루나이는 쿠웨이트의 주권회복과 합법적 정부의 재수립에 대한 12개의 모든 유엔 결의안을 계속 지지해옴.

o 브루나이는 부쉬 미대통령의 모든 대이락 군사활동의 중지 명령을 환영하며 또한 이락의 상기 유엔 결의안 수락을 환영함.

o 브루나이는 유엔의 즉각적인 정전과 적대행위의 종료를 위해 주선할것과 또한이 지역에서의 항구적인 평화와 안정을 보장하기 위한 팔레스타인 문제를 포함한 모든 주요 문제를 다루어 해결해 나갈것을 촉구함.끝

(대사대리 김영준-국장)

중아국 장관 차관 1차보 2차보 아주국 미주국 경제국 정문국
청와대 총리실 안기부

PAGE 1 91.03.02 21:44 DQ

외신 1과 통제관

0219

가
세분

외 무 부

종 별 :

번 호 : GHW-0108 일 시 : 91 0301 1220

수 신 : 장관(중동일,아프일,정일,기정)

발 신 : 주 가나 대사

제 목 : 걸프 사태(자료응신 12호)

걸프전 휴전에 대한 주재국 외무성의 성명(2.28발표) 요지 아래 보고함.

-연합군이 이락측의 유엔 결의안 수용에 따라 걸프지역에서 군사적 적대행위가 중지된 것을 환영함.

-모든 관계국,특히 유엔 안보리는 금번 적대행위의 중지가 영속성 있는 (DURABLE)휴전으로 될수 있도록 시급히 조치를 취해줄것을 호소함.

-국제사회가 걸프전 이후,팔레스타인 문제를 포함한 제문제를 포괄적이고 장기적인 면에서 해결할 수 있도록 최대한의 노력을 경주할 것을 촉구함.끝

(대사 오 정일 - 국장)

중아국 장관 차관 1차보 2차보 미주국 √중아국 정문국 청와대
총리실 안기부

0220

PAGE 1

91.03.03 00:27 DQ

외신 1과 통제관

가 비문

외 무 부

종 별 :

번 호 : UNW-0489 일 시 : 91 0302 0700

수 신 : 장관 (국연,중근동,해기,기정) 사본:노창희대사

발 신 : 주유엔대사대리

제 목 : 걸프 사태 (안보리)

연: UNW-0488

1. 안보리는 다국적군의 대 이락 전투행위 정지에 따른 후속조치와 관련, 3.1.(금) 11시경부터 22:00 경 까지 일련의 그룹별 협의를 가진바, 주요경과는 아래와 같음.

2.상임이사국들은 오전부터 19:00 경까지 미국이 제시한 결의안 초안을 중점 협의한바, 4차에 걸친 수정을 거쳐 별첨 (FAX) 문안에 최종 합의하였으며, 이를 토대로곧이어 상임이사국들을 대표하여 미국과 영국이 비동맹이 아닌 비상임이사국들 (오지리, 벨지움, 루마니아) 들과 협의를 가진후 20:00-22:00 간 미국, 영, 소련과 안보리내 비동맹 CAUCUS (7 개국)간의 연석협의를 가짐.

3.미국은 별첨 결의안 초안을 제시하면서 여타 이사국들의 반응을 감안, 3.2.(토)중 안보리 공식회의를 소집하고자 하는 의도를 강력히 표명한것으로 알려짐.

4.상기 미측 초안에 대해 안보리 비동맹 이사국중 쿠바, 예멘, 짐바브웨가 강력히 반대하고, 인도와 에콰돌도 매우 신중한 반응을 보인것으로 알려진바, 비동맹측은동 초안이 1) 공식 휴전 (FORMAL CEASEFIRE) 조치에 관한것이 아니며 2)다국적군의전투행위 재개 권한을 그대로 유지시키고 있으며 3) 평화유지국 파견에 관한 규정이없다는 점 등을 주요 반대 내지 유보 이유로 제시하고, 본국정부 청훈을 위해 24시간협의 연기를 요청하였다고함. (이상 미,영,코트디브와르, 루마니아, 자이르등 대표부관계관으로 부터 탐문)

5.금일 협의 종료직후 PICKERING 미국대사는 미측 결의안에 공식휴전 및 평화유지군 파견 문제가 언급되지 않은 이유를 묻는 기자들의 질문에 대하여 공식휴전 (결의안 초안에는 DEFINITIVE END TO HOSTILITIES) 은 이락이 필요한 조치를 이행한후의다음 단계 조치이며, 현재로서는 결의안 초안에 있드시 적대행위 중지의 군사적 측면마무리에 역점을 두고 있음과 평화유지군은 이다음 단계에서 검토할수

국기국	장관	차관	1차보	2차보	미주국	중아국	정문국	대사실
청와대	총리실	안기부	공보처					

0221

91.03.03 00:35 DQ

외신 1과 통제관

있을것 이라는취지로 답변함.

6.안보리 주변 소식통 들에 의하면 상기 협의결과에 비추어 빠르면 금주 주말중늦어도 내주초에는 결의안 채택을 위한 안보리 공식회의가 열릴 가능성이 크다고 전망하고 있음.

7.3.1. 부터 오지리가 안보리 3월 의장직을 수행함.끝

(대사대리 신기복-국장)

첨부: FAX (UNW(F)-095)

110

UNW(F)-0PS 10301 2230

Draft Resolution

as of 3/01 17:00

The Security Council,

A Recalling and reaffirming its resolutions 660 (1990), 661 (1990), 662 (1990), 664 (1990), 665 (1990), 666 (1990), 667 (1990), 669 (1990), 670 (1990), 674 (1990), 677 (1990), and 678 (1990),

B Recalling the obligations of Member States under Article 25 of the Charter,

C Recalling paragraph 9 of Resolution 661 (1990) regarding assistance to the Government of Kuwait and paragraph 3(c) of that resolution regarding supplies strictly for medical purposes and, in humanitarian circumstances, foodstuffs,

D Taking note of the letters of the Foreign Minister of Iraq confirming Iraq's agreement to comply fully with all of the resolutions noted above, and stating its intention to release prisoners of war immediately,

E Taking note of the suspension of offensive combat operations by the forces of Kuwait and the Member States cooperating with Kuwait pursuant to Resolution 678 (1990),

F Bearing in mind the need to be assured of Iraq's peaceful intentions, and the objective in Resolution 678 (1990) of restoring international peace and security in the region,

G Underlining the importance of Iraq taking the necessary measures which would permit a definitive end to the hostilities,

H Affirming the commitment of all Member States to the independence, sovereignty and territorial integrity of Iraq and Kuwait, and noting the intention expressed by the Member States cooperating under paragraph 2 of Security Council Resolution 678 (1990) to bring their military presence in Iraq to an end as soon as possible consistent with achieving the objectives of the resolution,

I Acting under Chapter VII of the Charter,

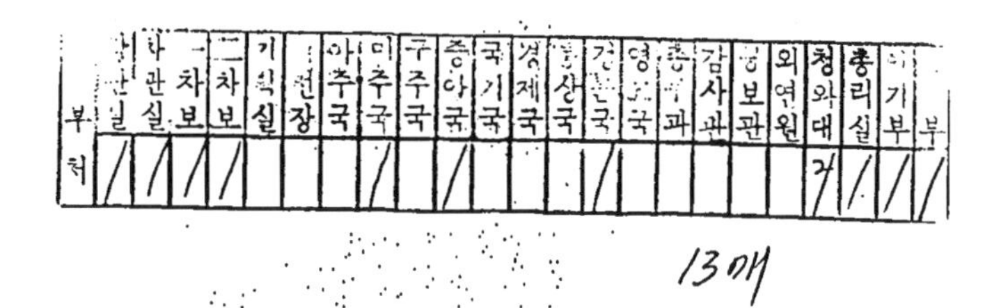

0223

13매

- 2 -

1. Affirms that all twelve resolutions noted above continue to have full force and effect;

2. Demands that Iraq implement its acceptance of all twelve resolutions noted above and in particular that Iraq:

(a) rescind immediately its actions purporting to annex Kuwait;

(b) accept in principle its liability for any loss, damage, or injury arising in regard to Kuwait and third states, and their nationals and corporations, as a result of the invasion and illegal occupation of Kuwait by Iraq;

(c) immediately release under the auspices of the International Committee of the Red Cross, Red Cross Societies, or Red Crescent Societies, all Kuwaiti and third country nationals detained by Iraq and return the remains of any deceased Kuwaiti and third country nationals so detained; and

(d) immediately begin to return all Kuwaiti property seized by Iraq, to be completed in the shortest possible period;

3. Further demands that Iraq:

(a) cease hostile or provocative actions by its forces against all Member States and other parties, including missile attacks and flights of combat aircraft;

(b) designate military commanders to meet with counterparts from the forces of Kuwait and the Member States cooperating with Kuwait pursuant to Resolution 678 (1990) to arrange for the military aspects of a cessation of hostilities at the earliest possible time;

(c) arrange for immediate access to and release of all prisoners of war under the auspices of the International Committee of the Red Cross and return the remains of any deceased personnel of the forces of Kuwait and the Member States cooperating with Kuwait pursuant to Resolution 678 (1990); and

.0224

(d) provide all information and assistance in identifying Iraqi mines, booby traps and other explosives as well as any chemical and biological weapons and material in Kuwait, in areas of Iraq where forces of Member States cooperating with Kuwait pursuant to Resolution 678 (1990) are present temporarily, and in the Gulf;

4. Recognizes that during the period required for Iraq to comply with paragraphs 2 and 3 above, the provisions of paragraph 2 of Resolution 678 (1990) remain valid,

5. Welcomes the decision of Kuwait and the Member States cooperating with Kuwait pursuant to Resolution 678 (1990) to provide access and to commence the release of Iraqi prisoners of war as required by the terms of the Third Geneva Convention of 1949, under the auspices of the International Committee of the Red Cross;

6. Requests all Members States, as well as the United Nations, the specialized agencies and other international organizations in the United Nations system, to take all appropriate action to cooperate with the Government and people of Kuwait in the reconstruction of their country.

7. Decides ~~that, in order to secure the rapid achievement of a definitive end to the hostilities~~, Iraq shall notify the Secretary General and the Security Council when it has taken the actions set out above;

8. Decides that in order to secure the rapid establishment of a definitive end to the hostilities, the Security Council remains actively seized of the matter.

0225

기

외 무 부

종 별 :

번 호 : JOW-0226 일 시 : 91 0302 1520

수 신 : 장 관(중동이,중동일,미북,기정)

발 신 : 주 요르단 대사

제 목 : 걸프전 종전관련,국왕 연설

1. 3.1. 주재국의 후세인 국왕은 걸프전 종전과 관련, 전아랍인,전회교도인 및 대국민 성명을 발표하였는바 요지 다음과 같음

가.쿠웨이트인들이 그들의 국가를 회복하게된데 대해 기뻐함과 동시 이라크인들과도 그들의 상처와 아픔을 나누고저함

나.분열된 아랍세계의 화해를 호소함

다.전세계 국가에 대해 요르단과 상호 존중및 협력을 바탕으로 우호관계를 갖는것을 대환영함을 재확인 함

라.중동지역내의 부국과 빈민들간의 격차가 제도적으로 취급되고,논의되지 않을시는 또다른 불안이 발생할수 있을것인바, 이를 유념해야 할것임

마.아랍제국내에서 광범위하게 적용되고 있는 민주주의만이 아랍제국을 무력 분쟁의 소용돌이에서 구원할수 있을것임

바.걸프사태로 발생한 상처들이 아랍간의 화해를 저해할것이나 아랍제국은 이의치유를 위해 상호 노력해야 할것임

사.유엔등 국제사회는 걸프사태에서 보여준 동일한 관심을 팔레스타인 문제에도보여줄것을 호소함

아.이라크 국민들이 자국의 재건과 상처치유를 위해 노력할때 요르단 국민들은 동참할것임

2.금번 후세인 국왕의 성명은 종전과 관련,걸프사태에 대해 주재국이 그간 수차밝혀온 대내외 입장을 재천명한것이나, 동성명을 통해 친이라크 성향의 국민들을 무마하면서,앞으로 아랍권과 서방과의 화해와 관계개선에 대해 능동적 입장을 취할것임을 시사하고 있는것으로 사료됨

(대사 박태진-국장)

중아국	장관	차관	1차보	2차보	미주국	중아국	정문국	청와대
총리실	안기부							

0226

PAGE 1 91.03.03 00:36 DQ

외신 1과 통제관

7/2

외 무 부

종 별 : 지 급

번 호 : SBW-0638 일 시 : 91 0302 2100

수 신 : 장관(중일,미북,국방,기정)

발 신 : 주사우디대사대리

제 목 : 걸프전

1.3.2 1800 기자브리핑에서 미중앙사 NEAL 준장이 밝힌 주요내용 다음과같음

-전장은 아직 위험함,휴전소식은 듣지 못한 이라크군의 저항이 아직있으며,금일 지뢰 제거 작업과정에서 미군 2명이 숨지고 3명이 부상함

-바스라지역에서 군인과 민간인이 서로 뒤섞여 무질서하게 움직이는 것이 정찰되었음

-연합군과 이라크군의 휴전회담이 연기된것은 이라크측 요청한것으로 보임,이라크 군대표단은 육로로 이라크 남부의 회담장소에 3.3(일) 도착할 예정임,(이라크 군대표가 누구인가라는 질문에 대해 동준장은 슈워즈코프 미중앙사 사령관과 칼리드 통합군사령관에 상응하는 계급의 군인사라고만 답변)

2.이어서 1900 기자브리핑에서 사우디군 RABAYAN대령이 밝힌 주요내용 다음과같음

-다국적군에 소속되었던 쿠웨이트군은 쿠웨이트 정부의 관할하게 들어감

-KU는 3개지역으로 나누어져 지뢰 제거 작업등이 진행되고있음

-바스라지역 소요사건에 대해서는 아는바 없음

-사우디는 휴전첫날 수십만톤의 빵,식수,GASTANK및 의약품을 KU로 운송했음,또한사우디군 병원이 KU로 이동했음(동대령은 금일로 정례 기자회견을 중지한다고 말하였음)

(대사대리 박명준-국장)

중아국	장관	차관	1차보	2차보	미주국	정문국	청와대	총리실
안기부	국방부							

0227

PAGE 1 91.03.03 04:54 DQ

외신 1과 통제관

가

원 본

외 무 부

종 별 :

번 호 : SGW-0134 일 시 : 91 0302 1300

수 신 : 장 관(미북,중동일,아동,통일)

발 신 : 주 싱가폴 대사

제 목 : 걸프 전쟁과 미국의 역할

1. 와인버거 전 미국방장관은 작 2.28. 싱가폴 국제 상공회의소가 주최한 조찬 모임에서 걸프전과 관련, 국제사회에서의 미국의 역할에 대해 다음과 같이 언급함.

가. 걸프전에서의 미국의 대규모 군사행동이 쇠퇴해가는 대국의 마지막 힘겨운 노력이라고 생각해서는 안됨. 미국의 계속 국제경찰관의 역할을 담당할 정치적 의지와경제력을 갖고있음.

나. 미국은 자유와 평화유지를 위해 필요하다면 무엇이든 할수 있는 다행스러운입장에 있음. 법의 지배를 유지함에 있어 미국은 여타 다른나라들의 도덕적, 물질적 지원이 필요한 반면, 미국은 침략자에 대한 응징조치는 타국이 신뢰를 갖고 동참할수있는 여건을 수립하기 위해 선도적 역할을 하는 것이 긴요함.

다. 미국의 세계적 역할에 대한 미국인의 정치적 지지가 감소되었다고는 느끼지않으며 미국이 쇠퇴하는 대국도 아님.

라. 국방비를 많이 쓰는 국가가 쇠퇴한다는 PAUL KENNEDY 의 주장 (THE RISE ANDFALL OF THE GREAT POWERS) 에 동의하지 않는바, 미국경제에 근본적으로 잘못된 점은아무것도 없음. 과거 8년간 높은 성장을 해 온 미국경제가 이제 정상적인 수축을 경험하고 있을 뿐이며, 유일한 문제는 확신의 결여임.

2. 와인버거 전장관은 FORBES MAGAZINE 의 발행인으로서 싱가폴을 방문했으며, 동 조찬 석상에서 미국경제는 걸프전후 크게 성장할것으로 예측하였음.끝.

(대사-국장)

미주국 1차보 2차보 아주국 중아국 통상국 정문국 안기부

0228

PAGE 1 91.03.03 07:57 DN

외신 1과 통제관

김 메

외 무 부

암호수신

종 별 :

번 호 : BHW-0137　　　　일 시 : 91 0303 1330

수 신 : 장관(중동일,정일)

발 신 : 주 바레인 대사

제 목 : 걸프사태(자료응신제13호)

1. 쿠웨이트 SAAD 왕세자겸 수상은 작 3.2. 망명정부 각료등을 대동, 주재국을 방문, ISA 국왕및 KHALIFA 수상등과 회담, 금번 사태관련 주재국 측의 지원에 대해 사의를 표하고, 전후 질서및 쿠웨이트 복구사업과 관련한 주재국의 참여문제등에 대해 의견을 교환한 것으로 전해지고 있음.

2. 한편, 영국의 KING 국방장관은 전후 질서문제등과 관련한 걸프 순방의 일환으로 금 3.3. 주재국을 방문할 예정임.끝.

(대사 우문기-국장)

중아국	장관	차관	1차보	2차보	미주국	정문국	청와대	총리실
안기부								

0229

PAGE 1　　　　91.03.03　20:40

외신 2과 통제관 DO

외 무 부

종 별 :

번 호 : OMW-0058 일 시 : 90 0303 1410

수 신 : 장관(중동일)

발 신 : 주 오만대사

제 목 : 걸프전후 중동정세 (자응 제 91-3호)

3.2. 주재국 YUSUF 외무장관은 3.3. 리야드 개최, GCC 외상회의 참석에 앞선 기자회견에서 아래요지 언급함. (상세파편 송부)

1.금번 걸프전쟁이 지역국가로 하여금 장기적 안정과 평화의 문턱에 서게 했으며, 군사적 결과와 정치적 결과간의 균형이 중요한바, 주재국은 GCC 의 전후 안전보장조치 분과위원회 의장국으로서 지난 20년간의 경험을 십분활용, 신시대 구축에최선을 다할 예정임.

2.미국은 개발협력을 주목적으로한 균형된 세계질서 수립을 위해 노력할 것으로보며, 현재 미국이 제시하고 있는 조건들은 안정된 신질서의 기반을 이루고 있는것으로 봄.

3.물론 팔레스타인 문제 해결이 급선무이긴 하나 과거처럼 합리성보다 감정을앞세우던 우를 범하지 않고 어디까지나 실현 가능한 범위내에서 해결책을 모색해나가야 할것임.

4. 3.5. 다마스커스 8개국 외상회의에서 아랍연맹 헌장 범위내에서 보다 강화된 종합적인 안을 마련하기를 희망함.

끝

(대사 강종원-국장)

중아국	장관	차관	1차보	2차보	미주국	정문국	청와대	총리실
안기부	대책반							

0230

PAGE 1 91.03.03 22:58 DA

외신 1과 통제관

관리번호	91-436

외 무 부

종 별 :

번 호 : CPW-0101 일 시 : 91 0303 1500

수 신 : 장관(아이,중동일)

발 신 : 주 북경 대표

제 목 : 걸프전에 관한 중국입장

1. 걸프전쟁 관련 당 주재국의 입장에 관하여 당지 외교단등의 평가를 다음과 같이 보고함

가. 중국은 걸프전에 관한한 안보리 5 개 이사국으로서의 역할을 수행치 못하였으며 모호한 입장을 견지하여 위신이 추락되고 아랍제국과의 관계도 곤란해졌음

나. 종전 중재역에 관해서도 중국내 미묘한 의견차(적극개입파와 불개입파간)로 모호한 입장을 취하여, 소련처럼 적극 개입해서 손해를 보지는 않았으나 마찬가지로 불리한 입장에 섰음

2. 한편 안보리의 대이라크 군사제재조치 결의안에 대해서 주재국이 기권입장을 표시한것은 당초 외무성등 정부부처에서는 찬성하는 방향으로 의견을 제시하였으나 최고 원로들의 모임에서 과거 안보리가 한국전 참전 결의안을 통과시켜 중국자신이 안보리를 상대로 싸운경험이 있음을 들어 동 안보리 결의안에 기권키로 번복하였다함. 끝

(대사 노재원-국장)

91.6.30 까지

예고문에 의거 일반문서로 재분류1991.6.30 서명

아주국 장관 차관 1차보 2차보 미주국 중아국 청와대 안기부

PAGE 1 91.03.04 00:29

외신 2과 통제관 DO

0231

관리번호	91-437

외 무 부

종 별 :

번 호 : CPW-0102 일 시 : 91 0303 1500

수 신 : 장관(아이,아일,중동일,미북,동구일)

발 신 : 주 북경 대표

제 목 : 걸프전의 영향

본지근 3.1 당지 하시모토 일본대사와 접촉한바 걸프전이 금후 세계정세에 미칠 영향에 관한 동인의 평가를 다음 보고함

1. 미국의 압도적인 군사적 승리는 중국, 노련에 커다란 소크였으며, 금후 중, 소는 대미관계에서 서로 카드화가 불능시됨. 중국은 미국이 일방적인 군사적 승리로 페르시아만에서 압도적인 영향력과 발언권이 확보되는것을 가장 우려해왔음

2. 금번 소련의 중재를 무시한 미국의 행동은 소련을 무시한데서 기인하며 소련의 위신실추는 역력함. 지금부터 5-10 년 이전에는 미국이 소련을 그렇게 대하는것은 생각도 못했을것임

3. 동북아 지역에서 북한, 월남에도 큰충격을 주었음. 미국은 지금까지 PAPER TIGER 라고 지칭해왔으나 앞으로는 그렇게 할수 없게 되었음. 끝

(대사 노재원-국장)

91.6.30 까지

예고문에 의거 일반문서로 재분류19 91 6 30 서명

아주국	장관	차관	1차보	2차보	아주국	미주국	구주국	중아국
청와대	안기부							

0232

PAGE 1 91.03.04 00:31

외신 2과 통제관 DO

7h

외 무 부

종 별 : 지 급

번 호 : SBW-0646 일 시 : 91 0303 2200

수 신 : 장관(중일,미북,국방,기정)

발 신 : 주 사우디대사대리

제 목 : 걸프전

금 3.3 1800 기자 브리핑에서 미중앙사 NEAL 준장이 밝힌 주요내용 다음과 같음

1.연합군과 이라크군 대표간 토의내용

-금일 오후 이라크 남부에서 연합군 대표와 이라크군 대표간에 휴전을 위한 토의가 2시간동안 계속되었음

-슈워즈코프 사령관은 동토의에 만족을 표했으며, 이라크군 대표는 건설적이고긍정적인 태도로 동토의에 임했음

-이라크측은 연합군측이 제시한 모든 조건에 동의 했는바, 동조건들은 다음과같음

0 모든 포로와 억류자들의 조속 석방, 상세 계획은 국제 적십자사가 수립

0 상징적 의미의 포로를 즉각 석방

0 유엔 안보리에서 통과된 휴전조건 수락

0 휴전협정이 서명 되는대로 연합군은 점령한 이라크지역으로 부터 철수

-또한 이라크측은 쿠웨이트내의 지뢰와 걸프만의 기뢰 소재에 관한 정보를 통보해왔으며, 자기 의사에 반해 억류된자는 전쟁포로로 처리하기로 합의함

-연합군측은 실종자 명단을 이라크측에 전달하고, 이라크가 억류하고 있는 연합군 실종자명단을 통보해 줄것을 요청

-연합군 측은 또한 이라크군 보호하에 있는 사망자의 명단 통보와 함께 동사망자 유해의 송환을 이라크측에 요청

-우리는 필요한면 토의를 다시 재개할 준비가 되어있음

2.기타사항

-지난 몇칠 동안 확성기를 사용, 이라크군에게 연합군의 공격이 중지 되었음을 알려왔음, 쿠웨이트의 FAYLAKA 섬에 있는 이라크군 들에게 확성기를 통해 동사실을 알렸으며, 금일오전 동 섬에서 이라크군 1,405명이 투항해옴 (준장1, 장교89명 포함)

중아국 장관 차관 1차보 2차보 미주국 정문국 청와대 총리실
안기부 국방부 대책반

PAGE 1

91.03.04 06:30 DA

외신 1과 통제관

0233

-지상군은 필요한 경우 공격태세를 취할 준비를 갖추고 있음

-지뢰등으로 전장은 계속 위험함

-현재까지 이라크군 탱크 3200대, 장갑차 2100대, 야포 2200문이 파괴 되거나 포획되었음

-쿠웨이트내 유정 600개소가 아직도 불타고 있음

-현재까지의 이라크군 포로는 62,000명 (FAYLAKA 섬에서의 이라크군 포로 1405명 불포함)

(대사대리 박명준-국장)

관리번호	91-436

외 무 부

종 별 :

번 호 : FRW-0749 일 시 : 91 0304 1920

수 신 : 장관(중동일,미북,동구일,정일)

발 신 : 주 불 대사

제 목 : 걸프전 정전(분석,전망)

연:FRW-0725

표제건과 관련한 당지 전문가(국제관계연구소 KODMANI-DARWISH 중동연구부장, BALTA 중동연구소 소장등)의 분석, 전망(당관 박참사관 접촉) 및 기타 전문학술지의 평가 내용을 하기 종합 보고함.

1. 미국의 득실

가. 미국은 단기간의 물량적 전투와 최소한의 인명피해로 전쟁에 완승하였으며, 하기 전쟁의 기본목표도 대부분 달성하였음.

1)월남전의 치욕서 탈피, 미국의 국제적 지위 재확인

2)군사, 경제적인 중동진출 기반 구축및 중동질서 재편에 대한 주도권 확보

3)국제 원유시장 주도권 장악

4)재고무기 일소에 따른 군사산업의 활성화로 인한 침체경제 탈피 및 중동전화 복구사업 독점 가능성에 힘입은 호경기 모색

5)동구개혁후 생성된 신 질서하에서 대두되던 다극화 현상(EC 의 발전적 통합 및 일본경제력의 국제경제무대 석권등)에 대한 경고로, 미국만이 패권을 행사할수 있는 국가임을 인식시킴등 임.

나. 다국적군의 BAGDAD 진주 포기에 불구, 금번 전쟁중 아랍권과 제 3 세계의 반미 감정은 고조되었으므로, 이를 완화시키기 위해서는 현재 비타협적인 이스라엘의 리쿠드 정부의 압력과 로비에서 과감히 탈피, 중동문제의 핵심인 팔레스타인 문제해결에 적극적인 자세로 전환함은 시급한 과제임.

다. 또한 미국은 전통적으로 전쟁(개전, 군사작전 및 정전등 일사불란한 주도) 이나 제반 국제위기 관리에는 행동력을 바탕으로한 탁월한 역량을 보였으나,평화구축 작업에는 미숙한 약점을 이번기회에 보완치 않으면, 전쟁중 근신한 소련이나

중아국	장관	차관	1차보	2차보	미주국	구주국	정문국	청와대
총리실	안기부	국방부						

PAGE 1 91.03.05 20:21 0235

외신 2과 통제관 CA

불란서등에 평화외교를 위한 이니셔티브를 양보해야 할 가능성이 있음.

2. 이락의 향배

가. 안보리 결의안 686 호(3.3. 채택) 수락은 실질적인 항복을 의미하며, SADDAM 의 국내적인 외곡선전에 불구, 동인의 정권기반 몰락은 시간문제가 됨.

나. 중동 최고의 지성, 문화수준을 자부하던 이락 국민이 지난 10 년간의 양차전쟁(이.이전, 걸프전)을 통해 정치, 경제적 하등국민으로 전락한 책임소재가 SADDAM HUSSEIN 으로 귀결될 것이므로, SADDAM 제거와 국가경제 재건은 가장 시급한 명제로 대두됨.

다.SADDAM 은 그간의 철권통치로 도전세력을 제거하였으므로 현재 국내적으로 조직적인 저항세력은 없음. 또한 3 개 망명세력(이란: 시아파 지도자, 영국:진보, 자유주의자, 사우디:전 국방상등 온건세력)도 체계화 되지못하고, 상호 분열되어, 단기적 대체세력으로 등장키 어려울 것임으로 현재로는 하기 2 개 가정이 가능함.

1)현 정권 핵심인사중 실정의 공동책임을 지기보다는 솔선 SADDAM 을 제거,현 체제를 다소 완화, 유지하는 방법(바쓰당과 군부의 제휴)

2)유일한 조직력이 있는 종교(시아파 60 프로) 지도자를 중심으로한 봉기(BASSORA 소요등) 및

3)SADDAM 의 망명(LE MONDE 지, 알제리 망명 가능성 보도)

라.SADDAM 은 금번 패전과 60 프로의 군사력 손실에 불구, 일정수준의 친위군부만 장악하면 당분간 정권유지가 가능할 것으로 볼것이나, 전쟁중

1)KHAFJI 전투를 제외하고는 전투다운 응전을 못하고 심리전만 일관하므로써 아랍인 일반의 기대인 "행동력의 지도자"란 이미지 고양에 실패하였고

2)소련 정전안을 수락하는 시점서 팔레스타인 문제에 대한 관심 불표명등의ARAB CAUSE 퇴색은 그간 맹목적인 아랍 일반대중의 지지를 약화시켰으므로, 아랍권 지지에 의한 계속 집권도 어려워질 것임.

마. 이락 시아파의 집권에 대해 이란은 이를 환영할 것이나, 사우디를 위시한 걸프국은 극력반대할 것이므로 회교공화국 수립 전망도 밝지못한, 현재 상태에서의 유일한 가능성은 상기 집권핵심세력과 군부의 제휴를 통한 SADDAM 축출이될것으로 보임.

3. 소련 및 불란서

가. 역사적으로 중동에 이해관계가 많은 상기 양국은 전후 미국주도의 중동평화

노력이 아랍인의 반감을 야기시킬 것이라는 우려와 미국의 중동본격진출 견제라는 관점에서 상호 제휴, 평화회의 개최등에 있어 적극적인 노력을 전개할 것임. 특히 주재국은 전쟁중에도 소련과 대화채널을 유지, 외교적인 공동노력에 관심을 표명하고, 정전직전 2.27. VAUZELLE 하원 외무위원장을 특사자격으로 방소시켜 전후 공동보조에 관한 원칙적인 소련측의 합의를 얻은 것으로 알려짐.

나.MITTERRAND 대통령이 3.3 대국민 담화에서 중동문제 해결사항중 이락의 영토보전을 강조한 것은 년 170 억불의 원유생산국인 이락이 경제재건에 착수하면, 과거의 인연을 살려 복구사업에 적극 참여코자 하는 의향이 반영된 것으로 볼수 있음.

다. 소련 또한, 국내 군부를 위시한 수구세력이 그간의 돈독한 소.이락 관계를 활용, 중동판도의 핵심국인 이락에 대한 소련의 영향력은 계속 유지토록 GORBACHEV 에게 압력을 행사할 것이므로, 소련 및 불란서는 제반관점에서 공통이해를 갖고있다고 볼수 있으며, 이에따른 양국의 보완적인 협조가 두드러질 것임.

이하 4. 항부터 FRW-0750 PART II 로 계속됨.

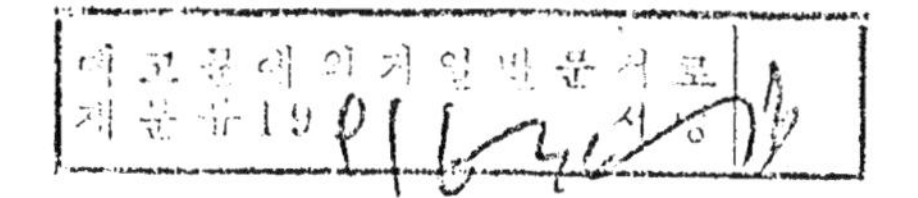

관리번호 91-455

외 무 부

종 별 :

번 호 : FRW-0750 일 시 : 91 0304 1950

수 신 : 장관(중동일,미북,동구일,정일)

발 신 : 주 불 대사

제 목 : FRW-749 의 PART II

4. 신 중, 근동 판도 및 열강의 동향

가. 미국은 다국군에 파병하여 지원한 애급, 시리아등을 포함, GULF 국을 주축으로한 친미 아랍권을 형성하여, 외곽 터키를 보완적인 연결고리로 하는 새로운 체제를 모색할 것으로 보이며, 내주중 있을 BAKER 국무의 중동순방도 이를 위한 정지작업이 될것임.

나. 소련은 미국의 군사, 정치, 경제적인 중동정착마저 방관하면 자국의 국제적 영향력은 완전 실추되므로, 외교 우선목표를 중동에 집중, 불란서와 함께 평화작업주도, 이란, 이락등 국경선을 같이 하는 국가와의 3 각체제 결성등으로 대처할 것으로 보임.

다. 불란서, 독일을 주축으로한 서구 EC 진영도 중동에 관한한 미국의 독주는 바람직하지 않으므로, 소련과 적절히 제휴, 외교는 불란서, 이태리 중심, 경협은 독일 중심으로 구주의 대중동 영향력을 견지하고자 할것임.

라. 경제대국인 일본은 걸프전을 통해 막대한 전비만 부담했지, 순발력있는외교대응은 무능만을 노출시켰으므로, 전쟁 복구사업 참여를 위해 미, 소, 불,영등이 각급 특사 및 관, 민 혼성사절단등을 파견, 국익을 위해 순발력 있게 대처하는데 비해 괄목할 만한 움직임을 보이지 못하고 있는바, 이는 일본의 그간대중동 이해가 원유수급에만 국한된다는 점도 있으나, 정치, 외교력이 없는 경제만의 강국이 세계판도를 좌우하는데는 한계가 있음을 여실히 들어낸 것으로 볼수 있음.

마. 중동 재편을 위시해서 제 3 세계 문제등에 있어 안보리 상임이사국중 소련이나 중국 또는 불란서의 입장은 그런대로 강화될 여지가 있으나, 미, 영은 당분간 중동부흥에 필요한 중동재건은행 창설등 기술적인 문제외에는 표면에 나서 적극적인

중아국	장관	차관	1차보	2차보	미주국	구주국	정문국	청와대
총리실	안기부	국방부						

PAGE 1

91.03.06 05:49

외신 2과 통제관 CA 0238

영향력을 행사하는데 제약이 있을 것임.

5. 중동평화

가. 이스라엘의 리쿠드 정부도 팔레스타인 문제 해결 관련, 더이상 배타적인 자세를 견지하기가 어려워 졌으므로, 미국이나 서구의 권유에 순응, 협상에 임하는 자세를 보이게 될것임.

나. 팔레스타인과의 협상을 양자관계(PLO 가 아닌 점령지 팔인)로 한정시킨이스라엘의 입장도, 금번 걸프전을 통해 비록 위치가 약화는 되었으나, 상금 팔인의 대외기구로 존속되고 있는 PLO 를 무시할수는 없을것임.

다. 또한 전쟁와중서 묵인되었던 시리아의 레바논 강점 및 이스라엘의 레바논 팔인기지 공격등에 대한 최소한의 경고와 함께, 레바논의 진정한 주권회복을 위한 노력도 구체화 될것으로 보임.

라. 전쟁중 아랍대중이 SADDAM 을 성원한것은 SADDAM 개인에 대한 존경이라기 보다는, 부의 편재를 가져온 아랍 각국의 전근대적인 지도체제에 대한 반발 및 열강의 이스라엘 지원에 대한 반감이 복합적으로 작용한 것이므로, 전후 아랍각국의 군주체제나 독재체제도 점진적으로 민주화 되어야 할것임.모로코의 최근 정치범 석방 발표등은 이에 대비하는 자체적 조치로 평가됨.

6. 전쟁과 메디아

-금번 걸프전을 통해 20 세기의 총아이며 강력한 비정치 주체세력인 서방(미, 불, 영) 메디아(특히 TV 매체)는 언론의 기본사명을 도외시한 오류를 범했는바, 즉

1) 사태발발 부터 전쟁 예방보다는 개전방향으로 여론 유도

2) 이락의 군사력 및 화학무기 사용 가능성에 대한 과장보도로, 다국적군의물량공폭 정당성 지원 및 이락 또는 SADDAM 의 잔학상 선전등으로, 이락측의 인명피해(12-15 만명 추산)가 불가피 했음을 강변

3) 신예무기 집중홍보로 국제무기 수급 제한 분위기에 역행

4) 유엔결의안 적용이 쿠웨이트에만 국한되는 인상을 주고, 레바논, 이스라엘 관련 유엔결의안 준수 촉구는 의식적으로 회피

5) 아랍국민의 반응보다는, 이락의 SCUD 미사일 공격피해가 경미했던 이스라엘의 안위만을 집중보도, 언론의 평형감각 상실 및

6) 동구개혁후, 언론이 극화(DRAMATIZE) 할수 있는 새로운 호재가 없던 차에 발생한 걸프사태를 분쟁의 원인, 전후 중동평화등에 촛점을 맞추는 대신, 각종

전파신장비를 동원한 전쟁의 중계방송화에 집중, 비참한 전쟁을 TV 의 오락프로그램화 하는 실책을 범했으므로, 서방 수개국의 국제 COMMUNICATION 독점에 대한 경각심으로 고조시켜 향후 이문제가 과거 UNESCO 차원이 아닌 국제적인 ISSUE로 재차 부각될 소지를 남김.

7. 후속조치

- 당관은 중동평화, 중동질서 재편, 전후 복구사업 관련 후속사항을 각별히주시 파악, 계속 보고토록 할것임.끝.

(대사 노영찬-국장)

예고:91.6.30. 까지

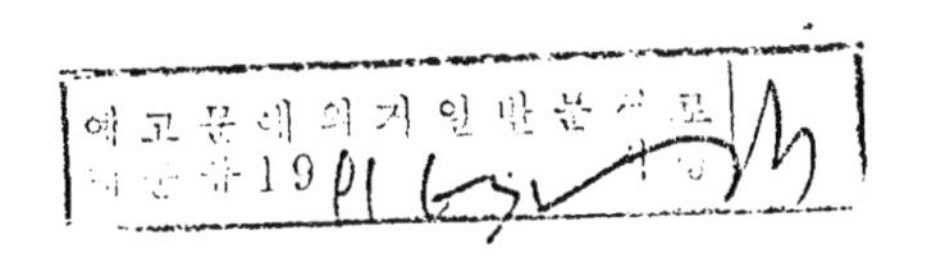

PAGE 3

0240

관리번호	91-717

외 무 부

종 별 :

번 호 : FRW-0848 일 시 : 91 0315 1530

수 신 : 장관(중동이,구일,미북,정일)

발 신 : 주 불 대사

제 목 : 미.불 정상회담(중동 평화)

연:FRW-0828

3.14 MARTINIQUE 서 개최된 표제회담과 관련한 당지 논평, 분석을 하기 보고함.

1. 회담 성과

- 67 년 이후부터 양국간 있은 중동 문제에 관한 입장차이의 부분적 해소 및 중동 평화 정착 작업을 위한 보완적 협조 관계 재정립 원칙 확인

-중동 분쟁의 핵심인 팔레스타인 문제 우선 해결 필요성에 관한 의견 일치

2. 양국간 이견

가. 팔레스타인 국가 건설

-불측은 47 년 UN 결의를 상기시켜, 팔 주권국가 수립 필요성을 강조한데 대해, 미측은 이스라엘의 안전보장에 우선 순위를 부여함.

나.PLO 의 국제적 지위

- 미테랑 대통령은 ARAFAT 이 전쟁중 사담 에 동조한것은 유감이나, 현재 PLO 를 대체할수 있는 팔인의 대의기구가 없으므로, PLO 의 대표성을 계속 인정한데 대해, 부시 대통령은 PLO 가 친 사담 태도를 보이므로 국제적 지위가 격하 되었다고 주장하였으나, PLO 의 존재를 완전 부정치는 않았음.

- 미테랑 대통령 또한 ALRAFAT 의 대표성은 인정하는 동시에 점령지 팔인간대표자를 선정하는 가정도 언급하므로서 동 문제에 대한 유연성을 보임.

다. 중동 평화 국제회의 개최 및 안보리 정상회담

- 불란서의 일괄된 주장에 대해 미측은" 적절한 시기에 동 회의를 개최함은유익할것" 이란 반응을 보이므로서 전보다는 다소 완화된 태도를 보였으나, 국제회의 개최에 대한 회의적인 시각은 견지함.

- 미측은 미테랑 대통령의 안보리 정상회담 개최 제의에 대해서 냉담한 반응을

중아국 장관 차관 1차보 2차보 미주국 구주국 정문국 청와대
안기부

0241

 91.03.16 00:22

외신 2과 통제관 CE

보임.

라. 다국적군의 역할 종결

- 미테랑 대통령이 GULF 전에 관한 불란서의 역할은 종료되었다고 선언한데대해 부시 대통령은 완전 종전협정 체결까지는 사담의 잔학한 국내 탄압을 견제해야 하므로, 이락 남부 다국적군의 철수가 시기 상조임을 주장함.

3. 분석

가. 미국은 정전후 중.근동 전체에 장기적인 영향력을 행사키 위해서는 팔레스타인 문제를 포함한 중동 평화 작업에도 주도적인 노력이 필요함을 인식, BAKER 국무의 예비적 성격의 순방 및 부시 대통령의 중동 방문등으로 이를 가시화시키는 새로운 이니시아티브를 취하고 있음.

나. 그러나 BAKER 국무의 중동 순방시 나타난바와 같이, 이스라엘과 반 이락 성향 중동 각국간의 양자 성격의 의견조정은 그 실현성이 점증된 반면, 팔 문제해결의 가장 핵심인 이스라엘의 양보에 대해서는 뚜렷한 방안을 상금 제시치 못하고 있으므로 미국이 이스라엘로 부터의 부담을 과감히 탈피, 획기적인 방안을 도출해야 하는 명제가 남아 있음.

따라서 친미 아랍국가 모두가 반대하는 이스라엘과 점령지 팔인과의 양자 대화안이나, 요르단을 팔레스타인 연방국화하는 이스라엘 안등은 필히 수정되어야 할것이며, 미국도 이를 위한 진일보한 자세로 보임이 필요함.

다. 주동 문제에 관한한 서방 진영 국가중 가장 정통하다고 자부하고 있는 주재국은 전후 미국이 모처럼 시도하는 평화작업을 견제함이 없이, 일단 배후에서 관망하면서 동 미국의 노력이 6 개월등 단기간에 효과가 없을경우, 개입한다는 기본 입장을 세운것으로 보임. 이와관련 주재국은 상금 국제회의 개최나 유엔안보리 정상 회담이 팔. 이간의 양자 협상 보다는 더욱 성공 가능성에 근접한 방안이라고 확신하는것으로 보임.

라. 다국적군의 이락 남부 잔류와 관련한 미국 입장에 대해 불 전문가들은 동 미국의 의도가 사담의 가혹한 국민탄압을 통한 정권유지를 견제한다는 명분도있겠으나, 이보다는 정전후 급속한 신장세를 보인 이락 시아파에 의한 집권 가능성에 대한 묵시적 경고역할도 념두에 둔것으로 보고 있음. 끝

(대사 노영찬-국장)

예고 :91.6.30 까지

관리번호	91-723

외 무 부

종 별 :

번 호 : UKW-0678 일 시 : 91 0315 1200

수 신 : 장관(중동일,미북,구일)

발 신 : 주 영 대사대리

제 목 : 중동정세

걸프전후 중동정세 전망에 관한 외무성 중근동과장(대행) MR EDWARD GLOVER 의 발언요지를 아래와 같이 보고함.(3.14 조참사관 접촉)

1. 걸프전 종료후 금후 과제로서는 걸프지역 안보, 이스라엘-팔레스타인 문제, 군축및 무기 판매제한과 경제협력의 4 개 사항이 될 것이며, 미.영 등은 이러한 과제 특히 안보체제와 팔레스타인 문제에 대처하는데 있어 지역내에 유리한 조건이 형성되였다는 판단하에 적극 대응해 나갈것임

2. 지역안보 체제에 관해서는 1 차적으로 GCC 6 개국 및 이집트, 시리아로 하여금 지역자체의 인니시어티브에 의한 대안을 마련토록 유도하되, 미.영, 소등의 해군병력등에 의한 제한적 참여를 상정하고 있으며, 이란및 이락이 어떠한 역할을 할 것인지는 금후 사태의 진전에 따라 검토되어야 할 것으로 봄

3. 팔레스타인 문제에 관한 대응은 이스라엘과 아랍제국 특히 시리아간의 대화와 이스라엘, 팔레스타인간의 대화라는 2 가지 궤도를 통하여 추진될 것인바, 이스라엘은 전자인 아랍제국과의 대화에 역점을 두고 있으나, 팔레스타인과의 대화도 긴요함은 물론임. 특히 이스라엘과 팔레스타인간에 어느정도 대화가 진전되지 않는한 중동문제에 관한 국제회의 소집은 의미가 없을 것으로 보고 있음

4. 베이커 미 국무장관의 지역 및 소련방문과 HOGG 영 외무성 국무상의 요르단 및 시리아 방문(3.10-14)은 어떠한 고정된 목표를 가지고 있는것이 아니나, 지역문제에 관한 외교적 탐색과정을 활성화 하기 위한 것으로서 의의를 가진다고 보고 있음

5. 사담 후세인은 군부를 배경으로 당분간 권력을 유지할 수 있을 것으로 전망하고 있으며, 시리아는 걸프전을 통하여 연합국의 일원으로 적극 참여하여 온 만큼 금후 계속 서방을 자극하지 않도록 신중한 행태를 보여나갈 것으로 예상함. 끝

(대사대리 최근배-국장)

중아국	장관	차관	1차보	2차보	미주국	구주국	청와대	안기부

0243

PAGE 1 91.03.16 21:26

외신 2과 통제관 DO

91.12.31. 까지

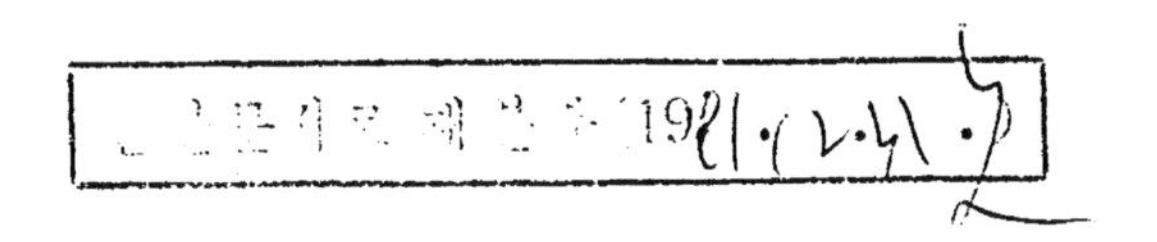

검 토 필 (1991.6.30.)

0244

PAGE 2

외 무 부

종 별 :

번 호 : ECW-0257 일 시 : 91 0318 1730

수 신 : 장 관 (구일,중동일,통이,경일,정일)

발 신 : 주 EC 대사

제 목 : 구주의회 동정 (자료응신 제 23호)

1. 구주의회는 3.11-15 간 스트라스부르그에서 개최된 3월중 본회의에서 걸프사태에 관한 결의안을 채택하였는바 요지 아래와같음

0 유럽-아랍 개발은행 창설안에 환영을 표시하고, EC 집행위에 유럽-아랍 경제지역 (EURO-ARABECONOMIC ZONE) 설립을 위한 제의를 제출토록 요청

0 EC 집행위에 걸프전쟁으로 타격을 받은 역내주민들에 대한 긴급원조를 위해 필요한 자금을 방출할 것과 가능한한 조속히 동 지역복구 제의를 제출토록 요청

0 중동평화에 관한 국제회의 소집과 유엔결의에 따른 팔레스타인 문제 해결촉구

0 가능한한 조속한 시일내 다국적군을 유엔평화유지군으로 교체 촉구

0 EC 12개국에 현재 진행중인 정치동맹 정부간회의 테두리내에서 금번사태와 관련한 기존 정치협력절차 (EPC) 의 효율성을 검토토록요청

0 EC 집행위에 EC 기업들의 대이라크 제재준수에 관한 보고서 제출요청

2. 도한 구주의회는 금번회기중 레바논, 칠레, 버마, 케냐, 터키및 아르메니아의 인권침해에 관한 결의안을 채택함

0 레바논: 억류 외국인질의 조속한 석방촉구

0 칠레: PINOCHET 정권하에서 자행된 인권위반사항에 대한 책임규명 요청

0 버마: 모든 정치범 석방및 90.5월 총선결과준수촉구

0 케냐: 정치범 석방촉구, 불응시 케냐에 대한 로메협정 적용중단을 EC 집행위및 이사회에요청

0 터키: 쿠르드족 처형및 추방 중지요청

0 아르메니아: 고르바쵸프 대통령에게 아르메니아와 KARABAKH 간의 봉쇄 종식및 KARABAKH 주민에 대한 공격중단 조치 요청. 끝

(대사 권동만-국장)

구주국 2차보 중아국 경제국 통상국 정문국 안기부

0245

PAGE 1 91.03.19 08:56 WG

외신 1과 통제관 ·

외 무 부

종 별 :

번 호 : UKW-0688 일 시 : 91 0318 1130

수 신 : 장 관(구일,미북,중근동)

발 신 : 주 영 대사대리

제 목 : 메이저-부쉬 회담결과

영.미 정상은 3.16(토) 버뮤다에서 회담한 후기자회견을 가진 바, 요지 아래와 같이 보고함.

1. 부쉬 대통령은 사담이 휴전협정을 계속 위반하는 한, 이락에 대한 군사행동의 재개가능성을 배제하지 않는다고 강조했으며, 사담이남아있는 한 이락과의 정상관계를 생각하기 어려울 것이라고 말함.

2. 양 정상은 또한 이락의 화학무기가 파괴되지않는 한 영구적 휴전은 있을 수 없다는데 의견을 같이 했으며, 메이저 수상은 이락에게 쿠웨이트 포로의 송환과 전쟁피해 배상을 요구하였고, 부쉬 대통령은 사담이 반대파 제거를 위한 무력을 사용해서는 안 된다는 것을 재강조함.

3. 양 정상들은 또한 이락과의 공식적 휴전을 위한 조건을 제시하기 위해 금주제안될 새로운 안보리결의에 관해서 논의했다고 밝혔으며, 그러한 조건으로서는 국제감시하의 이락 화학무기파괴, 잔여 미사일에 대한 통제, 쿠웨이트 독립에 대한 이락의 공식승인, 쿠웨이트의 피해에 대한배상등이 포함될 것으로 알려짐.

4. 양인은 또한 유럽지역 안보문제와 관련, 나토와 미군의 계속적인 구주주둔에 대한 지지입장을 재확인하였음. 메이저 수상은 다만 미국으로 부터 더욱 큰 군사부담을 넘겨 받는문제는 구주제국들에 달렸다고 덧붙임.끝

(대사대리 최근배-국장)

구주국 1차보 미주국 중아국 정문국 안기부

0246

PAGE 1 91.03.19 09:05 WG

외신 1과 통제관

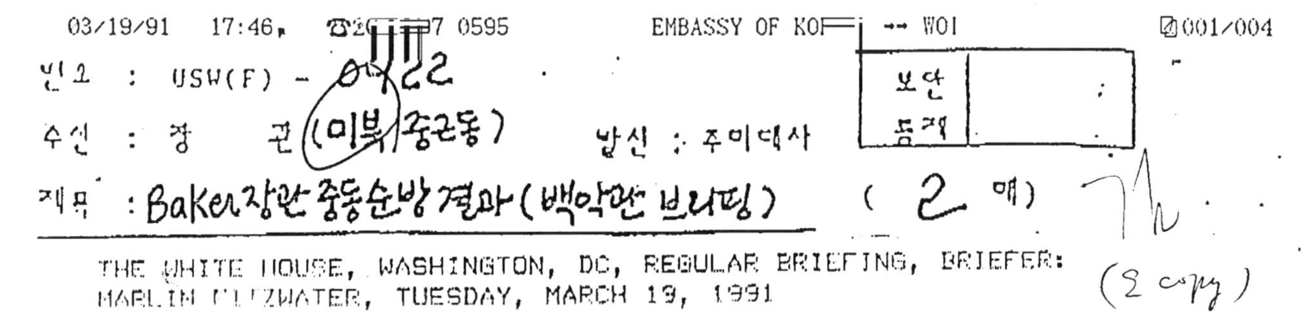
03/19/91 17:46 ☎202 797 0595 EMBASSY OF KOREA → WOI 001/004

번호 : USW(F) - 0922

수신 : 장 관 (미북, 중근동) 발신 : 주미대사

보안 통제

제목 : Baker장관 중동순방결과 (백악관 브리핑) (2 매)

THE WHITE HOUSE, WASHINGTON, DC, REGULAR BRIEFING, BRIEFER: MARLIN FITZWATER, TUESDAY, MARCH 19, 1991

(2 copy)

MR. FITZWATER: Okay, let's see. In going through the President's schedule, the first meeting this morning was with the bipartisan congressional leadership where the President and Secretary Baker gave a report on their trips. I might give you just a few highlights from that. I think you -- several of the members talked about it outside.

The President discussed his meetings with Prime Minister Mulroney, Prime Minister Major and President Mitterrand and essentially indicated that they were all supportive of our efforts to make progress and the peace process with the Middle East as well as in the consideration of the cease-fire resolution at the United Nations.

Secretary Baker outlined the trip that he had made to eight cities and nine countries, and the Secretary --

Q How did he do that? (Laughter)

MR. FITZWATER: I'm sorry, I reversed that. And he spoke about US credibility being better than it's ever been before in terms of ability to be a catalyst for the peace process and that he got a very good response from Israel and the Arab states for moving the process forward.

He said that in the short-term we were looking to the UN resolution that will soon be considered by the Security Council with regard to a permanent cease-fire, that it would contain a specific recognition of the 1963 borders of Iraq and Kuwait, that it would establish a UN observer force along the border of Iraq and Kuwait and that it would deal with the lifting of the sanctions in a way that ensured the elimination of weapons of mass destruction and the payment of reparations.

Those matters have not been specifically determined at this point and there undoubtedly will be extensive debate in the Security Council on exactly how you would link the lifting of the sanctions to those other issues. Nevertheless, that will be the focus of the cease-fire resolution.

In the long-term the Secretary reported that he had discussed with the coalition partners an enhanced military for the GCC countries, particularly efforts that they might make in their common defense as well as improvements -- or as well as increased support from the United States in their military status. He spoke of Egypt and Syria playing an important role in the security forces that would be employed along the Kuwait-Iraqi border and would be used to help maintain the peace in that area.

0922 - 1

0247

He spoke of the -- discussed with the countries the UN observer force and how that would be made up and deployed, and those of course will be further discussed in the Security Council this week.

And finally he discussed with them the status of US participation in the Gulf over the long-term, particularly in terms of our desire to remove all of our ground forces from the region, but that we would like to enhance our naval force which has been in the Gulf since 1949, that we would be interested in some prepositioning of equipment and planes that would make it easier to support interests there should that be necessary again, and lastly, we would be willing to participate in certain military exercises with Gulf countries if they were interested.

All these points were raised and discussed, and we don't have specific agreements or specific plans in any of these areas yet, but clearly these are the areas that we are proceeding in our planning and in our discussions with these countries.

The Secretary discussed his visit to Moscow. We went over that pretty much yesterday, but he emphasized that he had met with the Baltic leaders, reemphasized the United States position. He had also met with the republic leaders at an embassy dinner, and had gotten a good sense of the situation that the Baltic leaders and republic leaders were facing, and what their interests were.

He talked about arms control just briefly, to suggest -- again, as we said yesterday -- that we had not resolved the major issues with regard to START and CFE. Some progress was made on CFE, but essentially we are still negotiating in those two areas, and don't have any breakthroughs to report.

And I think that pretty much sums up the effort. There was a discussion of Jordan. The President emphasized that he was disappointed with the position of Jordan during the war, but that we needed to be careful in this post-war period not to legislatively limit our flexibility and our -- our flexibility in dealing with Jordan, and in dealing with the peace process in the Middle East. The concern there is that the Congress is considering certain amendments or certain pieces of legislation that might tie our hands in terms of our ability to establish -- or to relate to Jordan in the months ahead.

0922-2
(END)

0248

발 신 전 보

분류번호	보존기간

번 호 : WSD-0152 910321 1848 FH 종별 :

수 신 : 주 수신처 참조 대사, 총영사

WNR -0110 WFN -0074
WDE -0113 WUN -0601

발 신 : 장 관 (중동일)

제 목 : 유엔 평화 유지군

국방장관이 2.26.

1. 주덴마크 대사 보고에 의하면, 덴마크 정부는 유엔으로 부터 평화유지군의 걸프지역 파견 요청을 받고 이에 응하며 우선 1차로 13명을 파견한후 추후 약 100명을 추가로 파견할 예정이라고 발표한바 있다고 함.

2. 또한 덴마크 언론 보도에 의하면, 덴마크, 스웨덴, 노르웨이, 핀란드 북구 4개국은 약 240여명의 유엔 평화 유지군의 공동 파견을 준비중이라 함.

3. 귀주재국의 관련동향을 파악 보고바람.

(중동아국장 이 해 순)

수신처 : 주 스웨덴, 노르웨이, 핀란드 대사, 주 덴마크대사

사본 : 주유엔대사

구주국장 국제기구국장

보안통제	기

앙고재	91년 3월 21일	중동1과	기안자 성명		과 장	심의관	국 장		차 관	장 관
			정혁		기	영	전결			기

외신과통제

0249

원 본

외 무 부

종 별 :

번 호 : NRW-0210 일 시 : 91 0321 1600

수 신 : 장 관 (중동일,구이,국연,정일,기정동문)

발 신 : 주 노르웨이 대사

제 목 : 유엔 평화유지군(자료응신 91-2호)

대:WNR-110

1.대호에 관해 3.21.주재국 외무부에 확인한바, 주재국은 유엔의 요청이 있으면 북구제국과 협조하여 유엔감시단 (OBSERVATIONCORPS)및 유엔평화유지군을 걸프지역에 파견한다는 것이 기본방침이라함. 그러나 이에대한 유엔의 결의가 아직 이루어지지 않았기때문에 파견은 하지않고 있는 상태라함

2.주재국측 설명에 의하면, 유엔감시단은 휴전이 공식적으로 성립되는 경우 휴전 준수여부를 MONITOR 하기위해 유지되며 무장하지않은 장교급으로 구성된 소규모 수준이라함.유엔측구상은 각국 10명정도 (무관 또는 이란.이라크 휴전감시단으로 이미 현지에 파견되어 있는 1-2명추가 가능)를 요청할 예정으로 알고있다함.(따라서 노르웨이 11명, 덴마크 13명) 그러나 유엔감시단파견에 관한 유엔 안보리 결의안이 아직채택되어 있는 상태가 아니기 때문에 주재국은 동 결의안 채택시까지 대기중이라함.평화유지군은 당사국 (쿠웨이트, 이라크, 사우디등)의 요청과 유엔의 결의가 있어야하는데 아직 그러한 조치가없기 때문에 현상태에서 파견여부를 말하기는 어렵지만 만약 유엔결의에 따라 파견요청이 있으면 이에 응한다는것이 주재국 입장이라함.끝

(대사 김병연-국장)

중아국 1차보 구주국 국기국 정문국 안기부

PAGE 1

91.03.22 09:10 WG

외신 1과 통제관

0250

원 본

외 무 부

종 별 :

번 호 : SDW-0269 일 시 : 91 0322 2045

수 신 : 장 관(중동일)

발 신 : 주 스웨덴 대사

제 목 : 유엔 평화 유지군

대 : WSD-0152

1. 당관 황규정 공사가 3.22 외무부 아.중동국 STAFFANSSON 담당관에게 대호건 확인한 바, 유엔이 아직도 평화유지군 유지 여부를 결정하지 않았으므로 요청은 받은 바 없으나, 요청받을 경우 스웨덴 정부는 단독이든 북구 4국 공동이든 파견 예정이라함.

2. 대호 1항 덴마크 국방장관 발표 보도에 관하여는 덴마크 자체 계획일 것이라함.

(대사 최동진- 국장)

중아국 1차보 정문국 안기부

PAGE 1

0251

91.03.23 10:25 WG

외신 1과 통제관

원 본

외 무 부

종 별 :

번 호 : FNW-0097 일 시 : 91 0326 1550

수 신 : 장 관(중동일,구이)

발 신 : 주 핀랜드 대사

제 목 : 유엔 평화유지군

대:WFN-0074

1.대호 주재국 국방부에 확인한 주재국 입장아래 보고함.

가.주재국은 유엔등으로부터 요청이 있을 시 평화유지군을 걸프지역에 파견할 용의가 있음을 밝힌바 있음.

나.그러나 현재까지 평화유지군 파견을 요청받은 바없으므로 주재국으로서는 평화유지군 파견여부를 결정하지 않음.

2.동건 진전사항 추보하겠음.끝

(대사 윤억섭-국장)

중아국 1차보 구주국 국기국

2차보

0252

PAGE 1 91.03.27 09:03 WG

외신 1과 통제관

원 본

외 무 부

종 별 :

번 호 : DEW-0146 일 시 : 91 0326 1600

수 신 : 장 관(중동일,구이,국연,기정)

발 신 : 주 덴마크 대사

제 목 : 유엔평화 유지군

연:DEW-0105

대:WDE-0113

1. 주재국 외무부 관계관에 의하면 주재국 정부는 연호 유엔의 요청에 따라 언제라도 평화유지군을 파견할 수 있도록 준비해놓고있으며 최종적인 파견 여부, 시기 및 방법등은 유엔에서 평화유지군 파견에 관한 구체적인 결정에 달렸다함.

2. 동 관계관에 의하면 스웨덴, 노르웨이, 핀랜드등 타 북구국가들도 주재국과 같은 입장을 갖고 있다함. 끝.

(대사 김세택-국장)

중아국 1차보 구주국 국기국 정문국 안기부

0253

PAGE 1

91.03.27 09:11

외신 1과 통제관

원 본

외 무 부

종 별 :

번 호 : DEW-0172 일 시 : 91 0410 1800

수 신 : 장 관(중동일,구이,국연,정일,기정)

발 신 : 주 덴마크 대사

제 목 : 중동 유엔평화 유지군(자료응신제14호)

대:WDE-0113

연:DEW-0146

1. 주재국 외무부 정무2국 KIM WINTHEN 과장에 의하면, 주재국 정부는 유엔으로부터 이라크.쿠웨이트국경에 배치될 유엔평화군에 파견해 달라는 요청을 공식적으로 접수하는 즉시 48시간 이내에 10명의 장교를 포함한 1개중대 총 145명을 파견할수 있도록 준비가 완료되었다함.

2. 동 과장은 유엔이 금일 오후나 명 4.11.쯤 상기와 같은 요청을 주재국에 해올것으로 예측하였음.끝.

(대사 김세택-국장)

중아국 1차보 구주국 국기국 정문국 청와대 안기부

PAGE 1 91.04.11 09:25 WG

외신 1과 통제관

0254

원 본

외 무 부

종 별 :

번 호 : SGW-0228　　　　일 시 : 91 0415 1700

수 신 : 장 관(중동이,아동,국연)

발 신 : 주 싱가폴 대사

제 목 : 유엔 평화유지군 참여(자료응신 제12호)

1. 싱가폴은 10명으로 구성되는 싱가폴 군팀을 이락-쿠웨이트 국경 비무장지대에주둔할 유엔 평화유지군의 일원으로 파견할 것이라고 웡칸셍 외무장관이 작 4.14. 밝혔음.

2. 웡장관은 케야르 유엔사무총장으로 부터 지난 2월 싱가폴이 평화유지군을 파견할 것인지 문의받았으며, 이에대해 싱가폴 정부는 파견의사를 즉각 통보한바 있다고밝혔음. 웡장관은 또한 이락을 탈출하는 쿠르드 난민을 도울것인가 라는 기자질문에대해 아직 요청받은 일은 없으나 만일 요청을 받으면 이문제를 진지하게 검토할 것이라고 답함.

3. 싱가폴 정부는 지난 89년 나미비아 국제 평화유지군의 일원으로 싱가폴 경찰팀을 파견한바 있고, 금년초 걸프전 당시에는 30명의 군 의료지원단을 파견하는 등 최근 지역 및 국제문제에 적극적으로 참여해 오고 있음. 끝.

(대사- 국장)

중아국　1차보　아주국　국기국

0255

PAGE 1　　　　91.04.16　02:11 DQ

외신 1과 통제관

외 무 부

종 별 :

번 호 : NRW-0264 일 시 : 91 0418 1600

수 신 : 장관(구이,중동일,정일,기정동문,국방부,사본:김병연대사

발 신 : 주노르웨이대사대리

제 목 : 유엔 감시단 파견(자료응신 91-14호)

연: NRW-0242

주재국은 유엔의 요청에 따라 이락. 쿠웨이트 휴전감시단(UNIKOM) 을 파견할 것으로 알려짐. 당관이 4.18. 주재국 외무부를 통해 탐문한바에 의하면, 주재국은 4.16(화) 유엔으로부터 감시단 파견요청을 받고 즉시 수락하였으며, 동 감시단은 8명의 장교(소령,대위)와 보조요원으로 50명의 위생병, 도합 58명으로 구성된다함. 장교중 1명은 이미 당지를 출발하였고 나머지 7명은 4.19. 출발 예정이며 위생병은월말경 출발 예정이라함. 장교중 1명은 군의관임. 이와 별도로 동 감시단의 병참지원을 위해 이미 레바논에 주둔하고 있는 노르웨이 평화유지군(UNIFIL) 가운데 15명이 UNIKOM 으로 배속될 것이라 함.끝.

(대사대리 손상하-국장)

구주국	차관	1차보	중아국	정문국	대사실	청와대	안기부	국방부

PAGE 1 91.04.19 06:40 DF 0256

외신 1과 통제관

원 본

외 무 부

종 별 :

번 호 : CNW-0453 일 시 : 91 0415 1400

수 신 : 장 관(중동일,미북,미안,국연,정일,국방부)

발 신 : 주 캐나다 대사

제 목 : 유엔 평화 유지군(자료응신 제 64 호)

1. 주재국은 유엔으로부터 이락크 쿠웨이트 국경지역에 파견될 1440 명의 유엔평화유 지군 (UNIKOM)중 300 명 파견을 요청받았는바, 클라크 외무장관은 4.14. 기자회견을 통해 카 정부는 동 요청을 긍정적으로 검토할것이라고 함.

2. 주재국이 동 요청을 수락할 경우 카나다 병력은 1년간 이라크.쿠웨이트 국경 15 KM 폭의 비무장지대에서 주로 지뢰와 불발탄 제거 작업을 맡게되며, 금번 평화 유지군에 관여하게 되는 35- 36 개국중 가장 큰 규모의 병력이 될것이라고함.끝

(대사 - 국장)

중아국 1차보 미주국 미주국 국기국 정문국 안기부 국방부

0257

PAGE 1 91.04.16 09:25 WG

외신 1과 통제관

원 본

외 무 부

종 별 :

번 호 : FNW-0115 일 시 : 91 0418 1100

수 신 : 장 관(중동일,구이)

발 신 : 주 핀랜드 대사

제 목 : 걸프 군사옵서버 파견

연:FNW-0097

1.주재국은 유엔 사무총장의 요청에 따라 이락.쿠웨이트 국경에 파견될 유엔옵서버단(UNIKOM) 300명의 일원으로 7명의 군사 옵서버를 파견키로 결정함.

2.그러나 주재국은 동 지역으로 주재국의 평화유지군을 배치하지는 않을 것이라고 함.끝

(대사 윤억섭-국장)

중아국 1차보 구주국 정문국 청와대 안기부

0258

PAGE 1 91.04.18 22:21 DF

외신 1과 통제관

4.11.
중국, 유엔평화유지군 파견예정

W1124
r IBX TXA550 18-04 00274
01 87
^China-Gulf
^China to Send 20 Military Observers to Join U.N. Forces in Gulf<

BEIJING (AP) - China will send 20 military observers to join U.N. peacekeeping forces in the Gulf, the Foreign Ministry said Thursday.

Spokesman Wu Jianmin said at a weekly briefing that the observers would join U.N. forces patrolling the Iran-Kuwait border ''as soon as possible, as the U.N. requires.''

It will be the first time that all five permanent members of the U.N. Security Council -- China, the United States, Britain, France and the Soviet Union -- are sending troops to a U.N. peacekeeping mission.

Altogether, 34 nations are contributing to the U.N. forces, which initially will be made up of 1,440 troops. They include five infantry companies, a logistics unit and a field engineer unit.

Wu did not say what tasks the Chinese participants would undertake.

China last joined a U.N. peacekeeping mission in May 1990, when it sent observers to the Middle East, the Foreign Ministry said earlier this week. China's participation in such missions has been token.

Liu also said China is considering sending aid to Kurdish refugees who are fleeing from the forces of Iraqi President Saddam Hussein and flooding into neighboring Iran and Turkey.

''We are greatly concerned over and sympathize with the difficult situation of the Kurdish refugees,'' he said.

Commenting on the refugee camps set up in northern Iraq by the United States, France and Britain, Liu said, ''We hope that the parties concerned will find a proper settlement to the refugee issue'' while respecting the integrity of Iraq.
^END<

0259

원 본

외 무 부

암호수신

종 별 :

번 호 : CPW-0559 일 시 : 91 0419 1700

수 신 : 장관(중동일,아이,미북,국연)사본:노재원대사

발 신 : 주 북경 대표

제 목 : 중국,유엔 군사 옵서버단 파견

1. 주재국은 유엔의 초청에 의하여 20 명의 유엔 이락, 쿠웨이트 군사 옵서버단(UNIKOM)을 가능한 빨리 파견키로 하였다고 4.19 외교부 대변인이 발표함.

2. 미.불.영군이 쿠르드족을 위한 난민 캠프 설치를 위하여 이라크 국경을 월경했다는 보도와 관련, 동 외교부 대변인은 관련 당사국들이 유엔헌장 및 관련결의안에 따라 난민문제에 관한 적절한 해결책을 강구하기를 희망한다고 언급함.

3. 또한 중국은 쿠르드난민에 대한 인도적인 원조제공을 고려하고 있으며, 이라크의 전쟁희생자들을 위하여 중국 접십자사가 20 만미불 상당의 식량과 의료품을 기제공했다고 밝혔음. 끝.

(대사대리 허세린-국장)

중아국 장관 차관 1차보 아주국 아주국 미주국 국기국 청와대
안기부

PAGE 1

91.04.19 19:28

외신 2과 통제관 FE

0260

원 본

외 무 부

종 별 :

번 호 : DEW-0198 일 시 : 91 0419 1700

수 신 : 장관(중근동,구이,정일,기정,사본:김세택 대사-구이경유)

발 신 : 주 덴마크 대사대리

제 목 : 유엔 평화 유지군 파견(자료응신 제 21호)

대:WDE-0113

연:DEW-0172

1. 유엔평화유지군에 파견되는 주재국 군인 9명 (장교,사병포함)이 카이로를 향해 4.18. 당지출발함.

2. 또한 주재국은 현재 싸이프러스 평화유지군으로 파견되어 있는 115명도 곧 걸프 평화유지군으로 합류시킬 준비를 완료함. 끝.

(대사대리-국장)

중아국 1차보 구주국 구주국(대사) 국기국 정문국 청와대 안기부

PAGE 1 91.04.20 10:03 WG

외신 1과 통제관

0261

외 무 부

종 별 :

번 호 : UNW-0994 일 시 : 91 0422 1830

수 신 : 장관(국연,중동일,기정)

발 신 : 주유엔대사

제 목 : 걸프사태(유엔동향)

연: UNW-0989

안보리 휴전결의(687 호) 에 의거 이라크무기 폐기업무를 관장할 연호 특별위설치 계획을 4.19안보리가 승인함에따라, 금 4.22. 유엔사무총장은동 위원회 의장및 부의장을 다음과같이임명,발표하였음.

1.의장(EXECUTIVE CHAIRMAN):R.EKEUS 대사(스웨덴)

2.부의장(DEPUTY E.C.):R.GALLUCI (미국)

끝

(대사 노창희-국장)

국기국 중아국 안기부

PAGE 1

91.04.23 10:10 FN

외신 1과 통제관

0262

외 무 부

종 별 :

번 호 : UNW-1010 일 시 : 91 0423 1900

수 신 : 장 관(국연,중동일,기정)

발 신 : 주 유엔 대사

제 목 : 걸프사태(유엔동향)

1.금 4.23. 유엔측 발표에 의하면, 지난 4.18 이락난민구호 관련 이락-유엔간 합의 (MOU) 에 의거 UNHCR 선발대 (10-15 명) 가 금주 바그다드 도착예정이며, 동 선발대는 터어키, 이란과의 접경각지역에 현장사무소 (FIELD OFFICES) 를 설치할것이라고 함.또한 UNHCR 은 쿠웨이트와의 접경지역난민 (다국적군 보호하의 약 3 만명) 에대해서도 인도적 지원계획이며, 그동안 동난민의 제3국 정착을 위해 관련국들과 교섭해온 것으로 알 려짐.

2.상기 이락-유엔간 난민구호합의와 관련한 A.HUSSEIN 이락외상 명의 사무총장앞 4.21 자 서한이 금일 안보리문서 (S/22513) 로 배포된바 동서한에서 이락측은 미군등 외국군에 의한 자국북부 ZAKHOU 지역 난민수용소설치 움직임을 주권및 영토 보전 침해행위라고 비난하면서 유엔이 동 수용소들을 접수할 것을 요청하였음.금 4.23 정오 브리핑에서 사무총장 대변인 (N.YOUNES) 은상기 이락측 요청을 유럽방문중인 사무총장 (4.24 귀임예정)에게 보고하였으며 유엔은 동 요청을 현재 검토하고 있다고 언급함.

3.한편 안보리 휴전결의에 의거 사무총장은 이락배상기금 및 동기금 운영위 설치계획을 곧안보리에 제출예정인 것으로 알려진바, 동운영위는 집행부 (GOVERNING COUNCIL : 약 15개국참여)및 전문 지원인력 (PANEL OF EXPERTS) 으로 이루어질 것으로 관 측됨.끝

(대사 노창희-국장)

국기국 1차보 중아국 정문국 청와대 안기부

0263

PAGE 1 91.04.24 09:54 WG

외신 1과 통제관

외교문서 비밀해제: 걸프 사태 29

걸프 사태 각국 경제 제재 및 단교, 다국적 군대 파견

초판인쇄 2024년 03월 15일
초판발행 2024년 03월 15일

지은이 한국학술정보(주)
펴낸이 채종준
펴낸곳 한국학술정보(주)
주 소 경기도 파주시 회동길 230(문발동)
전 화 031-908-3181(대표)
팩 스 031-908-3189
홈페이지 http://ebook.kstudy.com
E-mail 출판사업부 publish@kstudy.com
등 록 제일산-115호(2000. 6. 19)

ISBN 979-11-6983-989-1 94340
979-11-6983-960-0 94340 (set)